힘이 붙는 수학 연산

중등 1-1

구성과 특징

대단원 도입

대단원별 학습 계획을 세워 자기주도학습을 할 수 있도록 하였습니다.

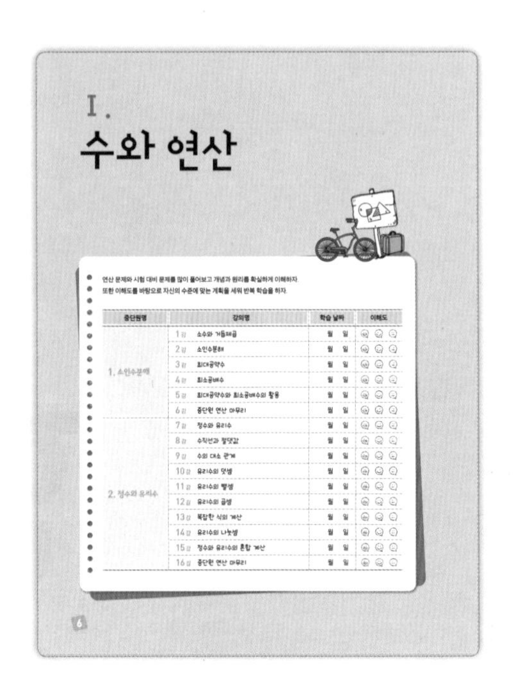

힘수 점검

연산을 다시 풀어보기

이전에 배운 내용 중에서 본 학습과 연계된 연산 문제를 제공함으로써 본 학습 내용을 쉽게 이해하고 수학의 흐름을 한눈에 볼 수 있도록 하였습니다.

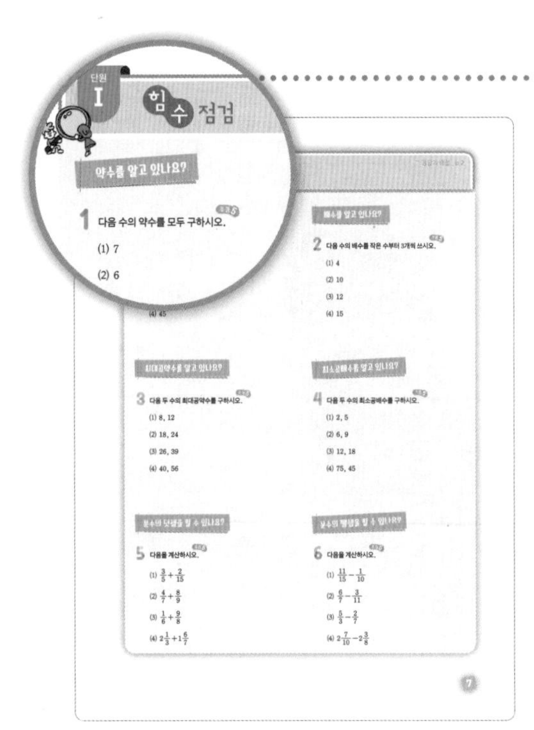

교과서 핵심 개념 이해

각 단원에서 교과서 핵심을 세분화하여 정리하였고 그 개념을 도식화, 도표화하여 보다 쉽게 개념을 이해할 수 있도록 하였습니다.

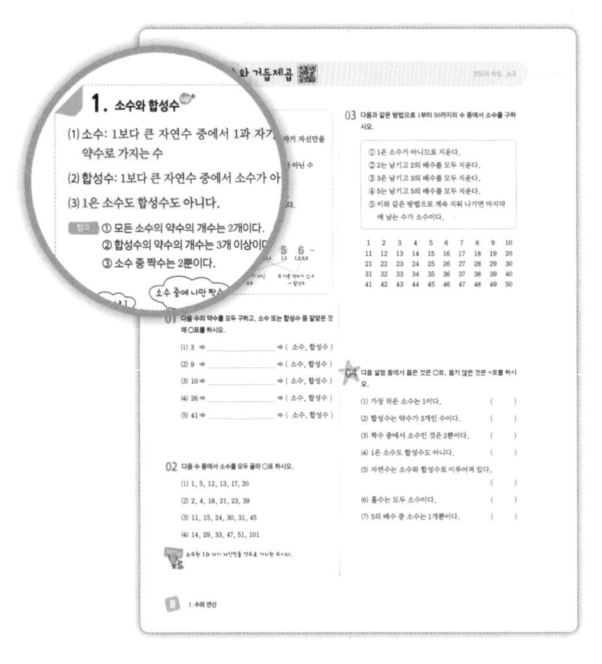

힘이 붙는 수학은

- 교과서 개념에서 나올 수 있는 연산 관련된 개념을 세분화해서 정리하여 공부할 수 있도록 하였습니다.
- 각 강마다 연산 문제를 2~4쪽씩 제공하여 많이 풀 수 있도록 하였고, 중단원마다 그 연산 문제를 반복할 수 있도록 하였습니다.

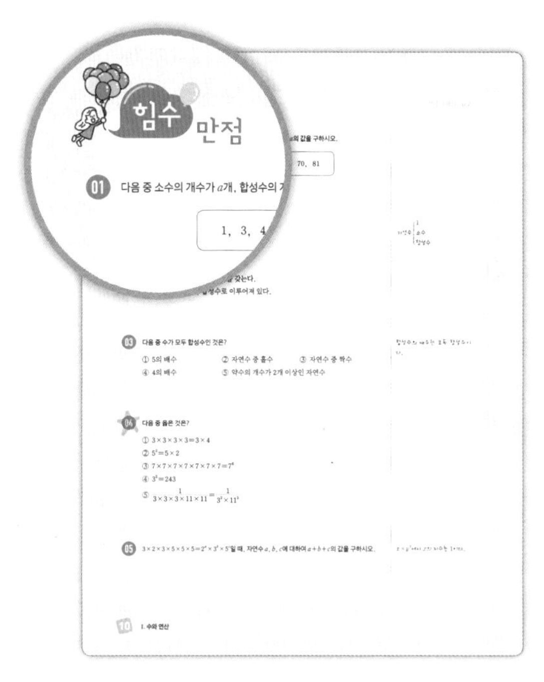

힘수 만점

연산을 적용한 문제 풀기

앞에서 배운 연산 문제를 이용하여 풀 수 있는 문제들로 구성하여 개념을 쉽게 익힐 수 있도록 하였습니다.

중단원 연산 마무리

중단원마다 앞에서 나왔던 연산 문제보다 난이도가 있는 문제들로 구성하여 내신 대비를 할 수 있도록 하였습니다.

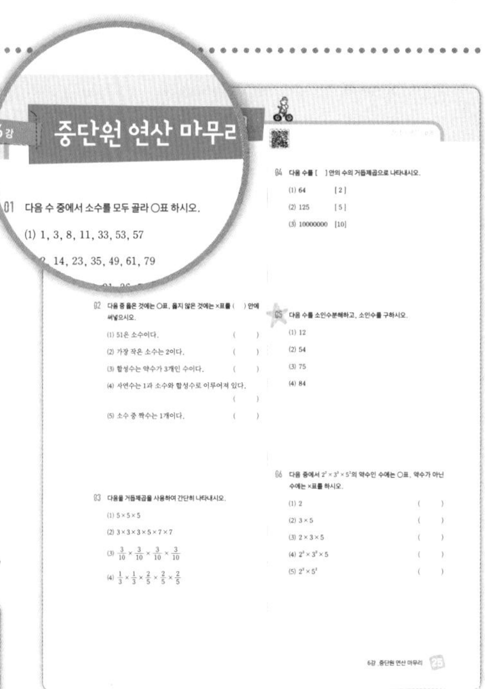

정답과 해설

혼자서도 쉽게 이해할 수 있도록 자세하고 친절한 풀이를 제시하였습니다.

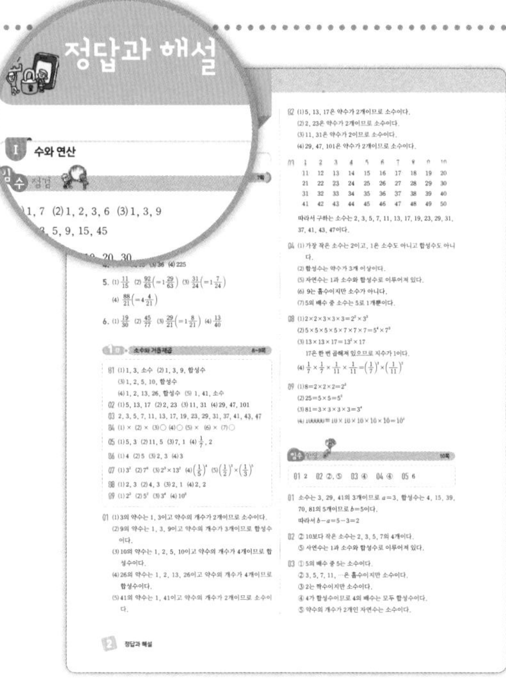

이 책의 차례

I 수와 연산

1 소인수분해

2 정수와 유리수

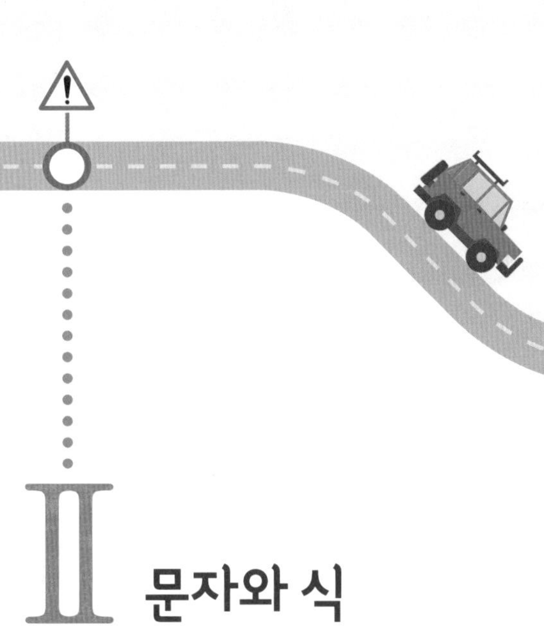

Ⅱ 문자와 식

1 문자의 사용과 식의 계산

2 일차방정식

Ⅲ 좌표평면과 그래프

1 좌표평면과 그래프

2 정비례와 반비례

Ⅰ. 수와 연산

연산 문제와 시험 대비 문제를 많이 풀어보고 개념과 원리를 확실하게 이해하자.
또한 이해도를 바탕으로 자신의 수준에 맞는 계획을 세워 반복 학습을 하자.

중단원명	강의명	학습 날짜	이해도
1. 소인수분해	1강 소수와 거듭제곱	월 일	
	2강 소인수분해	월 일	
	3강 최대공약수	월 일	
	4강 최소공배수	월 일	
	5강 최대공약수와 최소공배수의 활용	월 일	
	6강 중단원 연산 마무리	월 일	
2. 정수와 유리수	7강 정수와 유리수	월 일	
	8강 수직선과 절댓값	월 일	
	9강 수의 대소 관계	월 일	
	10강 유리수의 덧셈	월 일	
	11강 유리수의 뺄셈	월 일	
	12강 유리수의 곱셈	월 일	
	13강 복잡한 식의 계산	월 일	
	14강 유리수의 나눗셈	월 일	
	15강 정수와 유리수의 혼합 계산	월 일	
	16강 중단원 연산 마무리	월 일	

힘수 점검

정답과 해설 _ p.2

약수를 알고 있나요?

1 다음 수의 약수를 모두 구하시오. 초등5

(1) 7

(2) 6

(3) 9

(4) 45

배수를 알고 있나요?

2 다음 수의 배수를 작은 수부터 3개씩 쓰시오. 초등5

(1) 4

(2) 10

(3) 12

(4) 15

최대공약수를 알고 있나요?

3 다음 두 수의 최대공약수를 구하시오. 초등5

(1) 8, 12

(2) 18, 24

(3) 26, 39

(4) 40, 56

최소공배수를 알고 있나요?

4 다음 두 수의 최소공배수를 구하시오. 초등5

(1) 2, 5

(2) 6, 9

(3) 12, 18

(4) 75, 45

분수의 덧셈을 할 수 있나요?

5 다음을 계산하시오. 초등5

(1) $\frac{3}{5}+\frac{2}{15}$

(2) $\frac{4}{7}+\frac{8}{9}$

(3) $\frac{1}{6}+\frac{9}{8}$

(4) $2\frac{1}{3}+1\frac{6}{7}$

분수의 뺄셈을 할 수 있나요?

6 다음을 계산하시오. 초등5

(1) $\frac{11}{15}-\frac{1}{10}$

(2) $\frac{6}{7}-\frac{3}{11}$

(3) $\frac{5}{3}-\frac{2}{7}$

(4) $2\frac{7}{10}-2\frac{3}{8}$

정답과 해설 _ p.2

1. 소수와 합성수

(1) 소수: 1보다 큰 자연수 중에서 1과 자기 자신만을 약수로 가지는 수

(2) 합성수: 1보다 큰 자연수 중에서 소수가 아닌 수

(3) 1은 소수도 합성수도 아니다.

참고 ① 모든 소수의 약수의 개수는 2개이다.
② 합성수의 약수의 개수는 3개 이상이다.
③ 소수 중 짝수는 2뿐이다.

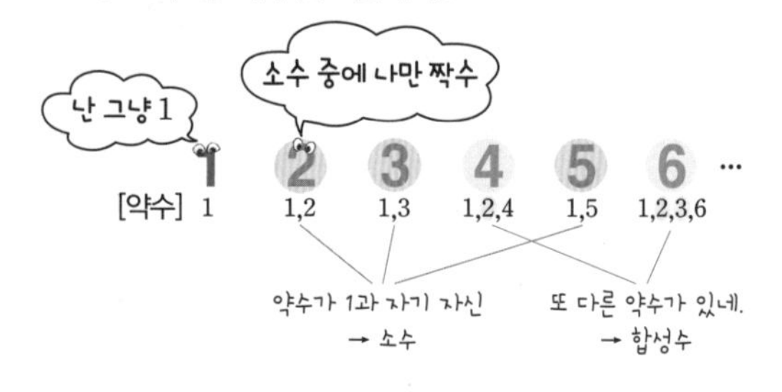

01 다음 수의 약수를 모두 구하고, 소수 또는 합성수 중 알맞은 것에 ○표를 하시오.

(1) 3 ➡ ________________ ➡ (소수, 합성수)

(2) 9 ➡ ________________ ➡ (소수, 합성수)

(3) 10 ➡ ________________ ➡ (소수, 합성수)

(4) 26 ➡ ________________ ➡ (소수, 합성수)

(5) 41 ➡ ________________ ➡ (소수, 합성수)

02 다음 수 중에서 소수를 모두 골라 ○표 하시오.

(1) 1, 5, 12, 13, 17, 20

(2) 2, 4, 18, 21, 23, 39

(3) 11, 15, 24, 30, 31, 45

(4) 14, 29, 33, 47, 51, 101

개념 Tip 소수는 1과 자기 자신만을 약수로 가지는 수이다.

03 다음과 같은 방법으로 1부터 50까지의 수 중에서 소수를 구하시오.

① 1은 소수가 아니므로 지운다.
② 2는 남기고 2의 배수를 모두 지운다.
③ 3은 남기고 3의 배수를 모두 지운다.
④ 5는 남기고 5의 배수를 모두 지운다.
⑤ 이와 같은 방법으로 계속 지워 나가면 마지막에 남는 수가 소수이다.

1	2	3	4	5	6	7	8	9	10
11	12	13	14	15	16	17	18	19	20
21	22	23	24	25	26	27	28	29	30
31	32	33	34	35	36	37	38	39	40
41	42	43	44	45	46	47	48	49	50

04 다음 설명 중에서 옳은 것은 ○표, 옳지 않은 것은 ×표를 하시오.

(1) 가장 작은 소수는 1이다. ( )

(2) 합성수는 약수가 3개인 수이다. ( )

(3) 짝수 중에서 소수인 것은 2뿐이다. ( )

(4) 1은 소수도 합성수도 아니다. ( )

(5) 자연수는 소수와 합성수로 이루어져 있다. ( )

(6) 홀수는 모두 소수이다. ( )

(7) 5의 배수 중 소수는 1개뿐이다. ( )

2. 거듭제곱

거듭제곱: 같은 수나 문자를 여러 번 곱한 것을 간단히 나타낸 것

(1) 밑: 거듭하여 곱한 수나 문자

(2) 지수: 거듭하여 곱해진 수나 문자의 횟수

참고 2^2을 '2의 제곱', 2^3을 '2의 세제곱', 2^4을 '2의 네제곱'이라고 읽는다.

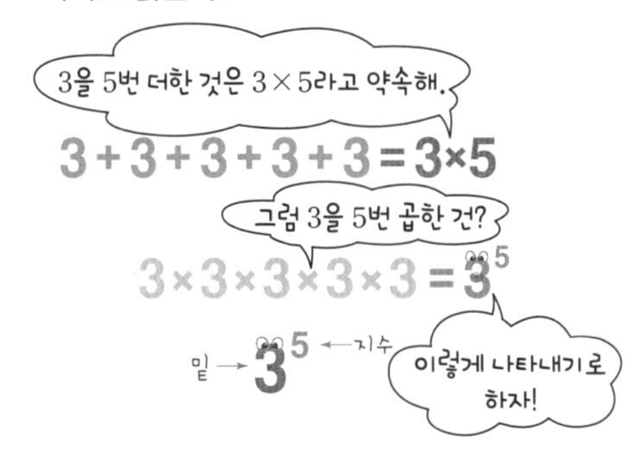

05 다음 거듭제곱의 밑과 지수를 각각 구하시오.

(1) 5^3 ➡ 밑: ________, 지수: ________

(2) 11^5 ➡ 밑: ________, 지수: ________

(3) 7 ➡ 밑: ________, 지수: ________

(4) $\left(\frac{1}{7}\right)^2$ ➡ 밑: ________, 지수: ________

06 다음을 거듭제곱을 사용하여 간단히 나타내려고 할 때, □ 안에 알맞은 수를 써넣으시오.

(1) $2\times2\times2\times2=2^{\square}$

(2) $6\times6\times6\times6\times6=6^{\square}$

(3) $3\times3\times5\times5\times5=3^{\square}\times5^{\square}$

(4) $\frac{1}{7}\times\frac{1}{7}\times\frac{1}{7}=\left(\frac{1}{7}\right)^{\square}$

07 다음을 거듭제곱으로 나타내시오.

(1) 3×3

(2) $7\times7\times7\times7\times7\times7$

(3) $2\times2\times2\times13\times13$

(4) $\frac{1}{5}\times\frac{1}{5}\times\frac{1}{5}\times\frac{1}{5}$

(5) $\frac{1}{2}\times\frac{1}{2}\times\frac{1}{3}\times\frac{1}{3}\times\frac{1}{3}\times\frac{1}{3}\times\frac{1}{3}$

밑이 같은 것끼리 거듭제곱으로 나타낸다.

08 다음에서 자연수 a, b의 값을 각각 구하시오.

(1) $2\times2\times3\times3\times3=2^a\times3^b$

➡ $a=$ ________, $b=$ ________

(2) $5\times5\times5\times5\times7\times7\times7=5^a\times7^b$

➡ $a=$ ________, $b=$ ________

(3) $13\times13\times17=13^a\times17^b$

➡ $a=$ ________, $b=$ ________

(4) $\frac{1}{7}\times\frac{1}{7}\times\frac{1}{11}\times\frac{1}{11}=\left(\frac{1}{7}\right)^a\times\left(\frac{1}{11}\right)^b$

➡ $a=$ ________, $b=$ ________

09 다음 수를 [ ] 안의 수의 거듭제곱으로 나타내시오.

(1) 8 [2]

(2) 25 [5]

(3) 81 [3]

(4) 100000 [10]

힘수 만점

정답과 해설 _ p.2

01 다음 중 소수의 개수가 a개, 합성수의 개수가 b개일 때, $b-a$의 값을 구하시오.

1, 3, 4, 15, 29, 39, 41, 70, 81

02 다음 중 옳지 않은 것을 모두 고르면? (정답 2개)

① 1은 소수가 아니다.
② 10보다 작은 소수는 5개이다.
③ 1은 모든 자연수의 약수이다.
④ 합성수는 3개 이상의 약수를 갖는다.
⑤ 자연수는 소수와 합성수로 이루어져 있다.

자연수 { 1 / 소수 / 합성수

03 다음 중 수가 모두 합성수인 것은?

① 5의 배수 ② 자연수 중 홀수 ③ 자연수 중 짝수
④ 4의 배수 ⑤ 약수의 개수가 2개 이상인 자연수

합성수의 배수는 모두 합성수이다.

04 다음 중 옳은 것은?

① $3\times3\times3\times3=3\times4$
② $5^2=5\times2$
③ $7\times7\times7\times7\times7\times7\times7=7^6$
④ $3^5=243$
⑤ $\frac{1}{3\times3\times3\times11\times11}=\frac{1}{3^2\times11^3}$

05 $3\times2\times3\times5\times5\times5=2^a\times3^b\times5^c$일 때, 자연수 a, b, c에 대하여 $a+b+c$의 값을 구하시오.

$x\times y^2$에서 x의 지수는 1이다.

2강 ••• 소인수분해

1. 소인수와 소인수분해

(1) 소인수: 자연수의 인수 중에서 소수인 것
→ 인수는 약수와 같은 뜻

(2) 소인수분해: 1보다 큰 자연수를 소인수만의 곱으로 나타내는 것

예 60을 소인수분해하면

[방법 1] [방법 2]

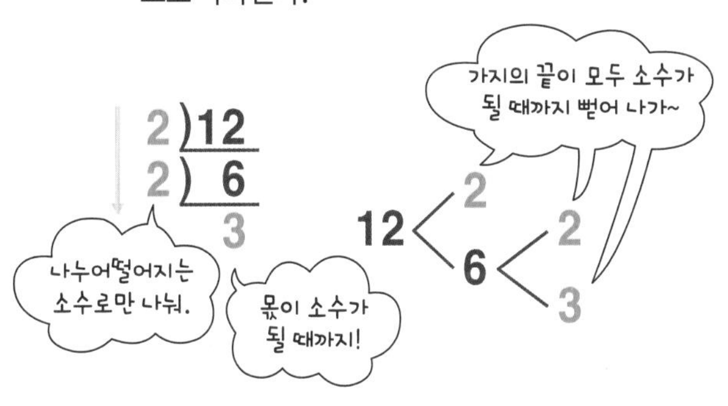

→ $60=2^2\times3\times5$

참고 소인수분해한 결과는 보통 크기가 작은 소인수부터 차례로 쓰고, 크기가 같은 소인수의 곱은 거듭제곱으로 나타낸다.

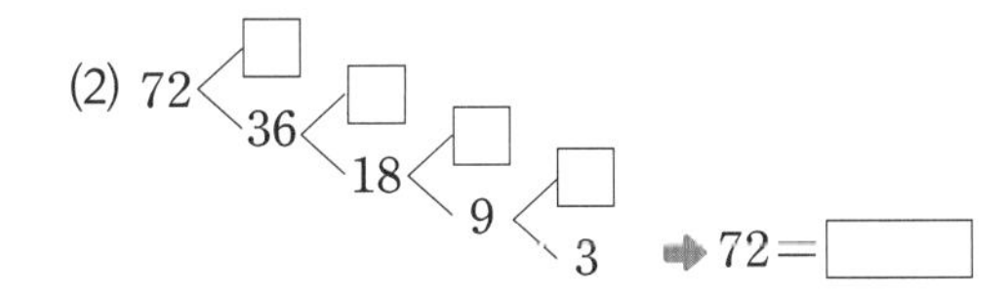

2. 소인수분해를 이용하여 약수 구하기 up+

자연수 A가 $A=a^m\times b^n$으로 소인수분해될 때
(a, b는 서로 다른 소수, m, n은 자연수)

(1) A의 약수: (a^m의 약수)×(b^n의 약수)

(2) A의 약수의 개수: $(m+1)\times(n+1)$개

예 $18=2\times3^2$이므로
18의 약수의 개수 → $(1+1)\times(2+1)=6$

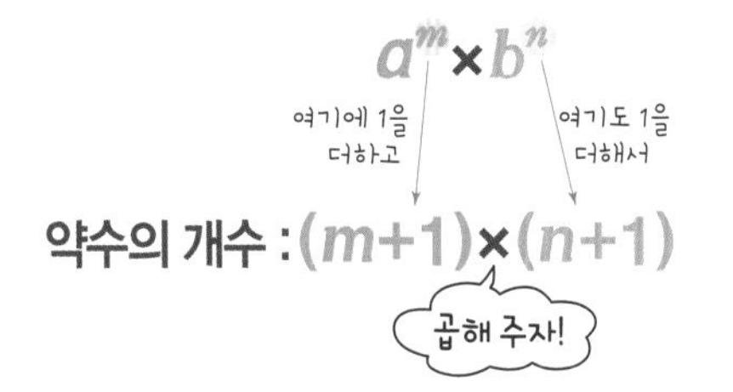

01 다음은 소인수분해하는 과정이다. □ 안에 알맞은 것을 써넣으시오.

(1) □) 84
□) 42
□) 21
7 → 84=□

(2) 72<□, 36<□, 18<□, 9<□, 3 → 72=□

02 다음 수를 소인수분해하고, 소인수를 구하시오.

(1) 36

(2) 70

03 다음 표를 채우고 이를 이용하여 주어진 수의 약수를 모두 구하시오.

(1) 2×5^2

×	1	5	5^2
1	1×1=1		
2	2×1=2		

→ 2×5^2의 약수: ______

(2) 3×7^2

×	1	7	7^2
1	1×1=1		
3			

→ 3×7^2의 약수: ______

(3) $2^2\times3^2$

×	1	3	3^2
1	1×1=1		
2			
2^2			

→ $2^2\times3^2$의 약수: ______

04 다음 중에서 $2^3\times7^2$의 약수인 수에는 ○표, 약수가 아닌 수에는 ×표를 하시오.

(1) 1 (　　)

(2) 2×7 (　　)

(3) 7^3 (　　)

(4) $2^2\times7^2$ (　　)

(5) $2^4\times7$ (　　)

(6) $2^3\times7^2$ (　　)

05 다음 수의 약수를 모두 구하시오.

(1) 5^4

(2) $3^2\times5$

(3) $2^2\times7^2$

(4) 63

(5) 100

06 다음 수의 약수의 개수를 구하시오.

(1) 2^4

(2) $2^4\times5^3$

(3) $2^2\times3\times7$

(4) 135

(5) 150

3. 소인수분해를 이용하여 제곱인 수 만들기 up+

주어진 수를 소인수분해하여 모든 소인수의 지수가 짝수가 되도록 적당한 수를 곱하거나 나눈다.

예 $20\times a$가 제곱인 수가 되게 하는 가장 작은 자연수 a

❶ 20을 소인수분해하기

➡ $20=2^2\times5$

❷ 모든 소인수의 지수를 짝수로 만들기

➡ $20\times a=2^2\times5\times5=2^2\times5^2$

❸ a의 값 구하기

➡ $20\times5=100=10^2$이므로 $a=5$

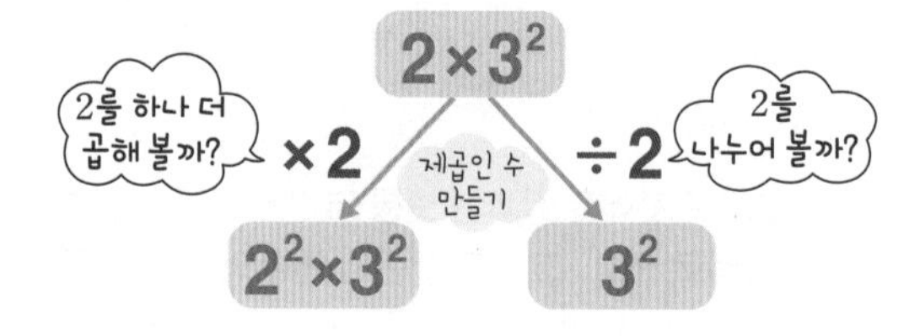

07 다음 수 중 어떤 자연수의 제곱이 되는 수에는 ○표, 아닌 수에는 ×표를 하시오.

(1) 7^4 (　　)

(2) 5^5 (　　)

(3) $2^2\times3$ (　　)

(4) $2^2\times5^2$ (　　)

(5) $2^3\times7^2$ (　　)

(6) $2^4\times3^2\times5^2$ (　　)

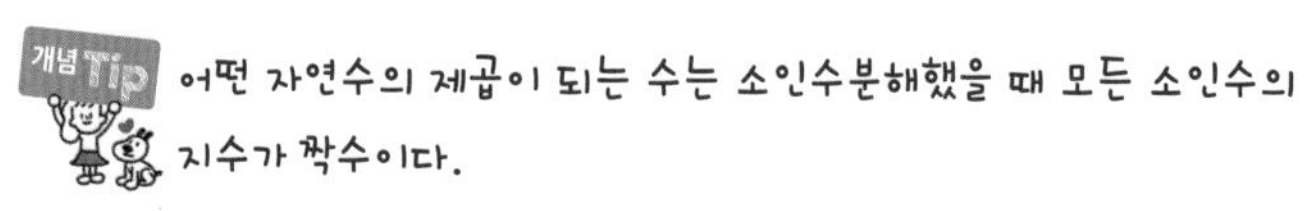

어떤 자연수의 제곱이 되는 수는 소인수분해했을 때 모든 소인수의 지수가 짝수이다.

08 다음 수가 어떤 자연수의 제곱이 되게 하려고 할 때, □ 안에 들어갈 수 있는 가장 작은 자연수를 써넣으시오.

(1) $2\times$□

(2) $5^3\times$□

(3) $2\times5\times$□

09 다음 수가 어떤 자연수의 제곱이 되게 하려고 할 때, □ 안에 들어갈 수 있는 가장 작은 자연수를 써넣으시오.

(1) $2^5 \div \square$

(2) $2^4 \times 3 \div \square$

(3) $2 \times 3^4 \div \square$

10 다음 수에 가장 작은 자연수를 곱하여 어떤 자연수의 제곱이 되게 하려고 한다. 곱해야 할 가장 작은 자연수를 구하시오.

(1) $5^2 \times 7$

(2) $2^3 \times 5$

(3) $2^2 \times 5^3$

(4) $2 \times 3^2 \times 7$

(5) $2^6 \times 7^3$

(6) $2 \times 5^2 \times 11$

11 다음 수를 가장 작은 자연수로 나누어 어떤 자연수의 제곱이 되게 하려고 한다. 나누어야 할 가장 작은 자연수를 구하시오.

(1) 5^7

(2) 3×5^2

(3) $2^3 \times 11^2$

(4) $2^2 \times 3^2 \times 5$

(5) $3^3 \times 5^2 \times 7$

12 다음 수에 가장 작은 자연수를 곱하여 어떤 자연수의 제곱이 되게 하려고 한다. 곱해야 할 가장 작은 자연수를 구하시오.

(1) 8

(2) 12

(3) 18

(4) 32

(5) 54

(6) 75

(7) 90

(8) 135

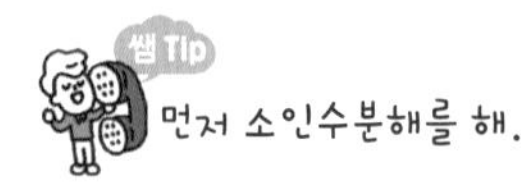

13 다음 수를 가장 작은 자연수로 나누어 어떤 자연수의 제곱이 되게 하려고 한다. 나누어야 할 가장 작은 자연수를 구하시오.

(1) 27

(2) 28

(3) 40

(4) 63

(5) 75

(6) 116

(7) 360

(8) 540

만점

정답과 해설 _ p.4

01 다음 중 소인수분해가 바르게 된 것은?

① $36=2^3\times3^2$ ② $56=2^2\times7$ ③ $84=2\times6\times7$
④ $240=2^4\times3\times5$ ⑤ $560=2^3\times5^2\times7$

소인수분해는 소인수만의 곱으로 나타낸다.

02 다음 중 48과 소인수가 같은 것은?

① 30 ② 34 ③ 42 ④ 144 ⑤ 240

소인수는 자연수의 약수 중 소수인 것이고, 약수와 인수는 같은 뜻이다.

03 다음 중 약수의 개수가 가장 많은 것은?

① $2^2\times3^2$ ② $3^3\times5^4$ ③ $2\times3^2\times7$
④ $5^3\times11$ ⑤ $2^3\times3\times5$

자연수의 약수의 개수는 소인수분해했을 때, 각 소인수의 지수에 1을 더한 후 곱하여 구한다.

04 $2^2\times5^{\square}$의 약수의 개수가 12개일 때, □ 안에 들어갈 알맞은 자연수를 구하시오.

05 45에 가능한 한 작은 자연수를 곱하여 어떤 자연수의 제곱이 되게 하려고 한다. 다음 물음에 답하시오.

(1) 곱해야 하는 자연수 중 가장 작은 자연수를 구하시오.

(2) (1)에서 구한 수를 45에 곱하면 어떤 자연수의 제곱이 되는지 구하시오.

어떤 자연수의 제곱인 수가 되려면 소인수분해했을 때 각 소인수들의 지수가 모두 짝수이어야 한다.

3강 ••• 최대공약수 

정답과 해설 _ p.5

1. 공약수와 최대공약수

(1) 공약수: 두 개 이상의 자연수의 공통인 약수

(2) 최대공약수: 공약수 중에서 가장 큰 수

예 8의 약수: 1, 2, 4, 8
12의 약수: 1, 2, 3, 4, 6, 12
공약수: 1, 2, 4
➡ 최대공약수: 4

(3) 공약수는 최대공약수의 약수이다.

(4) 서로소: 최대공약수가 1인 두 자연수

참고 서로 다른 두 소수는 항상 서로소이다.

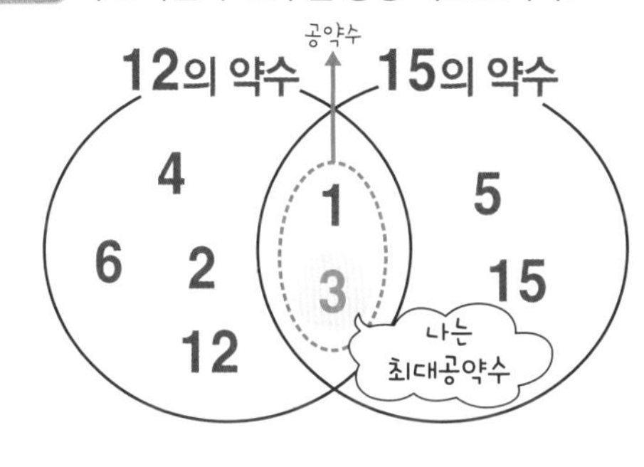

01 두 수의 약수를 구하여 두 수의 공약수와 최대공약수를 구하시오.

(1) 10, 15
10의 약수
15의 약수
10과 15의 공약수
10과 15의 최대공약수

(2) 18, 24
18의 약수
24의 약수
18과 24의 공약수
18과 24의 최대공약수

(3) 27, 45
27의 약수
45의 약수
27과 45의 공약수
27과 45의 최대공약수

02 두 자연수의 최대공약수가 다음과 같을 때, 두 수의 공약수를 모두 구하시오.

(1) 7

(2) 12

(3) 25

(4) 32

두 수의 공약수는 두 수의 최대공약수의 약수와 같다.

03 두 자연수의 최대공약수가 다음과 같을 때, 두 수의 공약수의 개수를 구하시오.

(1) 35

(2) 49

(3) 54

(4) 68

04 다음 중 두 수가 서로소인 것에는 ○표, 서로소가 아닌 것에는 ×표를 하시오.

(1) 1, 4 ( )

(2) 3, 5 ( )

(3) 10, 16 ( )

(4) 24, 30 ( )

(5) 21, 43 ( )

(6) 34, 51 ( )

2. 최대공약수 구하기

[방법1] 공약수로 나누기

❶ 1이 아닌 공약수로 각 수를 나눈다.

❷ 몫의 공약수가 1 뿐일 때까지 계속 나눈다.

❸ 나누어 준 공약수를 모두 곱한다.

2) 18 30
3) 9 15
3 5 ← 서로소

➡ (최대공약수) $=2\times3=6$

[방법2] 소인수분해 이용하기

❶ 주어진 수를 소인수분해한다.

❷ 공통인 소인수의 거듭제곱에서 지수가 같으면 그대로, 다르면 작은 것을 택하여 곱한다.

$36=2^2\times3^2$
$60=2^2\times3^1\times5$
최대공약수 : $2^2\times3^1$

05 공약수로 나누어 다음 두 수의 최대공약수를 구하시오.

(1)) 16 18

(2)) 28 42

(3)) 30 50

(4)) 24 36

06 다음 세 수의 최대공약수를 구하시오.

(1)) 8 10 30

(2)) 20 40 60

(3)) 28 70 84

07 다음 수들의 최대공약수를 소인수의 거듭제곱의 꼴로 나타내시오.

(1)
$3^2\times5^3$
3×5^2
최대공약수:

(2)
$2^3\times3^2$
$2^2\times3\times7$
최대공약수:

(3)
$2^2\times3\times5$
$2\times5\times7$
최대공약수:

08 다음 수들의 최대공약수를 소인수의 거듭제곱의 꼴로 나타내시오.

(1) 2^4, $2^2\times5$

(2) $2\times3\times5$, 2×3^3

(3) $2^4\times3$, $2^3\times7$

(4) $2^2\times3\times5$, $2^2\times3\times7$, $2^3\times3\times5$

정답과 해설 _ p.6

01 다음 중 서로소인 두 자연수로 짝 지어진 것을 모두 고르면? (정답 2개)

① 7, 28　② 12, 15　③ 13, 29
④ 15, 21　⑤ 25, 48

서로 다른 두 소수는 항상 서로소이다.

02 세 수 $2^3\times3$, $2^2\times3^2$, 252의 최대공약수를 소인수의 곱으로 나타내시오.

먼저 252를 소인수분해한 후 공통인 소인수를 곱하여 최대공약수를 구한다.

03 두 수의 최대공약수가 12일 때, 두 수의 공약수가 아닌 것은?

① 1　② 2　③ 5　④ 6　⑤ 12

04 다음 중 두 수 $2^3\times3\times7^2$, $2^2\times3\times7$의 공약수가 아닌 것은?

① 2×3　② 12　③ $2^3\times3\times7$
④ $2^2\times7$　⑤ $2\times3\times7$

두 수의 공약수는 두 수의 최대공약수의 약수이다.

05 두 수 $2^a\times3\times5^2$, $2^3\times3^2\times5^b$의 최대공약수가 60일 때, 자연수 a, b에 대하여 $a+b$의 값을 구하시오.

두 수의 최대공약수는 $60=2^2\times3\times5$이다.

최소공배수

1. 공배수와 최소공배수

(1) 공배수: 두 개 이상의 자연수의 공통인 배수

(2) 최소공배수: 공배수 중에서 가장 작은 수

예 4의 배수: 4, 8, 12, 16, 20, 24, 28, 32, 36, …
6의 배수: 6, 12, 18, 24, 30, 36, …
➡ 공배수: 12, 24, 36, …
➡ 최소공배수: 12

(3) 공배수는 최소공배수의 배수이다.

참고 서로소인 두 자연수의 최소공배수는 두 수의 곱과 같다.

2의 배수에 △표를 해.
3의 배수에는 ○표를 해.

일	월	화	수	목	금	토
	1	2	3	4	5	6
7	8	9	10	11	12	13
14	15	16	17	18	19	20
21	22	23	24	25	26	27
28	29	30	31			

내가 최소공배수

○, △가 모두 표시된 수 → 2와 3의 공배수

01 다음 수들의 배수를 구하여 두 수 또는 세 수의 공배수와 최소공배수를 구하시오.

(1) 4, 6
4의 배수
6의 배수
4와 6의 공배수
4와 6의 최소공배수

(2) 8, 12
8의 배수
12의 배수
8과 12의 공배수
8과 12의 최소공배수

(3) 16, 24
16의 배수
24의 배수
16과 24의 공배수
16과 24의 최소공배수

(4) 6, 9, 12
6의 배수
9의 배수
12의 배수
6, 9, 12의 공배수
6, 9, 12의 최소공배수

(5) 10, 30, 20
10의 배수
30의 배수
20의 배수
10, 30, 20의 공배수
10, 30, 20의 최소공배수

02 두 자연수의 최소공배수가 다음과 같을 때, 두 자연수의 공배수를 작은 수부터 차례로 3개 구하시오.

(1) 8

(2) 10

(3) 24

(4) 32

(5) 40

두 수의 공배수는 두 수의 최소공배수의 배수와 같다.

2. 최소공배수 구하기

[방법1] 공약수로 나누기

❶ 1이 아닌 공약수로 각 수를 나눈다.
이때 세 수의 공약수가 없으면 두 수의 공약수로 나누고, 공약수가 없는 수는 그대로 아래로 내린다.

❷ 나누어 준 공약수와 마지막 몫을 모두 곱한다.

$$\begin{array}{r|rrr} 2 & 18 & 30 & 54 \\ 3 & 9 & 15 & 27 \\ 3 & 3 & 5 & 9 \\ \hline & 1 & 5 & 3 \end{array}$$

← 어떤 두 수를 택하여도 공약수가 1일 때까지 나눈다.

➡ (최소공배수)$=2\times3\times3\times1\times5\times3=270$

[방법2] 소인수분해 이용하기

❶ 주어진 수를 소인수분해한다.

❷ 공통인 소인수의 거듭제곱에서 지수가 같으면 그대로, 다르면 큰 것을 택하여 곱한 것에 공통이 아닌 것을 모두 곱한다.

$36=2^2\times3^2$
$60=2^2\times3^1\times5$
최소공배수 : $2^2\times3^2\times5$

03 공약수로 나누어 다음 두 수의 최소공배수를 구하시오.

(1) $\overline{)\,14\quad 21}$

(2) $\overline{)\,12\quad 30}$

(3) $\overline{)\,27\quad 36}$

04 다음 세 수의 최소공배수를 구하시오.

(1) $\overline{)\,8\quad 12\quad 20}$

(2) $\overline{)\,12\quad 24\quad 30}$

(3) $\overline{)\,7\quad 25\quad 35}$

05 다음 수들의 최소공배수를 소인수의 거듭제곱의 꼴로 나타내시오.

(1)
$2^3\times5^2$
2×5^3
최소공배수:

(2)
$2^2\times3\times5$
$2^2\times3^2$
최소공배수:

(3)
$2^2\times3^2\times5$
$2^4\times5\times7$
최소공배수:

06 다음 수들의 최소공배수를 소인수의 거듭제곱의 꼴로 나타내시오.

(1) 2^3, $2^2\times3$

(2) 2×3^2, $2^2\times3^2$

(3) $2^2\times3\times5$, $2\times3^2\times7$

(4) 2×3^2, $2^2\times3^2\times5$, $3^3\times5^2$

만점

정답과 해설 _ p.7

01 세 수 9, $2^2\times5$, $2\times3^2\times7$의 최소공배수를 소인수의 곱으로 나타내시오.

최소공배수를 구할 때는 공통인 소인수의 거듭제곱에서 지수가 같으면 그대로, 지수가 다르면 큰 것을 택하여 곱한 것에 공통이 아닌 것을 모두 곱한다.

02 어떤 두 수의 최소공배수가 15일 때, 이 두 수의 공배수 중 100에 가장 가까운 수를 구하시오.

두 수의 공배수는 최소공배수의 배수이다.

03 다음 중 두 수 $3^2\times5$, $2\times3\times5^2$의 공배수가 아닌 것은?

① $2\times3^2\times5$ ② $2\times3^2\times5^2$ ③ $2^2\times3^2\times5^2$
④ $2\times3^3\times5^2$ ⑤ $2\times3^2\times5^2\times7$

04 세 자연수 $5\times a$, $6\times a$, $9\times a$의 최소공배수가 360일 때, 자연수 a의 값을 구하시오.

세 자연수는 모두 a로 나누어떨어진다.

05 두 수 $2\times3^a\times5$, $2^3\times3^3\times5^b$의 최대공약수가 $2\times3^2\times5$이고, 최소공배수가 $2^3\times3^3\times5^3$일 때, $a+b$의 값은? (단, a, b는 자연수)

① 3 ② 4 ③ 5 ④ 6 ⑤ 7

5강 ••• 최대공약수와 최소공배수의 활용 

정답과 해설 _ p.7

1. 최대공약수의 활용 up+

다음과 같은 문제는 대부분 최대공약수를 활용하여 해결할 수 있다.

- 두 종류 이상의 물건을 가능한 한 많은 사람에게 남김없이 똑같이 나누어 주는 문제
- 직사각형(직육면체) 모양을 가능한 한 큰 정사각형(정육면체) 모양으로 빈틈없이 채우는 문제
- 두 개 이상의 자연수를 동시에 나누어떨어지게 하는 가장 큰 자연수를 구하는 문제

최대		공약수
가능한 한 많은 최대한 가능한 한 큰 가장 큰 수	+	똑같이 나누어 일정한 간격으로 나누는 빈틈없이 채우는 ~을 나누면 ~이 남는다.

문제에 이런 말들이 나오면 최대공약수를 이용해!

01 마스크 20개와 손소독제 24개를 가능한 한 많은 학생에게 남김없이 똑같이 나누어 줄 때, 몇 명의 학생에게 나누어 줄 수 있는지 구하려고 한다. □ 안에 알맞은 수를 써넣으시오.

(1) 마스크 20개를 나누어 줄 수 있는 학생 수

➡ 1명, 2명, □명, □명, □명, □명

(2) 손소독제 24개를 나누어 줄 수 있는 학생 수

➡ 1명, 2명, □명, □명, □명, □명, □명, □명

(3) 마스크와 손소독제를 나누어 줄 수 있는 최대 학생 수는 20과 24를 동시에 나눌 수 있는 수 중 가장 큰 수이므로 20과 24의 최대공약수인 □명이다.

02 사과 50개와 귤 30개를 되도록 많은 학생이 똑같이 나누어 먹으려고 한다. 남김없이 나누어 먹는다고 할 때, 몇 명의 학생이 나누어 먹을 수 있는지 구하시오.

03 가로의 길이가 100 cm, 세로의 길이가 140 cm인 직사각형 모양의 벽이 있다. 이 벽에 가능한 한 큰 정사각형 모양의 타일을 빈틈없이 붙일 때, 필요한 타일의 수를 구하려고 한다. □ 안에 알맞은 수를 써넣으시오.

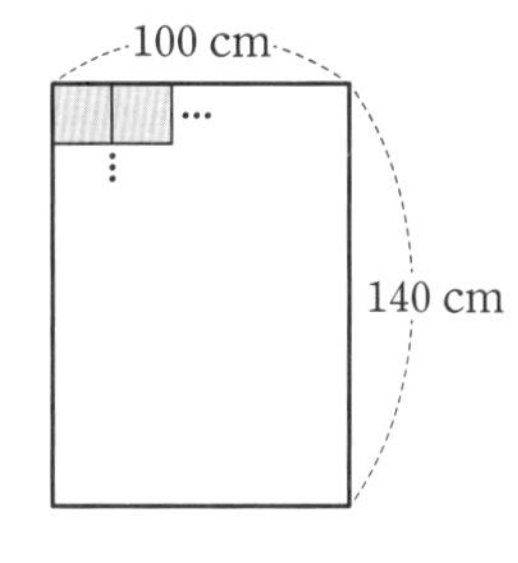

(1) 벽에 붙일 수 있는 가능한 한 큰 타일의 한 변의 길이는 □과 □의 최대공약수인 □ cm이다.

(2) 필요한 타일의 수는 가로로 $100 \div$ □ = □(장), 세로로 $140 \div$ □ = □(장)이므로 모두 □장이다.

04 가로의 길이가 63 cm, 세로의 길이가 135 cm인 게시판에 크기가 같은 정사각형 모양의 사진을 겹치지 않게 빈틈없이 붙이려고 한다. 가능한 한 큰 사진을 붙이려고 할 때, 다음을 구하시오.

(1) 사진의 한 변의 길이

(2) 필요한 사진의 수

05 같은 크기의 정육면체 모양의 나무 블록을 빈틈없이 쌓아서 오른쪽 그림과 같이 밑면의 가로, 세로의 길이가 각각 40 cm, 70 cm이고, 높이가 50 cm인 직육면체를 만들려고 한다. 나무 블록의 크기를 최대로 할 때, 필요한 나무 블록의 개수를 구하시오.

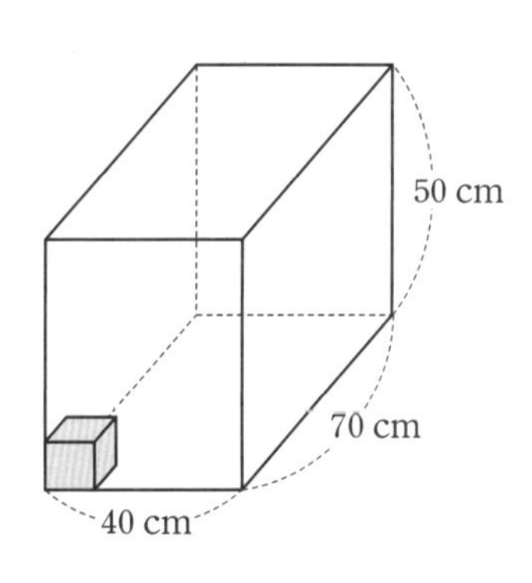

06 어떤 자연수로 87을 나누면 3이 남고, 122를 나누면 2가 남는다고 한다. 이러한 자연수 중 가장 큰 수를 구하려고 한다. □ 안에 알맞은 수를 써넣으시오.

(1) 어떤 자연수로 87을 나누면 3이 남는다.

➡ 어떤 자연수로 (87－□)을(를) 나누면 나누어떨어진다.

(2) 어떤 자연수로 122를 나누면 2가 남는다.

➡ 어떤 자연수로 (122－□)을(를) 나누면 나누어떨어진다.

(3) 이러한 자연수 중 가장 큰 수는 □와 □의 최대공약수인 □이다.

07 어떤 자연수로 56을 나누면 2가 남고, 95를 나누면 5가 남는다고 한다. 이러한 자연수 중 가장 큰 수를 구하시오.

08 두 수 $\frac{12}{n}$, $\frac{16}{n}$을 자연수로 만드는 자연수 n의 값 중 가장 큰 수를 구하려고 한다. □ 안에 알맞은 수나 말을 써넣으시오.

> n의 값은 12와 □의 공약수이고, 그중 가장 큰 수는 12와 □의 □인 □이다.

09 두 수 $\frac{18}{n}$, $\frac{24}{n}$를 자연수로 만드는 자연수 n의 값을 모두 구하시오.

2. 최소공배수의 활용 up+

다음과 같은 문제는 대부분 최소공배수를 활용하여 해결할 수 있다.

- 두 사람이나 이동 수단이 동시에 출발한 뒤, 처음으로 다시 만나는(출발하는) 시각을 구하는 문제
- 직사각형(직육면체) 모양을 가능한 한 작은 정사각형(정육면체) 모양으로 빈틈없이 쌓는 문제
- 세 자연수 a, b, c 중 어느 것으로 나누어도 나머지가 같은 가장 작은 자연수를 구하는 문제

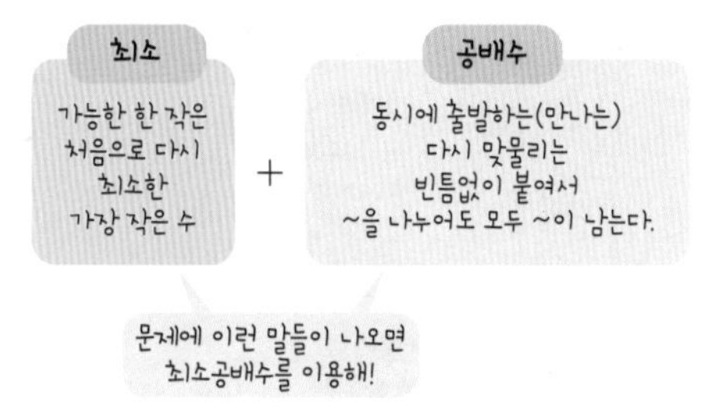

10 어느 터미널에서 A 버스는 6분, B 버스는 8분 간격으로 출발한다. A 버스와 B 버스가 오전 9시에 동시에 출발한 후, 처음으로 다시 동시에 출발하는 시각을 구하려고 한다. □ 안에 알맞은 수를 써넣으시오.

(1) A 버스가 출발하는 시각

➡ 오전 9시 □분, □분, □분, □분, ⋯

(2) B 버스가 출발하는 시각

➡ 오전 9시 □분, □분, □분, □분, ⋯

(3) 두 버스가 오전 9시에 동시에 출발한 후, 처음으로 다시 동시에 출발하는 때는 6과 8의 최소공배수인 □분 후이므로 오전 □시 □분이다.

11 어느 기차역에서 목적지가 다른 세 기차 A, B, C가 각각 9분, 12분, 30분 간격으로 운행된다고 한다. 오후 3시에 세 기차가 동시에 출발했을 때 그 다음에 세 기차가 처음으로 동시에 출발하는 시각을 구하시오.

12 가로의 길이와 세로의 길이가 각각 12 cm, 10 cm이고 높이가 6 cm인 직육면체 모양의 벽돌이 있다. 이 벽돌을 오른쪽 그림과 같이 일정한 방향으로 빈틈없이 쌓아 가능한 한 작은 정육면체 모양을 만들 때, 필요한 벽돌의 개수를 구하려고 한다. □ 안에 알맞은 수를 써넣으시오.

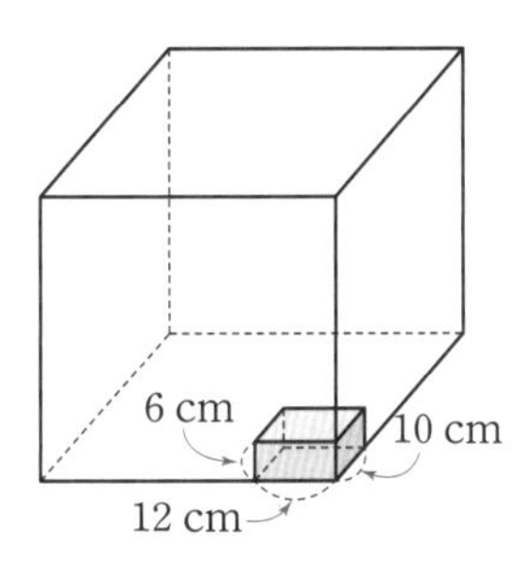

(1) 벽돌을 쌓아 만들 수 있는 정육면체의 한 모서리의 길이는 □, □, □의 최소공배수인 □ cm이다.

(2) 필요한 벽돌의 개수는 가로로 □ ÷ 12 = □(개), 세로로 □ ÷ 10 = □(개), 높이로 □ ÷ 6 = □(개)이므로 모두 □개이다.

13 가로, 세로의 길이가 각각 42 cm, 105 cm인 직사각형 모양의 색종이를 겹치지 않게 빈틈없이 붙여서 정사각형을 만들려고 한다. 색종이를 가능한 한 적게 사용하려고 할 때, 다음을 구하시오.

(1) 정사각형의 한 변의 길이

(2) 필요한 색종이의 수

14 가로의 길이와 세로의 길이가 각각 24 cm, 18 cm이고 높이가 9 cm인 직육면체 모양의 상자를 일정한 방향으로 빈틈없이 쌓아 되도록 작은 정육면체 모양을 만들려고 한다. 이때 필요한 상자의 개수를 구하시오.

15 세 자연수 4, 6, 9 중 어느 것으로 나누어도 1이 남는 두 자리의 자연수 중 가장 작은 수를 구하려고 한다. □ 안에 알맞은 수를 써넣으시오.

(1) 4로 나눈 나머지가 1인 수: (4의 배수) + □
6으로 나눈 나머지가 1인 수: (6의 배수) + □
9로 나눈 나머지가 1인 수: (9의 배수) + □
즉, 4, 6, 9 중 어느 것으로 나누어도 1이 남는 자연수는 (4, 6, 9의 공배수) + □이다.

(2) 4, 6, 9의 최소공배수는 □이므로 4, 6, 9 중 어느 것으로 나누어도 1이 남는 두 자리의 자연수 중 가장 작은 수는 □이다.

16 세 자연수 8, 12, 20 중 어느 것으로 나누어도 3이 남는 세 자리의 자연수 중 가장 작은 수를 구하시오.

17 두 분수 $\frac{9}{10}$, $\frac{18}{25}$의 어느 것에 곱하여도 그 결과가 자연수가 되게 하는 분수를 $\frac{B}{A}$라고 할 때, 그 중 가장 작은 기약분수를 구하려고 한다. □ 안에 공약수, 공배수 중 알맞은 말을 써넣고, 물음에 답하시오.

(1) A는 분자인 9, 18의 약수이므로 두 수의 □이다.

(2) B는 분모인 10, 25의 배수이므로 두 수의 □이다.

(3) $\frac{B}{A}$로 나타낼 수 있는 분수 중 가장 작은 기약분수를 구하시오.

18 두 분수 $\frac{54}{35}$, $\frac{36}{5}$의 어느 것에 곱하여도 그 결과가 자연수가 되게 하는 가장 작은 기약분수를 구하시오.

정답과 해설 _ p.8

01 장미 22송이, 국화 37송이를 가능한 한 많은 학생들에게 똑같이 나누어 주려고 했더니 장미는 2송이, 국화는 1송이가 남았다. 이때 학생 수를 구하시오.

가능한 한 많은 학생들에게 똑같이 나누어 주는 것이므로 두 수의 최대공약수를 이용한다.

02 가로의 길이가 56 cm, 세로의 길이가 32 cm인 직사각형 모양의 종이에 남는 부분이 없이 가능한 한 큰 정사각형 모양의 색종이를 붙일 때, 필요한 색종이의 수는?

① 8장 ② 28장 ③ 30장 ④ 32장 ⑤ 40장

03 두 분수 $\frac{12}{n}$, $\frac{18}{n}$을 동시에 자연수로 만드는 자연수 n의 값 중 가장 큰 수를 구하시오.

자연수 n은 분자인 12와 18의 공약수이다.

04 어느 역에서 서울행 열차는 30분마다 출발하고, 대전행 열차는 45분마다 출발한다. 이 역에서 오전 7시에 두 열차가 동시에 출발하였을 때, 오전 7시 이후에 두 열차가 처음으로 다시 동시에 출발하는 시각을 구하시오.

동시에 출발한 후 처음으로 동시에 출발할 때까지 걸리는 시간은 최소공배수를 이용하여 구한다.

05 가로의 길이와 세로의 길이가 각각 24 cm, 32 cm이고 높이가 8 cm인 직육면체 모양의 벽돌이 있다. 이 벽돌을 일정한 방향으로 빈틈없이 쌓아 가능한 한 작은 정육면체 모양을 만들 때, 필요한 벽돌의 개수를 구하시오.

중단원 연산 마무리

정답과 해설 _ p.8

01 다음 수 중에서 소수를 모두 골라 ○표 하시오.

(1) 1, 3, 8, 11, 33, 53, 57

(2) 2, 14, 23, 35, 49, 61, 79

(3) 5, 7, 12, 25, 31, 36, 59, 77

02 다음 중 옳은 것에는 ○표, 옳지 않은 것에는 ×표를 (　　) 안에 써넣으시오.

(1) 51은 소수이다. (　　)

(2) 가장 작은 소수는 2이다. (　　)

(3) 합성수는 약수가 3개인 수이다. (　　)

(4) 자연수는 1과 소수와 합성수로 이루어져 있다. (　　)

(5) 소수 중 짝수는 1개이다. (　　)

03 다음을 거듭제곱을 사용하여 간단히 나타내시오.

(1) $5\times5\times5$

(2) $3\times3\times3\times5\times7\times7$

(3) $\frac{3}{10}\times\frac{3}{10}\times\frac{3}{10}\times\frac{3}{10}$

(4) $\frac{1}{3}\times\frac{1}{3}\times\frac{2}{5}\times\frac{2}{5}\times\frac{2}{5}$

04 다음 수를 [　] 안의 수의 거듭제곱으로 나타내시오.

(1) 64 [2]

(2) 125 [5]

(3) 10000000 [10]

05 다음 수를 소인수분해하고, 소인수를 구하시오.

(1) 12

(2) 54

(3) 75

(4) 84

06 다음 중에서 $2^2\times3^3\times5^2$의 약수인 수에는 ○표, 약수가 아닌 수에는 ×표를 하시오.

(1) 2 (　　)

(2) 3×5 (　　)

(3) $2\times3\times5$ (　　)

(4) $2^3\times3^2\times5$ (　　)

(5) $2^2\times5^2$ (　　)

07 다음 수의 약수의 개수를 구하시오.

(1) $2^2\times3$

(2) $3^3\times5^2\times7^2$

(3) 180

(4) 400

08 다음 수에 가장 작은 자연수를 곱하여 어떤 자연수의 제곱이 되게 하려고 한다. 곱해야 할 가장 작은 자연수와 어떤 자연수의 제곱이 되는지 차례대로 구하시오.

(1) 28

(2) 80

(3) 60

(4) 160

09 다음 중 두 수가 서로소인 것에는 ○표, 서로소가 아닌 것에는 ×표를 ( ) 안에 써넣으시오.

(1) 4, 32 ( )

(2) 14, 25 ( )

(3) 12, 21 ( )

(4) 35, 36 ( )

10 공약수로 나누어 다음 수들의 최대공약수와 최소공배수를 차례대로 구하시오.

(1)) 18 27

(2)) 36 90

(3)) 12 48 72

11 다음 수들의 최대공약수와 최소공배수를 소인수의 거듭제곱의 꼴로 차례대로 나타내시오.

(1) $2\times3^3\times5,\ 3^2\times5^2$

(2) $2^3\times3^2\times5,\ 2\times3^3\times7$

(3) $2^2\times3^3\times5,\ 2\times3^2,\ 2^2\times3^2\times11$

12 두 수 36과 42를 어떤 자연수로 각각 나누면 나누어떨어진다고 할 때, 어떤 자연수 중 가장 큰 수를 구하시오.

도전 100점

13 어떤 자연수로 50을 나누면 2가 남고, 138을 나누면 6이 남는다고 한다. 이러한 자연수 중 가장 큰 수를 구하시오.

14 어느 역에서 A 도시로 가는 열차는 15분마다, B 도시로 가는 열차는 24분마다, C 도시로 가는 열차는 10분마다 출발한다고 한다. 세 열차가 오전 6시에 동시에 출발한 후, 처음으로 다시 동시에 출발하는 시각을 구하시오.

15 세 분수 $\frac{1}{5}$, $\frac{1}{12}$, $\frac{1}{20}$ 중 어느 것에 곱하여도 자연수가 되게 하는 가장 작은 자연수를 구하시오.

16 가로의 길이와 세로의 길이가 각각 15 cm, 24 cm이고 높이가 12 cm인 직육면체 모양의 벽돌이 있다. 이 벽돌을 일정한 방향으로 빈틈없이 쌓아 가능한 한 작은 정육면체 모양을 만들 때, 필요한 벽돌의 개수를 구하시오.

17 10보다 크고 30보다 작은 자연수 중 24와 서로소인 수를 모두 구하시오.

18 세 자연수 $4\times a$, $6\times a$, $10\times a$의 최소공배수가 120일 때, 최대공약수를 구하시오.

19 다음 그림과 같이 서로 맞물려 돌아가는 두 톱니바퀴 A, B의 톱니의 개수가 각각 15개, 24개일 때, 두 톱니바퀴가 회전하기 시작하여 처음으로 다시 같은 톱니에서 맞물리는 것은 톱니바퀴 A가 몇 바퀴 회전한 후인지 구하시오.

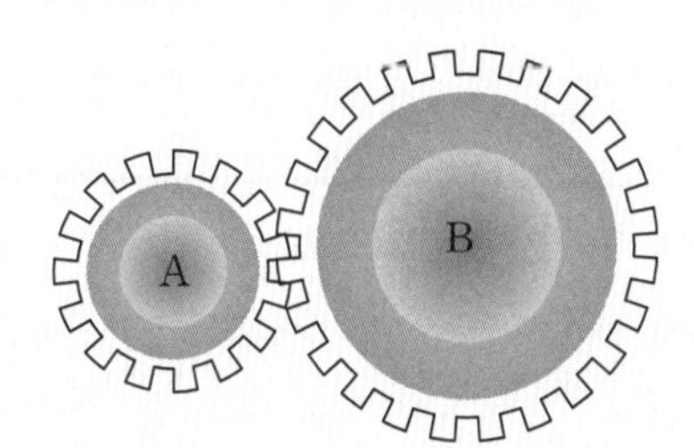

7강 정수와 유리수

정답과 해설 _ p.10

1. 양수와 음수

서로 반대되는 성질의 두 수량을 나타낼 때, 어떤 기준을 중심으로 부호 +, −를 사용하여 나타낼 수 있다. 이때 '+'를 양의 부호, '−'를 음의 부호라고 한다.

(1) 양수: 양의 부호 +를 붙인 수

(2) 음수: 음의 부호 −를 붙인 수

예 +4: 0보다 4만큼 큰 수

−2: 0보다 2만큼 작은 수

참고 0은 양수도 아니고 음수도 아니다.

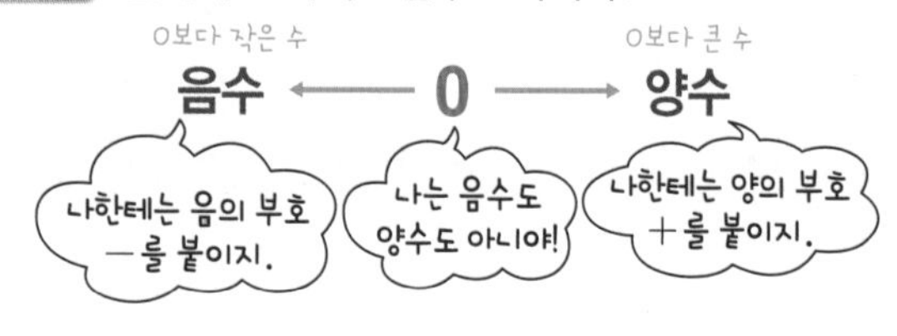

01 다음을 양의 부호 + 또는 음의 부호 −를 사용하여 나타내시오.

(1) 해저 400 m ➡ −400 m
해발 1200 m ➡ ____________

(2) 500원 수익 ➡ +500원
700원 지출 ➡ ____________

(3) 20 kg 감소 ➡ −20 kg
15 kg 증가 ➡ ____________

(4) 2시간 전 ➡ −2시간
3시간 후 ➡ ____________

(5) 10 % 인상 ➡ +10 %
15 % 인하 ➡ ____________

02 다음 수를 양의 부호 + 또는 음의 부호 −를 사용하여 나타내고 나타낸 수가 양수이면 '양', 음수이면 '음'을 써넣으시오.

(1) 0보다 5만큼 큰 수 ➡ ____________ (   )

(2) 0보다 7만큼 작은 수 ➡ ____________ (   )

(3) 0보다 $\frac{3}{2}$만큼 작은 수 ➡ ____________ (   )

2. 정수와 유리수 up+

(1) 정수

① 양의 정수: +1, +2, +3, …과 같이 자연수에 양의 부호를 붙인 수

② 음의 정수: −1, −2, −3, …과 같이 자연수에 음의 부호를 붙인 수

③ 양의 정수, 0, 음의 정수를 통틀어 정수라고 한다.

(2) 유리수

① 양의 유리수: 분자, 분모가 자연수인 분수에 양의 부호 +를 붙인 수

② 음의 유리수: 분자, 분모가 자연수인 분수에 음의 부호 −를 붙인 수

③ 양의 유리수, 0, 음의 유리수를 통틀어 유리수라고 한다.

참고 양의 정수, 양의 유리수는 양의 부호 +를 생략하여 나타낼 수 있다.

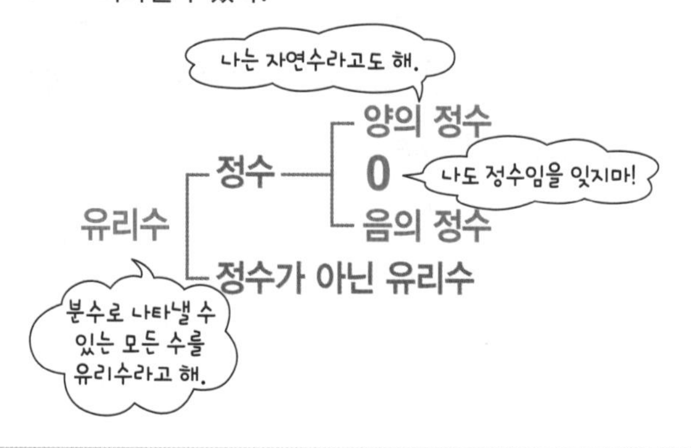

03 다음 수가 수의 분류에 해당되면 ○표, 해당되지 않으면 ×표를 빈칸에 써넣으시오.

수의 분류 \ 수	4	−8	0	+3.6	$-\frac{2}{5}$
정수					
유리수					
양수					
음수					

04 보기에서 다음을 모두 고르시오.

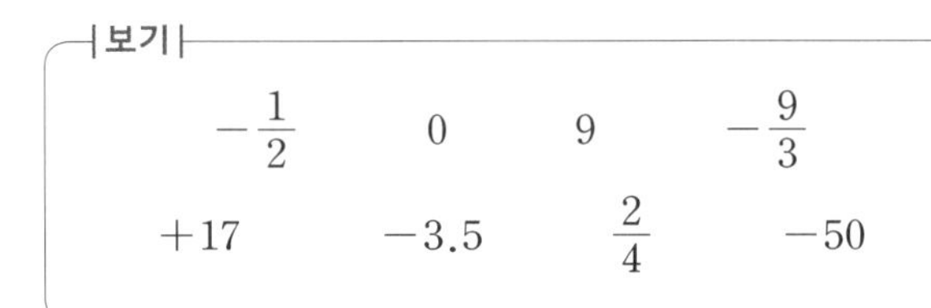

|보기|

$-\frac{1}{2}$ $\quad 0 \quad 9 \quad -\frac{9}{3}$

$+17 \quad -3.5 \quad \frac{2}{4} \quad -50$

(1) 정수

(2) 양의 유리수

(3) 음의 유리수

(4) 정수가 아닌 유리수

05 보기에서 다음을 모두 고르시오.

|보기|

$-4 \quad +\frac{2}{3} \quad 13 \quad -2.7$

$-\frac{10}{5} \quad \frac{7}{6} \quad -\frac{3}{21} \quad +88$

(1) 정수

(2) 양의 유리수

(3) 음의 유리수

(4) 정수가 아닌 유리수

06 보기에서 다음을 모두 고르시오.

|보기|

$+1 \quad -5 \quad -\frac{3}{5} \quad 3.14$

$10 \quad \frac{12}{3} \quad -0.1 \quad +\frac{16}{8}$

(1) 정수

(2) 양의 유리수

(3) 음의 유리수

(4) 정수가 아닌 유리수

07 다음 수 중 정수의 개수를 구하시오.

(1) $+\frac{9}{10} \quad -100 \quad \frac{35}{7} \quad 0 \quad -\frac{8}{2} \quad -3.6$

(2) $-\frac{6}{5} \quad -1 \quad 17 \quad \frac{9}{45} \quad \frac{1}{2} \quad -\frac{27}{3}$

08 다음 중 옳은 것에는 ○표, 옳지 않은 것에는 ×표를 ( ) 안에 써넣으시오.

(1) 모든 자연수는 정수이다. ( )

(2) 정수는 양의 정수와 음의 정수로 이루어져 있다. ( )

(3) 유리수 중에는 정수가 아닌 유리수도 있다. ( )

(4) 양수는 양의 부호를 생략하여 나타낼 수 있다. ( )

(5) -8은 음의 유리수이다. ( )

(6) 0은 정수이지만 유리수는 아니다. ( )

(7) 유리수가 아닌 정수도 있다. ( )

만점

정답과 해설 _ p.10

01 증가하거나 0보다 크면 + 부호, 감소하거나 0보다 작으면 − 부호를 사용하여 밑줄 친 부분을 나타낼 때, 다음 중 옳지 않은 것은?

① 작년보다 몸무게가 5 kg 늘었다.: +5 kg
② 설악산은 해발 1708 m이다.: +1708 m
③ 현주의 생일은 5일 전이었다.: +5일
④ 수학 점수가 10점 올랐다.: +10점
⑤ 컴퓨터용 사인펜을 사기 위해 100원을 지출하였다.: −100원

서로 반대되는 양을 부호 +, −를 사용하여 나타낼 수 있다.

02 다음 수를 부호 + 또는 −를 사용하여 나타내고, 양수와 음수로 구분하시오.

(1) 0보다 $\frac{7}{3}$만큼 큰 수

(2) 0보다 10만큼 작은 수

양수는 0보다 큰 수, 음수는 0보다 작은 수이다.

03 다음 중 자연수가 아닌 정수를 모두 고르면? (정답 2개)

① 3.2 ② 0 ③ −5 ④ $1\frac{1}{2}$ ⑤ 7

04 다음 보기 중 양의 정수의 개수를 a개, 음의 정수의 개수를 b개라고 할 때, $a-b$의 값을 구하시오.

보기

-4 7 0 $-\frac{7}{9}$ $-\frac{10}{2}$ 2.1 $\frac{18}{6}$ 90

양의 정수는 양의 부호 +를 생략하여 나타낼 수 있다.

05 다음 보기 중 정수와 유리수에 대한 설명으로 옳은 것을 모두 고르시오.

보기

ㄱ. 유리수는 양의 유리수, 0, 음의 유리수로 이루어져 있다.
ㄴ. 양의 유리수 중 가장 작은 수는 1이다.
ㄷ. 정수는 모두 유리수이다.
ㄹ. 양의 정수가 아닌 정수는 음의 정수이다.

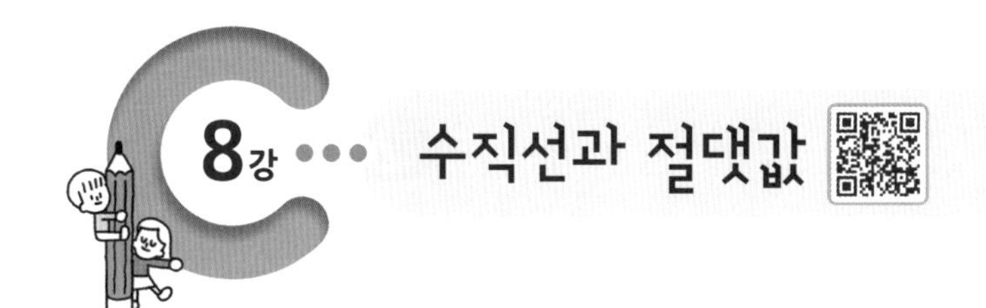

8강 ••• 수직선과 절댓값

정답과 해설 _ p.11

1. 수직선

수직선: 직선 위에 0을 나타내는 점을 기준으로 정하고, 그 점의 왼쪽과 오른쪽에 같은 간격으로 점을 잡아서 오른쪽의 점에 차례로 양수를 대응시키고, 왼쪽의 점에 차례로 음수를 대응시킨 직선

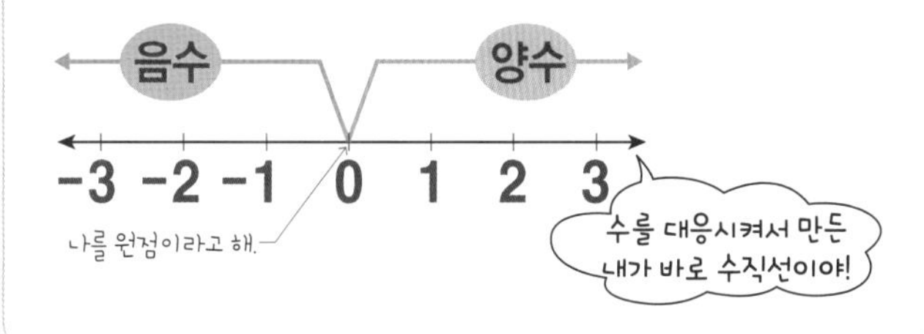

01 다음 수직선에서 두 점 A, B가 나타내는 수를 구하시오.

(1)

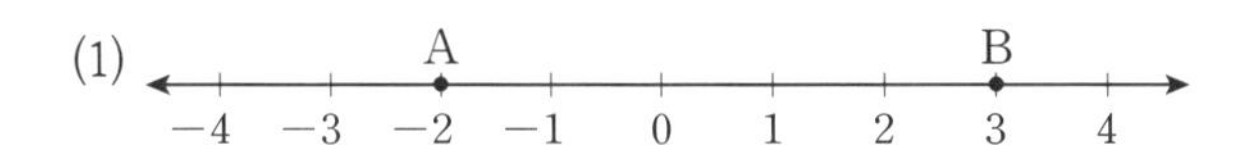

(2)

(3)

(4)

(5)

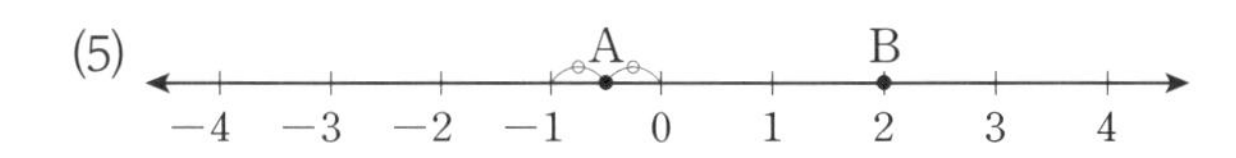

(6)

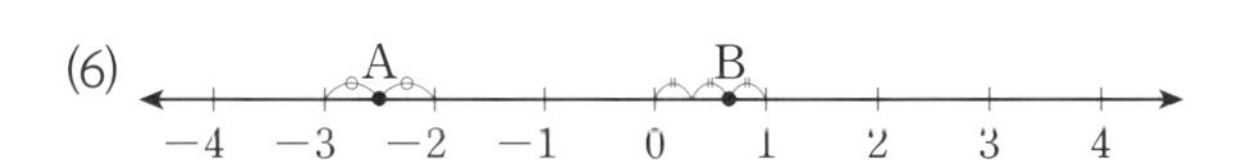

(7)

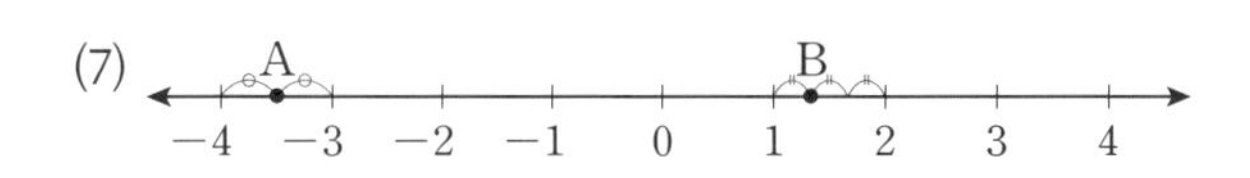

02 다음 수를 수직선 위에 점으로 나타내시오.

(1) -2

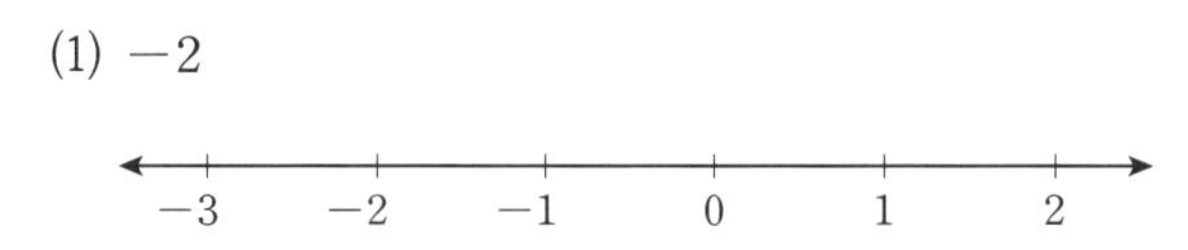

(2) $+1$

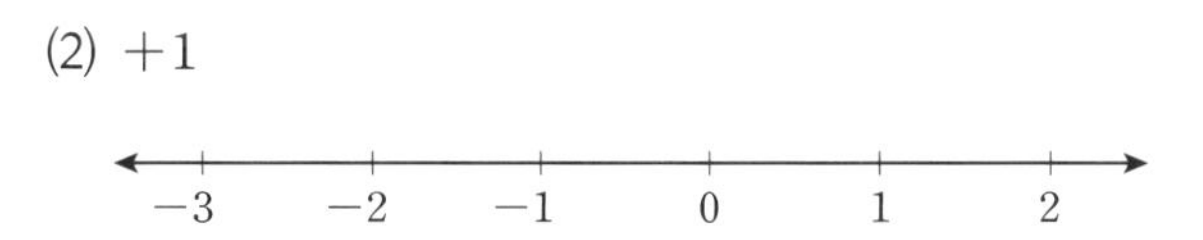

(3) $-\frac{5}{2}$

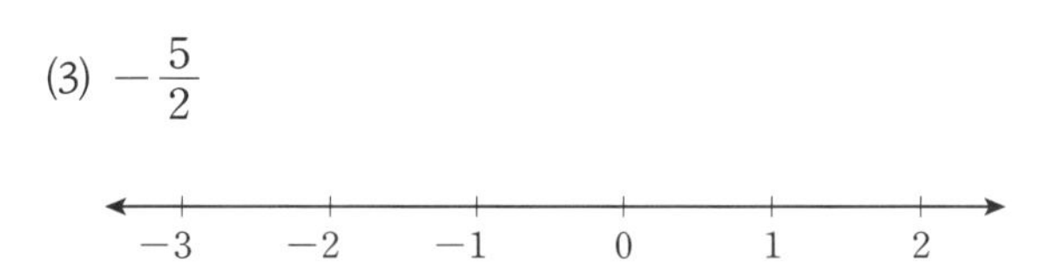

(4) $+0.5$

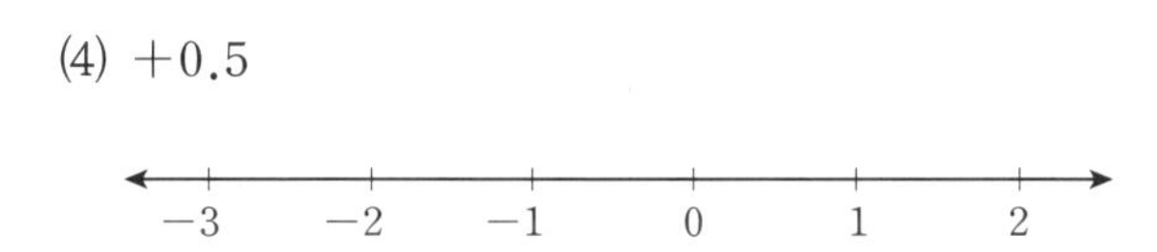

(5) -1.5

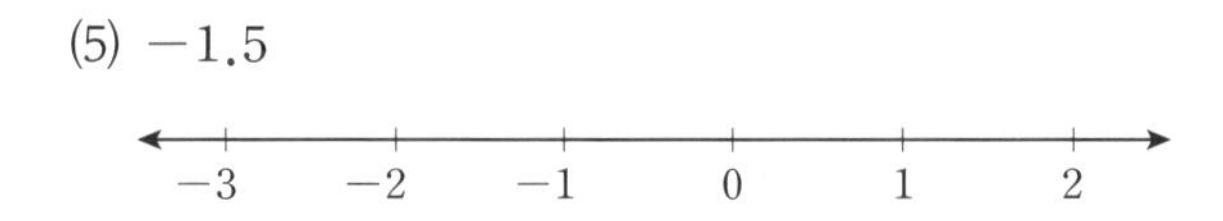

(6) $+\frac{11}{2}$

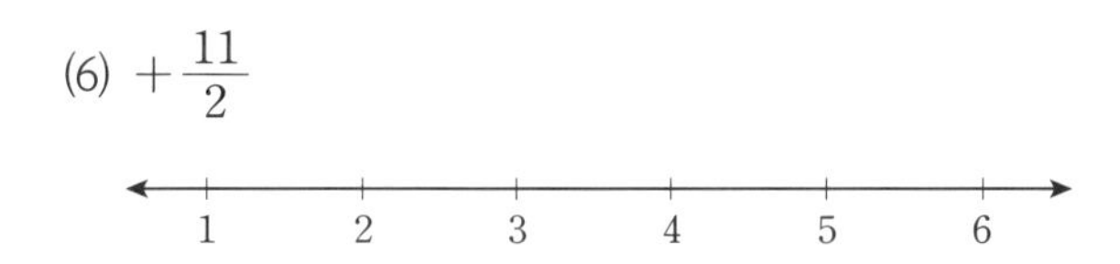

(7) $+\frac{1}{3}$

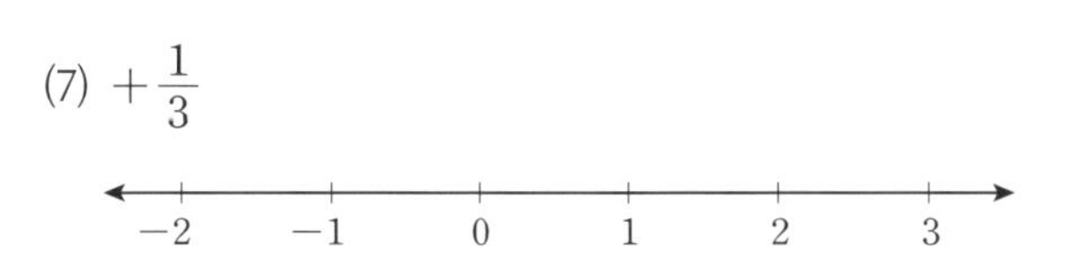

(8) $-\frac{4}{3}$

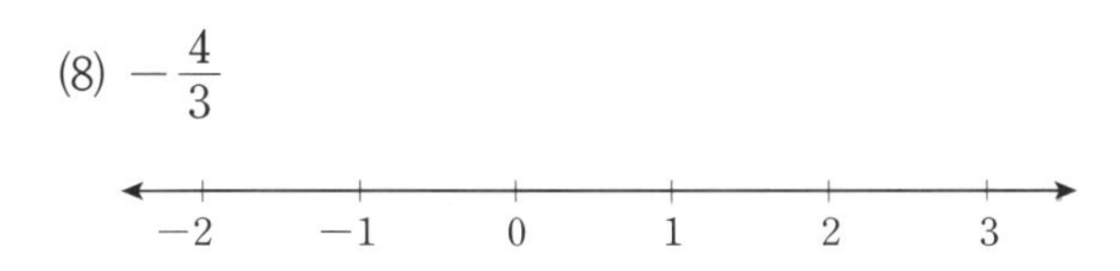

(9) $+\frac{7}{4}$

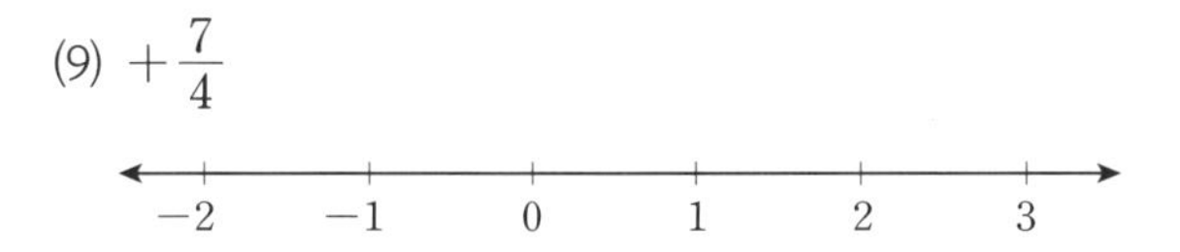

2. 절댓값 up+

절댓값: 수직선 위에서 원점과 어떤 수에 대응하는 점 사이의 거리

➡ 기호 | |를 사용하여 나타낸다.

예 $+2$의 절댓값: $|+2|=2$

-3의 절댓값: $|-3|=3$

참고 절댓값은 거리를 나타내므로 항상 0 또는 양수이다.

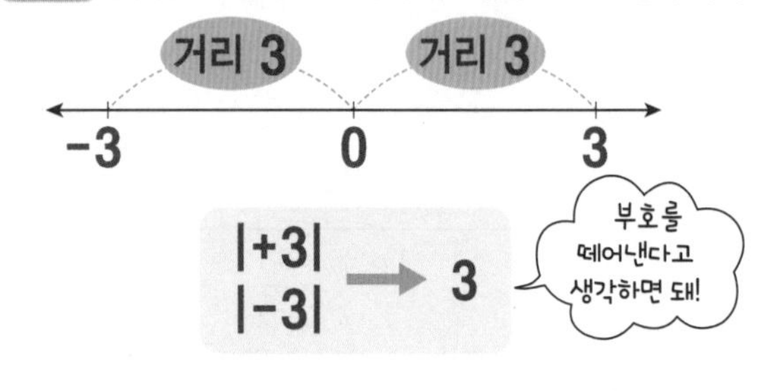

03 다음 □ 안에 알맞은 수를 써넣으시오.

(1)

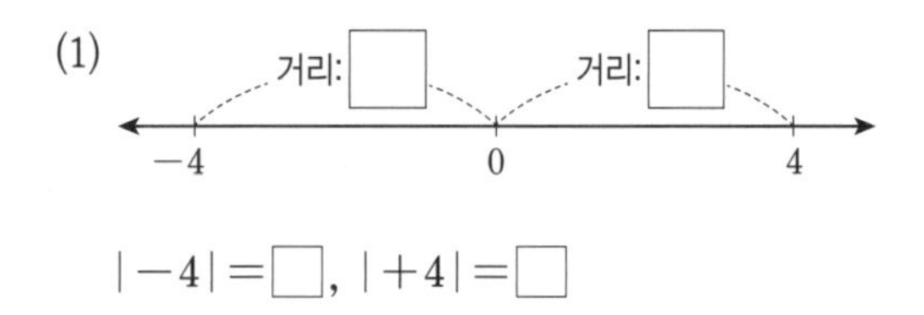

$|-4|=$□, $|+4|=$□

(2)

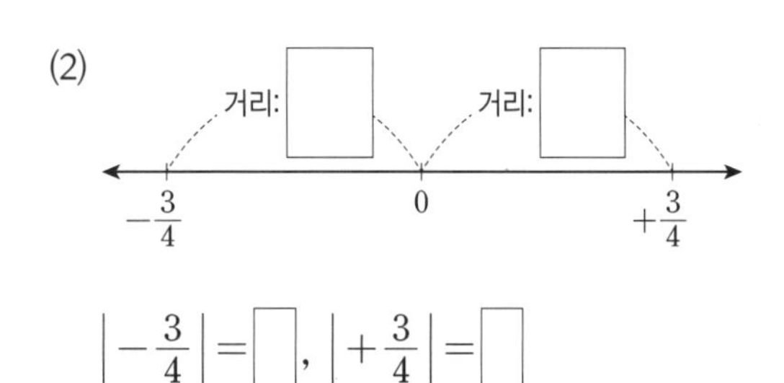

$\left|-\frac{3}{4}\right|=$□, $\left|+\frac{3}{4}\right|=$□

04 다음을 구하시오.

(1) $+6$의 절댓값

(2) 0의 절댓값

(3) -9의 절댓값

(4) -15의 절댓값

05 다음을 구하시오.

(1) $|+7|$

(2) $|-13|$

(3) $|23|$

(4) $|-9|$

(5) $|1.5|$

06 다음을 구하시오.

(1) 절댓값이 7인 수

(2) 절댓값이 11인 수

(3) 절댓값이 8.1인 양수

(4) 절댓값이 2.4인 음수

(5) 원점으로부터 거리가 3인 두 수

(6) 원점으로부터 거리가 $\frac{1}{3}$인 두 수

절댓값이 $a(a>0)$인 수는 $+a$, $-a$이다.

07 다음 중 옳은 것에는 ○표, 옳지 않은 것에는 ×표를 ( ) 안에 써넣으시오.

(1) -7과 7의 절댓값은 같다. ( )

(2) 절댓값은 항상 양수이다. ( )

(3) 절댓값이 같은 수는 항상 2개이다. ( )

(4) 절댓값이 클수록 수직선에서 그 수를 나타내는 점은 원점으로부터 멀리 떨어져 있다. ( )

정답과 해설 _ p.11

01 다음 수직선 위의 5개의 점 A, B, C, D, E에 대응하는 수로 옳지 않은 것은?

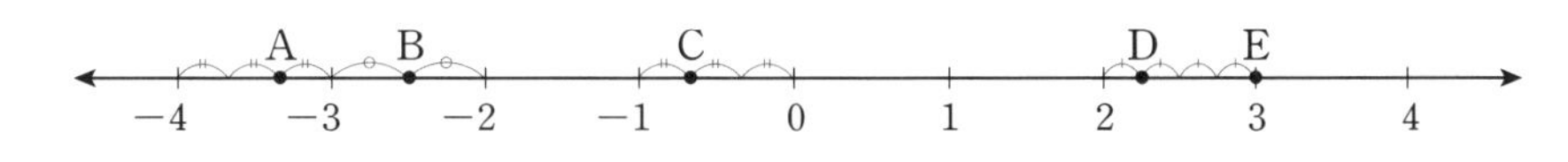

① A: $-\frac{7}{2}$ ② B: -2.5 ③ C: $-\frac{2}{3}$ ④ D: $\frac{9}{4}$ ⑤ E: 3

02 다음 중 수직선 위에 나타내었을 때, 가장 왼쪽에 있는 수는?

① -1.2 ② 0 ③ $+\frac{1}{3}$ ④ -4 ⑤ $+6$

두 수를 수직선 위에 나타낼 때 왼쪽에 있는 수가 더 작은 수이다.

03 수직선에서 원점으로부터의 거리가 6인 점에 대응하는 수를 모두 구하시오.

0이 아닌 a에 대하여 원점으로부터의 거리가 a인 점에 대응하는 수는 2개이다.

04 다음 수직선을 이용하여 절댓값이 4 이하인 정수를 모두 구하시오.

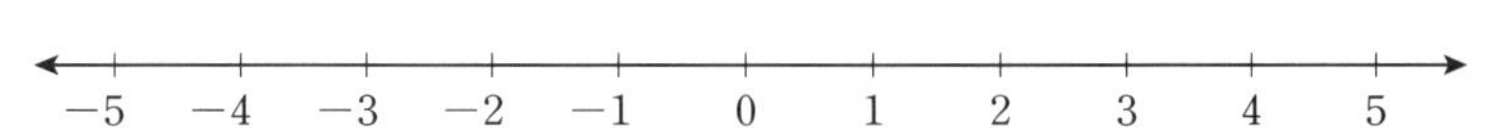

절댓값이 4 이하인 정수에는 절댓값이 4인 정수도 포함된다.

05 다음 수를 절댓값이 큰 것부터 차례로 나열하시오.

-5 -1 $+7$ $-\frac{15}{2}$ $\frac{5}{4}$ 0

9강 수의 대소 관계

정답과 해설 _ p.11

1. 수의 대소 관계

수직선 위에서 수는 오른쪽으로 갈수록 커지고, 왼쪽으로 갈수록 작아진다.

(1) (음수)$<0<$(양수)

(2) 두 양수끼리는 절댓값이 큰 수가 크다.

예 $5<7$

(3) 두 음수끼리는 절댓값이 작은 수가 크다.

예 $-5>-7$

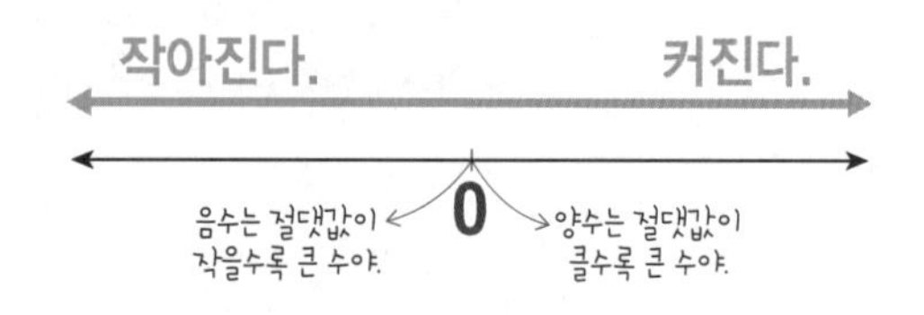

01 다음 ○ 안에 부등호 $>$, $<$ 중 알맞은 것을 써넣으시오.

(1) 4 ○ 0

(2) -7 ○ 3

(3) -6 ○ 6

(4) -2 ○ -9

(5) $-\frac{1}{5}$ ○ $\frac{1}{3}$

(6) $\frac{3}{4}$ ○ $\frac{2}{3}$

(7) $-\frac{3}{2}$ ○ $-\frac{4}{3}$

02 다음 두 수의 대소 관계를 부등호 $>$, $<$를 사용하여 나타내시오.

(1) $-5, 6$

(2) $-\frac{5}{4}, -1.5$

(3) $0, -2$

(4) $\frac{2}{7}, -\frac{2}{7}$

03 다음 수를 작은 것부터 차례로 나열하시오.

(1) $0, \quad 3, \quad -7$

(2) $2, \quad -6, \quad -9, \quad +3$

(3) $-\frac{3}{4}, \quad -\frac{2}{3}, \quad \frac{5}{2}, \quad 0$

(4) $-7, \quad +0.5, \quad -\frac{7}{3}, \quad 0, \quad 9$

(5) $-2, \quad -\frac{8}{7}, \quad 0, \quad \frac{26}{5}, \quad +4$

(6) $-\frac{9}{4}, \quad 1, \quad \frac{14}{3}, \quad +5, \quad -3$

2. 부등호의 사용

수직선 위에서 수는 오른쪽으로 갈수록 커지고, 왼쪽으로 갈수록 작아진다.

$a>b$	a는 b보다 크다. a는 b 초과이다.
$a<b$	a는 b보다 작다. a는 b 미만이다.
$a\geq b$	a는 b보다 크거나 같다. a는 b보다 작지 않다. a는 b 이상이다.
$a\leq b$	a는 b보다 작거나 같다. a는 b보다 크지 않다. a는 b 이하이다.

참고 부등호 $\geq$는 $>$ 또는 $=$임을 나타내고, $\leq$는 $<$ 또는 $=$임을 나타낸다.

'크거나 같다'라고 해.

$x\geq a$ ➡ $x>a$ 또는 $x=a$

$x\leq a$ ➡ $x<a$ 또는 $x=a$

'작거나 같다'라고 해.

04 다음 ○ 안에 알맞은 부등호를 써넣으시오.

(1) x는 -1보다 크다.

➡ x ○ -1

(2) x는 -6 미만이다.

➡ x ○ -6

(3) x는 4보다 크지 않다.

➡ x ○ 4

(4) x는 -3보다 작거나 같다.

➡ x ○ 3

(5) x는 -5 초과이고 6 이하이다.

➡ -5 ○ x ○ 6

(6) x는 2보다 크거나 같고 10보다 작다.

➡ 2 ○ x ○ 10

05 다음을 부등호를 사용하여 나타내시오.

(1) x는 3 초과이다.

(2) x는 -6보다 작지 않다.

(3) x는 -1보다 크거나 같다.

(4) x는 $\frac{2}{3}$보다 작다.

(5) x는 $-\frac{23}{3}$ 초과이고 3.2 미만이다.

(6) x는 -5보다 크고 $\frac{4}{5}$ 이하이다.

06 다음을 만족하는 정수 a의 값을 모두 구하시오.

(1) $-3<a\leq 2$

(2) $-5\leq a<1$

(3) $-\frac{3}{2}\leq a\leq 3$

(4) $-3\leq a<\frac{5}{4}$

(5) $3.5<a<\frac{25}{3}$

(6) $-\frac{17}{3}<a\leq -1$

정답과 해설 _ p.12

01 다음 중 대소 관계가 옳지 않은 것을 모두 고르면?

① $-6<0$　② $-7<4$　③ $\frac{6}{5}<\frac{7}{5}$

④ $-3<-\frac{10}{3}$　⑤ $11=-11$

양수끼리는 절댓값이 큰 수가 크고, 음수끼리는 절댓값이 작은 수가 크다.

02 다음 수를 작은 것부터 나열하시오.

$-9,\quad 4,\quad 0,\quad +1.7,\quad -\frac{5}{3}$

03 다음을 부등호를 사용하여 나타내시오.

x는 -4보다 작지 않고 10 미만이다.

(작지 않다.)
=(크거나 같다.)
(크지 않다.)
=(작거나 같다.)

04 다음을 만족하는 정수 a의 값을 모두 구하시오.

$-\frac{11}{4}<a\leq 3$

가분수를 대분수로 고쳐 보면 만족하는 정수를 구하기 쉽다.

05 $-\frac{17}{4}$보다 크거나 같고 4 미만인 정수의 개수는?

① 8개　② 9개　③ 10개　④ 11개　⑤ 12개

유리수의 덧셈

정답과 해설 _ p.13

1. 부호가 같은 두 수의 덧셈

두 수의 절댓값의 합에 공통인 부호를 붙여서 계산한다.

공통인 부호

$(+3)+(+4)=+(3+4)=+7$

절댓값의 합

공통인 부호

$(-5)+(-7)=-(5+7)=-12$

절댓값의 합

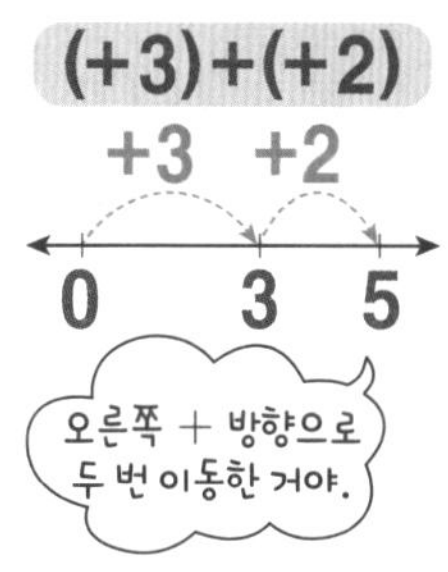

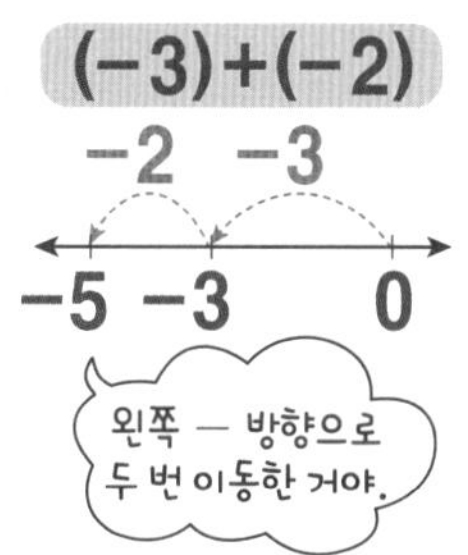

01 다음 □ 안에 알맞은 수를 써넣으시오.

(1)

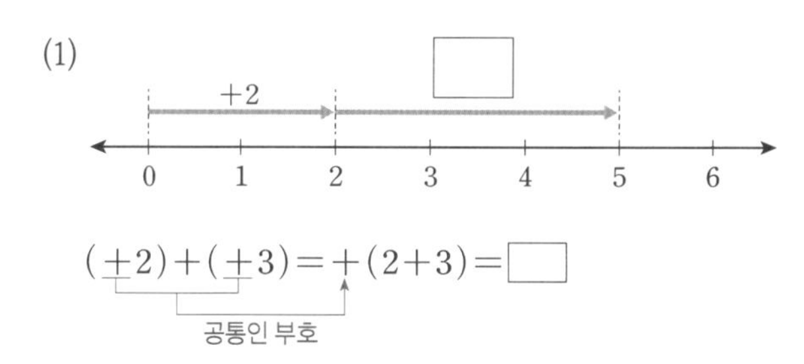

$(+2)+(+3)=+(2+3)=\square$

공통인 부호

(2)

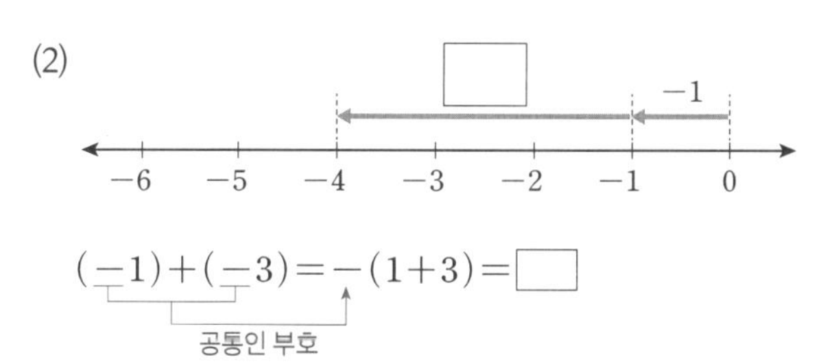

$(-1)+(-3)=-(1+3)=\square$

공통인 부호

02 다음을 계산하시오.

(1) $(+8)+(+1)$

(2) $(+3)+(+8)$

(3) $(+6)+(+9)$

03 다음을 계산하시오.

(1) $\left(+\frac{1}{2}\right)+\left(+\frac{1}{4}\right)$

(2) $\left(+\frac{1}{3}\right)+\left(+\frac{7}{3}\right)$

(3) $\left(+\frac{4}{7}\right)+\left(+\frac{8}{21}\right)$

(4) $\left(+\frac{3}{4}\right)+\left(+\frac{2}{3}\right)$

04 다음을 계산하시오.

(1) $(-7)+(-9)$

(2) $(-3)+(-11)$

(3) $(-9)+(-5)$

(4) $(-15)+(-12)$

05 다음을 계산하시오.

(1) $\left(-\frac{2}{7}\right)+\left(-\frac{4}{7}\right)$

(2) $\left(-\frac{1}{5}\right)+\left(-\frac{11}{15}\right)$

(3) $\left(-\frac{1}{4}\right)+\left(-\frac{7}{12}\right)$

(4) $\left(-\frac{7}{5}\right)+\left(-\frac{5}{4}\right)$

2. 부호가 다른 두 수의 덧셈 up+

두 수의 절댓값의 차에 절댓값이 큰 수의 부호를 붙여서 계산한다.

절댓값 큰 수의 부호

$(+3)+(-4)=-1$

절댓값의 차

절댓값 큰 수의 부호

$(-5)+(+7)=+2$

절댓값의 차

참고 절댓값이 같고 부호가 다른 두 수의 합은 0이다.

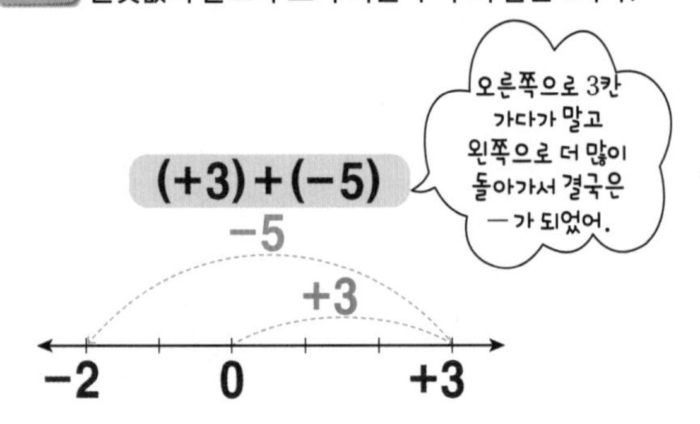

06 다음 □ 안에 알맞은 수를 써넣으시오.

(1)

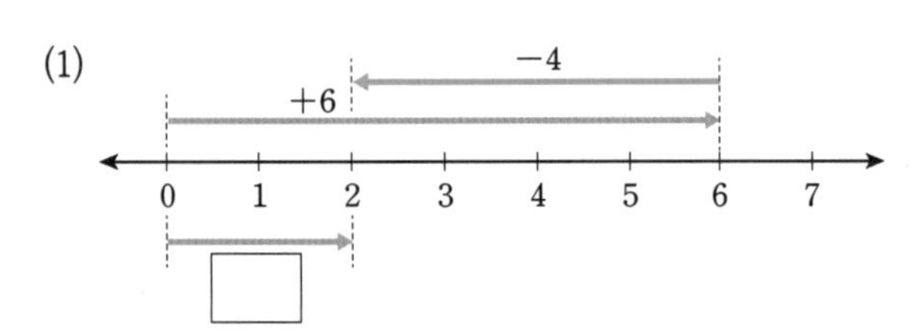

$(+6)+(-4)=+(6-4)=\square$

└ 절댓값이 큰 수의 부호

(2)

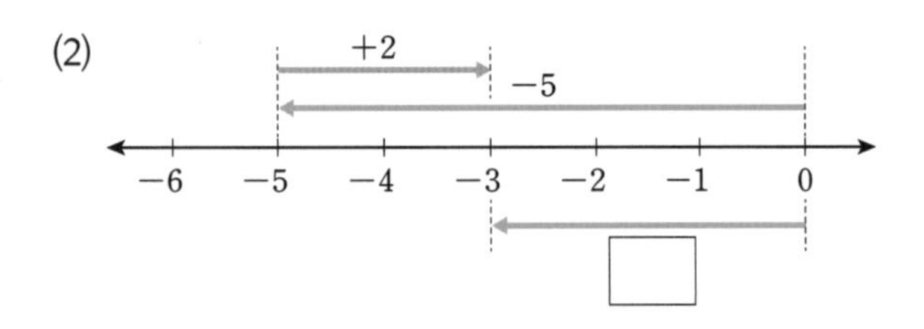

$(-5)+(+2)=-(5-2)=\square$

└ 절댓값이 큰 수의 부호

07 다음을 계산하시오.

(1) $(-2)+(+8)$

(2) $(+3)+(-2)$

(3) $(-5)+(+1)$

(4) $(+6)+(-10)$

08 다음을 계산하시오.

(1) $\left(-\frac{2}{3}\right)+\left(+\frac{1}{3}\right)$

(2) $\left(-\frac{9}{7}\right)+\left(+\frac{5}{7}\right)$

(3) $\left(+\frac{5}{12}\right)+\left(-\frac{11}{24}\right)$

(4) $\left(+\frac{5}{6}\right)+\left(-\frac{1}{9}\right)$

(5) $\left(-\frac{3}{4}\right)+\left(+\frac{3}{10}\right)$

(6) $(-2.5)+\left(+\frac{3}{4}\right)$

09 다음을 계산하시오.

(1) -7보다 $+9$만큼 큰 수

(2) $+8$보다 -3만큼 큰 수

(3) -2보다 $+4$만큼 큰 수

(4) -6보다 $+2$만큼 큰 수

(5) -12보다 $+7$만큼 큰 수

(6) $+15$보다 -20만큼 큰 수

3. 덧셈의 계산 법칙

세 수 a, b, c에 대하여

(1) 덧셈의 교환법칙: $a+b=b+a$

(2) 덧셈의 결합법칙: $(a+b)+c=a+(b+c)$

예 $(+2)+(-5)+(+3)+(-4)$
$=(+2)+(+3)+(-5)+(-4)$ ← 덧셈의 교환법칙
$=\{(+2)+(+3)\}+\{(-5)+(-4)\}$ ← 덧셈의 결합법칙
$=(+5)+(-9)$
$=-4$

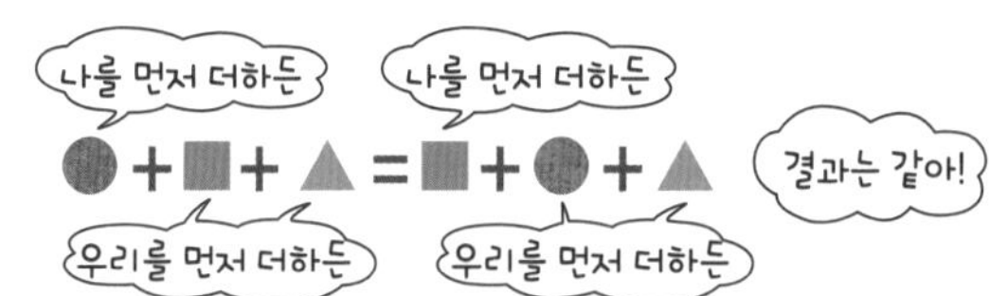

10 다음 □ 안에 알맞은 수를 써넣으시오.

(1) $(+8)+(+5)=(\square)+(+8)$

(2) $\{(-2)+(+3)\}+(-4)$
$=(-2)+\{(+3)+(\square)\}$

11 다음 □ 안에 알맞은 수를 써넣고 ㉠, ㉡에서 이용된 덧셈의 계산 법칙을 각각 쓰시오.

(1) $(-6)+(+7)+(-3)$
$=(+7)+(\square)+(-3)$ ← ㉠
$=(+7)+\{(\square)+(-3)\}$ ← ㉡
$=(+7)+(\square)$
$=\square$

(2) $(-2)+\left(-\frac{1}{2}\right)+(+4)+\left(+\frac{5}{2}\right)$
$=(-2)+(+4)+\left(\square\right)+\left(+\frac{5}{2}\right)$ ← ㉠
$=\{(-2)+(+4)\}+\left\{\left(\square\right)+\left(+\frac{5}{2}\right)\right\}$ ← ㉡
$=(+2)+(\square)$
$=\square$

12 덧셈의 계산 법칙을 이용하여 다음을 계산하시오.

(1) $(+2)+(-4)+(+3)$

(2) $(-7)+(+13)+(+3)$

(3) $(+9)+(-15)+(-13)+(+8)$

(4) $\left(+\frac{1}{2}\right)+(-2)+\left(+\frac{1}{3}\right)$

(5) $(-3.5)+(+1.2)+(-5.3)$

(6) $\left(+\frac{5}{6}\right)+\left(-\frac{1}{3}\right)+\left(+\frac{1}{2}\right)$

(7) $(-24)+(+15)+(-9)+(+8)$

(8) $\left(-\frac{2}{3}\right)+\left(+\frac{3}{4}\right)+\left(+\frac{1}{6}\right)+\left(-\frac{1}{4}\right)$

(9) $(+36)+(-32)+(-18)+(+64)$

(10) $\left(+\frac{1}{2}\right)+\left(-\frac{3}{5}\right)+\left(+\frac{1}{5}\right)+\left(-\frac{7}{10}\right)$

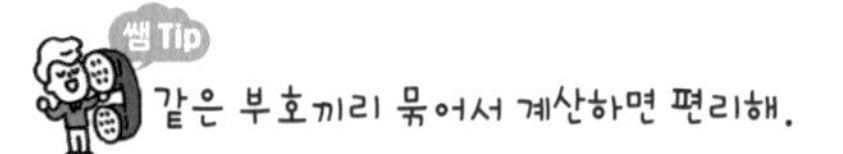

만점

정답과 해설 _ p.14

01 다음 중 옳은 것은?

① $(-7)+(-8)=-1$ ② $(-9)+(+3)=-12$

③ $(-11)+(-4)=-14$ ④ $\left(+\frac{2}{5}\right)+\left(+\frac{5}{2}\right)=+\frac{29}{10}$

⑤ $(+3.5)+(-1.2)=+4.7$

두 수의 부호가 같은지 다른지 확인한 후 계산한다.

02 다음 중 계산 결과가 나머지 넷과 다른 하나는?

① $(+6)+(+4)$ ② $(+12)+(-2)$ ③ $(-5)+(-5)$

④ $(-1)+(+11)$ ⑤ $(+8)+(+2)$

03 다음 계산 과정에서 ㉠, ㉡에 이용된 덧셈의 계산 법칙을 말하시오.

$(+4)+(-7)+(+6)$
$=(+4)+(+6)+(-7)$ ㉠
$=\{(+4)+(+6)\}+(-7)$ ㉡
$=(+10)+(-7)$
$=+3$

세 개 이상의 수를 더할 때, 덧셈의 교환법칙, 덧셈의 결합법칙을 이용하여 더하는 순서를 바꾸어 계산할 수 있다.

04 덧셈의 계산 법칙을 이용하여 계산하시오.

$(+2.5)+(-5)+(+1.5)+(-9)$

부호가 같은 것끼리 먼저 더하면 편리하다.

05 $\left(+\frac{1}{2}\right)+\left(-\frac{9}{4}\right)+(+4)+\left(-\frac{5}{6}\right)$의 계산 결과를 기약분수로 나타내면 $\frac{b}{a}$이다. 이때 $b-a$의 값을 구하시오.

11강 ••• 유리수의 뺄셈

정답과 해설 _ p.15

1. 두 수의 뺄셈

두 수의 뺄셈은 빼는 수의 부호를 바꾸어 덧셈으로 고쳐서 계산한다.

(부호 반대로 / 덧셈으로)

$(+7)-(+3)=(+7)+(-3)=+(7-3)=+4$

(부호 반대로 / 덧셈으로)

$(+7)-(-3)=(+7)+(+3)=+(7+3)=+10$

참고 어떤 수에서 0을 빼면 그 수 자신이 된다.

$-(+■)=+(-■)$ — 양수를 빼는 거랑 음수를 더하는 거랑 같아.

$-(-■)=+(+■)$ — 음수를 빼는 거랑 양수를 더하는 거랑 같아.

01 다음 □ 안에 알맞은 수를 써넣으시오.

(1) $(+8)-(+5)=(+8)+(\square)=\square$

(2) $(-7)-(+3)=(-7)+(\square)=\square$

(3) $(+12)-(-4)=(+12)+(\square)=\square$

(4) $(-6)-(-3)=(-6)+(\square)=\square$

(5) $(+13)-(+4)=(+13)+(\square)=\square$

(6) $(-7)-(-9)=(-7)+(\square)=\square$

(7) $(+15)-(-5)=(+15)+(\square)=\square$

02 다음을 계산하시오.

(1) $(+3)-(+7)$

(2) $(+14)-(+5)$

(3) $\left(+\frac{1}{7}\right)-\left(+\frac{5}{14}\right)$

(4) $\left(+\frac{7}{4}\right)-\left(+\frac{5}{6}\right)$

03 다음을 계산하시오.

(1) $(-9)-(+8)$

(2) $(-7)-(+2)$

(3) $\left(-\frac{2}{3}\right)-\left(+\frac{1}{2}\right)$

(4) $\left(-\frac{5}{4}\right)-\left(+\frac{9}{10}\right)$

04 나음을 계산하시오.

(1) $(+7)-(-9)$

(2) $\left(+\frac{3}{4}\right)-\left(-\frac{5}{4}\right)$

(3) $(\ \ 2.7)-(-5.3)$

(4) $\left(-\frac{7}{2}\right)-(-3.4)$

05 다음을 구하시오.

(1) $+6$보다 $+9$만큼 작은 수

(2) -3보다 $+7$만큼 작은 수

(3) $+5$보다 -11만큼 작은 수

(4) -8보다 -6만큼 작은 수

2. 덧셈과 뺄셈의 혼합 계산

뺄셈을 덧셈으로 고친 후, 덧셈의 교환법칙과 결합법칙을 이용하여 양수는 양수끼리, 음수는 음수끼리 모아서 계산하면 편리하다.

참고 뺄셈에서는 교환법칙과 결합법칙이 성립하지 않는다.

$(+3)+(-5)-(-4)$ (뺄셈을 덧셈으로 바꾸고)
$=(+3)+(-5)+(+4)$ (양수끼리 묶어서 계산해.)
$=\{(+3)+(+4)\}+(-5)$
$=(+7)+(-5)$
$=+2$

06 다음을 계산하시오.

(1) $(-12)+(+7)-(+5)$

(2) $(-7)+(+13)-(-6)$

(3) $(+2.5)-(+0.2)+(-3.2)-(-1.9)$

(4) $\left(+\frac{3}{4}\right)+\left(-\frac{1}{2}\right)-(-1)$

(5) $(+4)-(+8)-(-17)+(-5)$

(6) $\left(-\frac{1}{3}\right)-\left(+\frac{1}{2}\right)+\left(+\frac{3}{2}\right)-\left(-\frac{2}{3}\right)$

3. 부호가 생략된 수의 혼합 계산 up+

부호가 생략된 수의 혼합 계산은 생략된 + 부호와 괄호를 살려서 계산한다.

예 $-7+15-6=(-7)+(+15)-(+6)$
$=(-7)+(+15)+(-6)$
$=(-7)+(-6)+(+15)$
$=(-13)+(+15)$
$=+2$

나는 $(+3)$이랑 같아.
$3-5=(+3)-(+5)$
-5는 $-(+5)$로 나타낼 수 있지.

07 다음을 계산하시오.

(1) $-3+7$

(2) $-4-8$

(3) $-1-4-5$

(4) $9-12+3$

(5) $-8+3-11+9$

08 다음을 계산하시오.

(1) $0.5-0.7-0.3$

(2) $-1.3+2.4-0.5$

(3) $\frac{2}{3}-\frac{1}{3}-\frac{5}{6}$

(4) $1-\frac{3}{4}+\frac{7}{6}-\frac{2}{3}$

(5) $-2.5+\frac{10}{3}-\frac{5}{6}+4$

정답과 해설 _ p.16

01 다음 중 옳지 않은 것은?

① $(+2)-(-4)=+6$ ② $0-(-5)=+5$ ③ $(-4)-(+7)=-11$
④ $\left(+\frac{4}{3}\right)-\left(+\frac{5}{3}\right)=+\frac{1}{3}$ ⑤ $\left(-\frac{1}{4}\right)-\left(-\frac{7}{6}\right)=+\frac{11}{12}$

두 수의 뺄셈은 빼는 수의 부호를 바꾸어 덧셈으로 고쳐서 계산한다.

02 다음 중 계산 결과를 수직선 위에 나타낼 때, 가장 오른쪽에 있는 것은?

① $(-4)-(+2)$ ② $(+5.2)-(+6.3)$ ③ $\left(-\frac{3}{4}\right)-(-3)$
④ $\left(+\frac{1}{3}\right)-\left(-\frac{1}{2}\right)$ ⑤ $\left(-\frac{4}{5}\right)-\left(-\frac{3}{4}\right)$

수직선 위에 나타낼 때, 계산 결과가 가장 큰 수가 가장 오른쪽에 있다.

03 다음을 계산하시오.

$$4-\frac{7}{3}+\frac{1}{2}-\left|-\frac{5}{4}\right|$$

생략된 양의 부호 +와 괄호를 넣은 후 계산한다.

04 $A=3-\frac{1}{4}-2$, $B=\frac{4}{5}-0.2+\frac{1}{2}-1$일 때, $A+B$의 값을 구하시오.

05 어떤 수에서 8을 빼야 할 것을 잘못하여 더했더니 그 결과가 -3이 되었다. 어떤 수를 구하시오.

어떤 수를 □라 놓고 식을 세워 계산한다.

12강 유리수의 곱셈

정답과 해설 _ p.17

1. 수의 곱셈

(1) 부호가 같은 두 수의 곱셈

두 수의 절댓값의 곱에 양의 부호 +를 붙인다.

양의 부호

$(+3)\times(+2)=+6$

$3\times2=6$

양의 부호

$(-3)\times(-2)=+6$

$3\times2=6$

(2) 부호가 다른 두 수의 곱셈

두 수의 절댓값의 곱에 음의 부호 −를 붙인다.

음의 부호

$(+3)\times(-2)=-6$

$3\times2=6$

음의 부호

$(-4)\times(+7)=-28$

$4\times7=28$

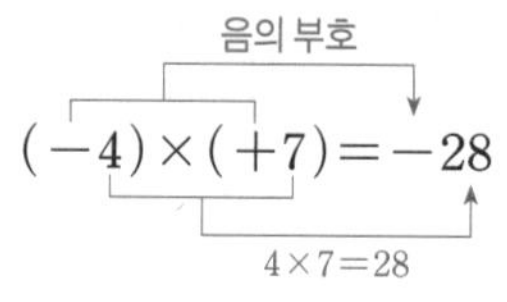

참고 어떤 수와 0의 곱은 항상 0이다.

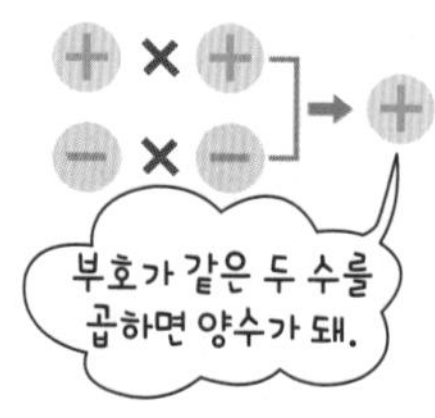

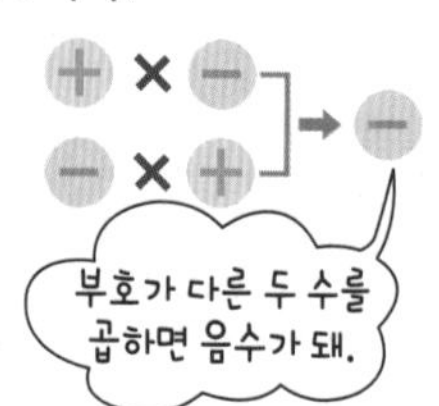

01 다음을 계산하시오.

(1) $(+7)\times(+2)$

(2) $(+4)\times(+6)$

(3) $(-8)\times(-7)$

(4) $(-9)\times(-3)$

(5) $(+12)\times(+4)$

(6) $(-5)\times(-12)$

(7) $(-25)\times(-4)$

(8) $(-7)\times(-12)$

(9) $(+9)\times(+15)$

02 다음을 계산하시오.

(1) $\left(+\frac{1}{3}\right)\times(+6)$

(2) $\left(+\frac{2}{5}\right)\times\left(+\frac{5}{6}\right)$

(3) $\left(-\frac{1}{4}\right)\times\left(-\frac{12}{7}\right)$

(4) $(-24)\times\left(-\frac{1}{3}\right)$

(5) $\left(-\frac{2}{3}\right)\times\left(-\frac{6}{5}\right)$

(6) $\left(+\frac{5}{4}\right)\times\left(+\frac{16}{15}\right)$

03 다음을 계산하시오.

(1) $(+10)\times(-3)$

(2) $(+7)\times(-9)$

(3) $(-6)\times(+4)$

(4) $(-8)\times(+11)$

(5) $(+9)\times(-5)$

(6) $(-3)\times(+14)$

(7) $(+17)\times(-4)$

(8) $(-20)\times(+10)$

(9) $(+7)\times0$

04 다음을 계산하시오.

(1) $\left(-\frac{4}{9}\right)\times\left(+\frac{3}{16}\right)$

(2) $\left(-\frac{7}{15}\right)\times\left(+\frac{5}{14}\right)$

(3) $\left(-\frac{2}{9}\right)\times(+45)$

2. 곱셈의 계산 법칙

세 수 a, b, c에 대하여

(1) 곱셈의 교환법칙: $a\times b=b\times a$

(2) 곱셈의 결합법칙: $(a\times b)\times c=a\times(b\times c)$

예 $(+2)\times(-13)\times(+5)$

$=(+2)\times(+5)\times(-13)$ ← 곱셈의 교환법칙

$=\{(+2)\times(+5)\}\times(-13)$ ← 곱셈의 결합법칙

$=(+10)\times(-13)$

$=-130$

05 다음 □ 안에 알맞은 수를 써넣고 ㉠, ㉡에서 이용된 곱셈의 계산 법칙을 각각 쓰시오.

(1) $(+2)\times(-3)\times(+5)$

$=(+2)\times(+5)\times(\square)$ ㉠

$=\{(+2)\times(+5)\}\times(\square)$ ㉡

$=(+10)\times(\square)=\square$

(2) $(+25)\times(-7)\times(-4)$

$=(+25)\times(\square)\times(-7)$ ㉠

$=\{(+25)\times(\square)\}\times(-7)$ ㉡

$=(\square)\times(-7)=\square$

06 곱셈의 계산 법칙을 이용하여 다음을 계산하시오.

(1) $(-2)\times(-8)\times(+5)$

(2) $(-2)\times(-3)\times(+5)$

(3) $(+50)\times(-13)\times(+2)$

(4) $\left(-\frac{9}{2}\right)\times(-7)\times(-2)$

(5) $(-5)\times(-15)\times(-20)$

(6) $(-25)\times(-9)\times(+4)$

(7) $(-5)\times\left(-\frac{3}{4}\right)\times(+16)$

(8) $(-100)\times\left(+\frac{1}{17}\right)\times\left(-\frac{17}{50}\right)$

(9) $\left(-\frac{9}{14}\right)\times(-3)\times(+28)$

(10) $\left(-\frac{5}{8}\right)\times\left(+\frac{1}{18}\right)\times(-16)\times(+54)$

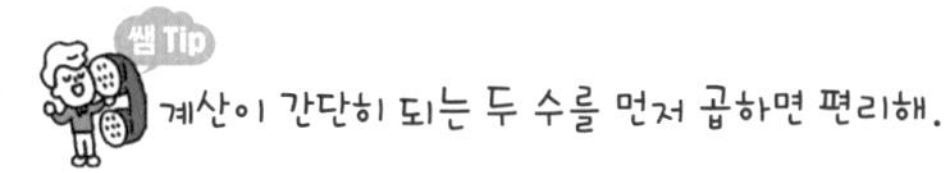

정답과 해설 _ p.18

01 다음 중 계산 결과가 음수인 것은?

① $\left(-\frac{3}{2}\right)\times\left(-\frac{5}{6}\right)$ ② $\left(+\frac{3}{4}\right)\times\left(-\frac{8}{9}\right)$ ③ $(+0.5)\times(+2.5)$
④ $(+4.7)\times(+3.6)$ ⑤ $(-5)\times(-10)$

부호가 같은 두 수의 곱셈의 부호는 $+$가 되고, 부호가 다른 두 수의 곱셈의 부호는 $-$가 된다.

02 다음 중 계산 결과가 가장 작은 것은?

① $(+3)\times(+2)$ ② $(-10)\times(+2)$ ③ $(+7)\times(-3)$
④ $\left(+\frac{3}{4}\right)\times(-12)$ ⑤ $\left(-\frac{5}{3}\right)\times\left(-\frac{6}{5}\right)$

03 다음 계산 과정에서 ㉠, ㉡에 알맞은 곱셈의 계산 법칙을 쓰시오.

$(+5)\times(-15)\times(-2)$
$=(-15)\times(+5)\times(-2)$) ㉠
$=(-15)\times\{(+5)\times(-2)\}$) ㉡
$=(-15)\times(-10)$
$=+150$

세 개 이상의 수를 곱할 때, 곱셈의 교환법칙, 결합법칙을 이용하여 곱하는 순서를 바꾸어 계산할 수 있다.

04 다음을 곱셈의 계산 법칙을 이용하여 계산하시오.

$$\left(-\frac{5}{4}\right)\times(-3)\times(-8)$$

$-\frac{5}{4}$와 -8을 먼저 곱하여 수를 간단히 한 후 계산하면 편리하다.

05 $(+1.2)\times(-5)$의 계산 결과를 a, $\left(-\frac{1}{6}\right)\times\left(+\frac{5}{2}\right)$의 계산 결과를 b라고 할 때, $a\times b$의 값을 구하시오.

13강 ••• 복잡한 식의 계산 

정답과 해설 _ p.19

1. 세 수 이상의 곱셈 up+

세 개 이상의 수의 곱셈은 다음과 같은 순서로 계산한다.

❶ 음수의 개수에 따라 부호를 결정한다.

- 음수가 하나도 없거나 짝수 개이면 ➡ +
- 음수가 홀수 개이면 ➡ −

❷ 각 수의 절댓값의 곱에 ❶의 부호를 붙인다.

예 $(-2)\times(-4)\times(-3)=-(2\times4\times3)=-24$
음수가 3개

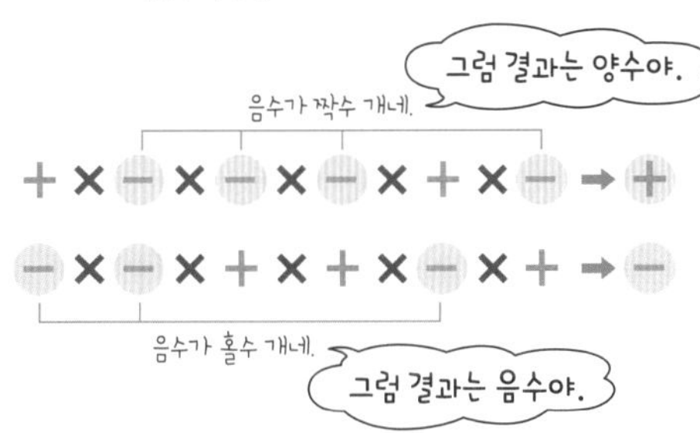

01 다음 ◯ 안에는 알맞은 부호를, □ 안에 알맞은 수를 써넣으시오.

(1) $(+7)\times(-2)\times(+3)=$ ◯ $(7\times2\times3)$
$=$ □

(2) $5\times(-4)\times(-3)=$ ◯ $(5\times4\times3)$
$=$ □

(3) $(-2)\times(-6)\times(-5)=$ ◯ $(2\times6\times5)$
$=$ □

(4) $8\times2\times(-3)=$ ◯ $(8\times2\times3)$
$=$ □

(5) $6\times(-2)\times(-2)=$ ◯ $(6\times2\times2)$
$=$ □

(6) $(-3)\times(-5)\times(-4)=$ ◯ $(3\times5\times4)$
$=$ □

02 다음을 계산하시오.

(1) $(-3)\times(-2)\times(+5)$

(2) $(-4)\times(-2)\times(-7)$

(3) $(+2)\times(-7)\times(-4)$

(4) $(+5)\times(+2)\times(-9)$

(5) $(+5)\times(-3)\times(-10)$

(6) $(-1)\times(+9)\times(+2)$

(7) $(-4)\times(-2)\times(-6)$

03 다음을 계산하시오.

(1) $(-6)\times\left(-\frac{5}{4}\right)\times(+10)$

(2) $(-4)\times\left(-\frac{4}{5}\right)\times\left(-\frac{3}{2}\right)$

(3) $(+5)\times\left(-\frac{5}{6}\right)\times\left(+\frac{1}{3}\right)$

(4) $(-1)\times\left(-\frac{3}{4}\right)\times\left(+\frac{2}{5}\right)$

(5) $(+4)\times\left(+\frac{1}{3}\right)\times\left(-\frac{3}{5}\right)$

(6) $\left(+\frac{5}{6}\right)\times\left(-\frac{7}{15}\right)\times\left(-\frac{3}{2}\right)$

(7) $\left(-\frac{3}{4}\right)\times(-8)\times(+2)$

(8) $\left(-\frac{6}{5}\right)\times\left(+\frac{8}{3}\right)\times\left(-\frac{1}{4}\right)$

쌤 Tip 곱해진 음수가 짝수 개인지 홀수 개인지 살펴보고 부호를 정해.

2. 거듭제곱의 계산

(1) 양수의 거듭제곱의 부호 ➡ $+$

예 $(+2)^3=(+2)\times(+2)\times(+2)$
$=+(2\times2\times2)=+8$
$(+2)^2=(+2)\times(+2)=+4$

(2) 음수의 거듭제곱의 부호

➡ 지수가 짝수이면 $+$
　 지수가 홀수이면 $-$

예 $(-2)^3=(-2)\times(-2)\times(-2)$
$=-(2\times2\times2)=-8$
$(-2)^2=(-2)\times(-2)=+4$

참고 $(-2)^2$과 -2^2은 다르다.
➡ $(-2)^2=+4$, $-2^2=-4$

-2 전체를 제곱한거야.

$(-2)^2=+4$　　$-2^2=-4$

나는 2만 제곱한거라서 앞에 $-$는 살아 있어.

04 다음을 거듭제곱을 사용하여 나타내시오.

(1) $(-5)\times(-5)$

(2) $(+2)\times(+2)\times(+2)\times(+2)$

(3) $(-1)\times(-1)\times(-1)$

(4) $(-4)\times(-4)\times(-4)\times(-4)\times(-4)$

(5) $\left(+\frac{1}{5}\right)\times\left(+\frac{1}{5}\right)\times\left(+\frac{1}{5}\right)$

(6) $\left(-\frac{1}{3}\right)\times\left(-\frac{1}{3}\right)\times\left(-\frac{1}{3}\right)\times\left(-\frac{1}{3}\right)$

(7) $\left(-\frac{3}{4}\right)\times\left(-\frac{3}{4}\right)\times\left(-\frac{3}{4}\right)$

05 다음 중 계산 결과가 옳은 것에는 ○표, 옳지 않은 것에는 × 표를 ( ) 안에 써넣으시오.

(1) $(-3)^2=-9$ (　　)

(2) $(-2)^2=4$ (　　)

(3) $-1^4=-1$ (　　)

(4) $(-2)^3=-8$ (　　)

(5) $\left(-\frac{3}{5}\right)^2=\frac{6}{10}$ (　　)

(6) $\left(-\frac{1}{3}\right)^4=\frac{4}{81}$ (　　)

음수의 거듭제곱은 지수가 짝수이면 양수, 지수가 홀수이면 음수이다.

06 다음을 계산하시오.

(1) $(-2)^2\times(-2^2)$

(2) $(-3^2)\times(-2)^3$

(3) $(-2^2)\times(-2)^3$

(4) $\left(-\frac{1}{4}\right)\times\left(-\frac{3}{2}\right)^2$

(5) $\left(-\frac{3}{5}\right)\times\left(-\frac{1}{2}\right)^2$

(6) $\left(+\frac{2}{5}\right)^3\times\left(-\frac{5}{4}\right)^2$

(7) $\left(-\frac{1}{4}\right)^2\times\left(+\frac{2}{3}\right)^4$

정답과 해설 _ p.19

01 다음을 계산하시오.

(1) $(+5)\times(+3)\times(-3)$

(2) $(-3)\times(-7)\times(+2)$

(3) $\left(-\frac{4}{5}\right)\times\left(-\frac{2}{3}\right)\times\left(-\frac{3}{4}\right)$

곱해진 음수가 짝수 개인지 홀수 개인지 확인하고 부호를 정한다.

02 다음의 계산 결과를 기약분수로 나타내면 $\frac{b}{a}$일 때, $a+b$의 값을 구하시오.

$$(-0.7)\times\left(-\frac{6}{5}\right)\times(-0.6)\times\left(-\frac{5}{7}\right)$$

03 다음 중 음수를 모두 고르면? (정답 2개)

① $-\left(-\frac{1}{2}\right)^3$　② $(-1)^{35}$　③ $(-2)^8$

④ $\left(-\frac{4}{3}\right)^2$　⑤ $-\frac{2^3}{5}$

거듭제곱의 지수가 짝수인지 홀수인지 확인하고 부호를 정한다.

04 다음 수 중 가장 작은 수와 가장 큰 수를 차례로 나열하시오.

-2　$(-2)^2$　$-(-2)^2$　-2^3　$(-2)^4$

— 부호가 괄호 안에 있을 때와 밖에 있을 때 계산 결과의 부호가 달라질 수 있다.

05 $(-1)^{2032}\div(-1)^{3003}\times(-1)^{10101}$을 계산하면?

① -2　② -1　③ 0　④ $+1$　⑤ $+2$

음수의 거듭제곱은 지수가 짝수인지 홀수인지 확인하여 부호를 정한다.

1. 수의 나눗셈

(1) 부호가 같은 두 수의 나눗셈

두 수의 절댓값의 나눗셈의 몫에 양의 부호 +를 붙인다.

양의 부호

$(+8)\div(+2)=+4$, $8\div2=4$

$(-8)\div(-2)=+4$, $8\div2=4$

(2) 부호가 다른 두 수의 나눗셈

두 수의 절댓값의 나눗셈의 몫에 음의 부호 −를 붙인다.

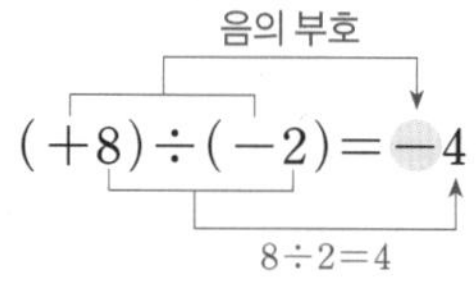

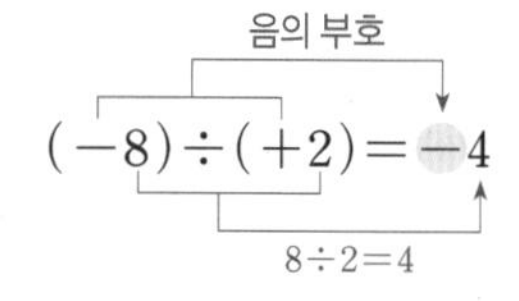

참고 0을 0이 아닌 수로 나누면 그 몫은 항상 0이다. 어떤 수를 0으로 나누는 경우는 생각하지 않는다.

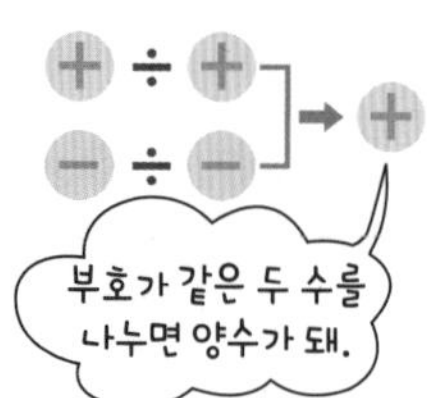

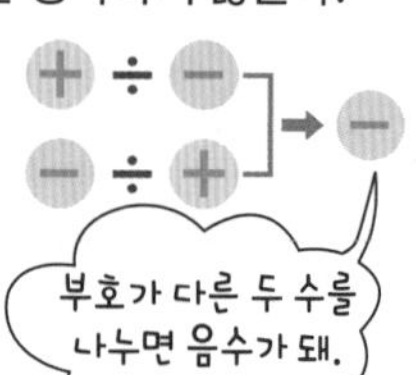

01 다음을 계산하시오.

(1) $(+12)\div(+6)$

(2) $(-36)\div(-9)$

(3) $(-25)\div(-5)$

(4) $(-8)\div(-4)$

(5) $(+24)\div(+12)$

(6) $(+88)\div(+11)$

(7) $(-96)\div(-12)$

(8) $(+100)\div(+25)$

02 다음을 계산하시오.

(1) $(+27)\div(-3)$

(2) $(-54)\div(+9)$

(3) $(+63)\div(-3)$

(4) $(-81)\div(+9)$

(5) $(-63)\div(+21)$

2. 역수를 이용한 나눗셈 up+

(1) 두 수의 곱이 1이 될 때, 한 수를 다른 수의 역수라고 한다.

참고 0에 어떤 수를 곱하여도 1이 될 수 없으므로 0의 역수는 없다.

(2) 역수를 이용한 나눗셈

나누는 수를 그 수의 역수로 바꾸어 곱셈으로 고쳐서 계산한다.

곱셈으로 바꾸기

$$(+8)\div(-2)=(+8)\times\left(-\frac{1}{2}\right)=-4$$

역수

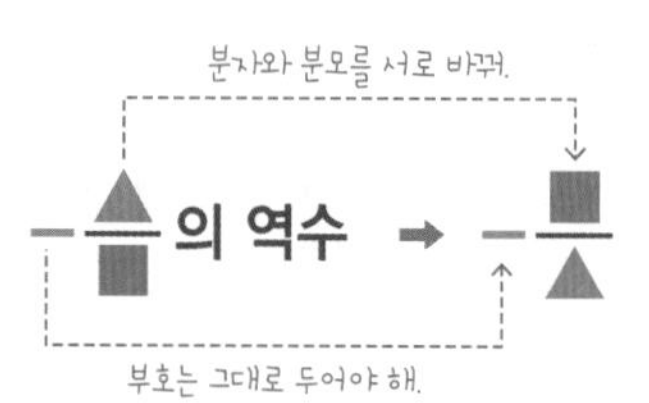

03 다음 □ 안에 알맞은 수를 써넣으시오.

(1) $(-2)\times(\square)=1$

(2) $4\times(\square)=1$

(3) $\left(-\frac{1}{9}\right)\times(\square)=1$

(4) $\left(-\frac{6}{7}\right)\times(\square)=1$

04 다음 수의 역수를 구하시오.

(1) -7

(2) $\frac{1}{6}$

(3) $-\frac{4}{3}$

(4) -1.5

(5) -1

(6) $\frac{5}{12}$

곱해서 1이 되는 수를 찾는다.

05 다음을 계산하시오.

(1) $\left(+\frac{3}{4}\right)\div(-6)$

(2) $(-8)\div\left(+\frac{16}{5}\right)$

(3) $(+2.25)\div\left(+\frac{15}{2}\right)$

(4) $(-0.6)\div(-10.2)$

(5) $\left(-\frac{5}{9}\right)\div\left(-\frac{10}{3}\right)$

(6) $\left(+\frac{1}{5}\right)\div(-8)$

(7) $\left(+\frac{4}{7}\right)\div\left(-\frac{4}{21}\right)$

06 다음을 계산하시오.

(1) $\left(+\frac{3}{7}\right)\div(-6)\div\left(-\frac{5}{8}\right)$

(2) $(-50)\div\left(+\frac{25}{7}\right)\div\left(-\frac{2}{3}\right)$

(3) $(+2)\div\left(-\frac{10}{3}\right)\div\left(+\frac{2}{15}\right)$

(4) $\left(-\frac{3}{4}\right)\div\left(-\frac{6}{11}\right)\div\left(-\frac{33}{10}\right)$

(5) $\left(-\frac{4}{5}\right)\div\left(-\frac{8}{15}\right)\div\left(+\frac{9}{7}\right)$

07 다음을 구하시오.

(1) $-\frac{2}{3}$의 역수를 a, $\frac{1}{2}$의 역수를 b라 할 때, $a+b$의 값

(2) $-\frac{1}{2}$의 역수를 a, -9의 역수를 b라 할 때, $a-b$의 값

(3) 6의 역수를 a, $-\frac{2}{3}$의 역수를 b라 할 때, $a\times b$의 값

(4) -4의 역수를 a, $-\frac{1}{5}$의 역수를 b라 할 때, $a\div b$의 값

(5) -7의 역수를 a, $\frac{7}{9}$의 역수를 b라 할 때, a b의 값

유리수의 역수를 구할 때 부호는 바뀌지 않아.

정답과 해설 _ p.21

01 다음 중 계산 결과가 옳지 않은 것을 모두 고르면? (정답 2개)

① $\left(-\frac{3}{4}\right)\div 3=-\frac{1}{4}$　② $\left(-\frac{1}{4}\right)\div(-4)=1$　③ $0\div\left(-\frac{2}{3}\right)=0$

④ $(-3)\div\frac{1}{6}=-18$　⑤ $\left(-\frac{3}{5}\right)\div\frac{5}{3}=-1$

부호가 같은 두 수의 나눗셈의 부호는 +가 되고, 부호가 다른 두 수의 나눗셈의 부호는 −가 된다

02 $A\times(-7)=-5$, $B\div\frac{1}{7}=-\frac{1}{2}$일 때, $A\div B$의 값을 구하시오.

03 다음 중 두 수가 역수 관계가 아닌 것은?

① $3,\ \frac{1}{3}$　② $\frac{7}{4},\ \frac{4}{7}$　③ $0.5,\ 2$

④ $1,\ -1$　⑤ $-\frac{5}{8},\ -\frac{8}{5}$

곱해서 1이 되지 않는 수를 찾는다.

04 -9의 역수를 a, -2.4의 역수를 b라고 할 때, $a\div b$의 값을 구하시오.

05 다음을 계산하시오.

(1) $\frac{12}{7}\div\left(-\frac{6}{5}\right)$　(2) $(-2.6)\div\left(-\frac{39}{2}\right)$

나눗셈은 역수를 이용하여 곱셈으로 고친 후 계산한다.

정답과 해설 _ p.21

1. 곱셈과 나눗셈의 혼합 계산

❶ 거듭제곱이 있으면 거듭제곱을 먼저 계산한다.

❷ 나눗셈은 역수를 이용하여 곱셈으로 바꾼다.

❸ 부호를 결정하고 각 수의 절댓값의 곱에 결정된 부호를 붙인다.

$$(-3)\times(-2)^2\div(+4)$$
$$=(-3)\times(+4)\div(+4)$$
$$=(-3)\times(+4)\times\left(+\frac{1}{4}\right)$$
$$=-\left(3\times4\times\frac{1}{4}\right)=-3$$

거듭제곱을 먼저 계산하고

나눗셈을 곱셈으로 바꾼 다음

부호를 결정하고

절댓값끼리 곱해!

01 □ 안에 알맞은 수를 써넣으시오.

(1) $(-5)\div2\times(-4)=(-5)\times\square\times(-4)$
$=\square$

(2) $(-3)\times\left(-\frac{1}{4}\right)\div\frac{3}{8}=(-3)\times\left(-\frac{1}{4}\right)\times\square$
$=\square$

(3) $\left(-\frac{3}{4}\right)\div\left(-\frac{1}{2}\right)\div(-6)$
$=\left(-\frac{3}{4}\right)\times(\square)\times\left(-\frac{1}{6}\right)$
$=\square$

02 다음을 계산하시오.

(1) $25\div(-5)\times2$

(2) $8\times(-10)\div(-5)$

(3) $24\div(-3)\times4\div(-16)$

(4) $40\div(-8)\times3$

03 다음을 계산하시오.

(1) $(-2)^2\times(-3^2)\div(-5)^2$

(2) $\left(-\frac{1}{2}\right)^3\div(-0.5)^2\times5$

(3) $\left(-\frac{3}{4}\right)\times\left(-\frac{2}{3}\right)^2\div\frac{8}{9}$

2. 분배법칙 up+

두 수의 합에 어떤 수를 곱한 것은 두 수의 각각에 어떤 수를 곱하여 더한 것과 같다. 이것을 분배법칙이라고 한다.

즉, 세 수 a, b, c에 대하여

$a\times(b+c)=a\times b+a\times c$, $(a+b)\times c=a\times c+b\times c$

a에 b와 c를 각각 곱하면 돼.

$$a\times(b+c)=a\times b+a\times c$$
$$(a+b)\times c=a\times c+b\times c$$

a, b에 각각 c를 곱하면 돼.

04 다음은 분배법칙을 이용하여 계산하는 과정이다. □ 안에 알맞은 수를 써넣으시오.

(1) $15\times\left\{\frac{1}{3}+\left(-\frac{1}{5}\right)\right\}$
$=15\times\square+15\times(\square)$
$=5+(\square)$
$=\square$

(2) $\{(-4)+(-5)\}\times3$
$=(-4)\times\square+(-5)\times\square$
$=(-12)+(\square)$
$=\square$

05 다음은 분배법칙을 이용하여 계산하는 과정이다. □ 안에 알맞은 수를 써넣으시오.

(1) $12\times68+12\times32=12\times(68+32)$
$=12\times\square$
$=\square$

(2) $(-9)\times5.1+(-9)\times4.9=(-9)\times(5.1+4.9)$
$=(-9)\times\square$
$=\square$

06 분배법칙을 이용하여 다음을 계산하시오.

(1) $17\times(100+3)$

(2) $20\times\left(\frac{1}{2}-\frac{5}{4}\right)$

(3) $(50-5)\times12$

(4) $\left\{2+\left(-\frac{9}{7}\right)\right\}\times(-14)$

(5) $\left\{\left(-\frac{1}{9}\right)+\left(-\frac{3}{4}\right)\right\}\times(-36)$

07 분배법칙을 이용하여 다음을 계산하시오.

(1) $(-6)\times96+(-6)\times4$

(2) $5\times9.8+5\times0.2$

(3) $(-3)\times45-(-3)\times35$

(4) $14\times73+14\times27$

(5) $(-13)\times\frac{1}{3}+(-13)\times\frac{2}{3}$

3. 덧셈, 뺄셈, 곱셈, 나눗셈의 혼합 계산 up+

❶ 거듭제곱이 있으면 거듭제곱을 먼저 계산한다.

❷ 괄호가 있으면 괄호 안을 먼저 계산한다.

➡ (소괄호) → {중괄호} → [대괄호]의 순서로 계산

❸ 곱셈과 나눗셈을 계산한다.

❹ 덧셈과 뺄셈을 계산한다.

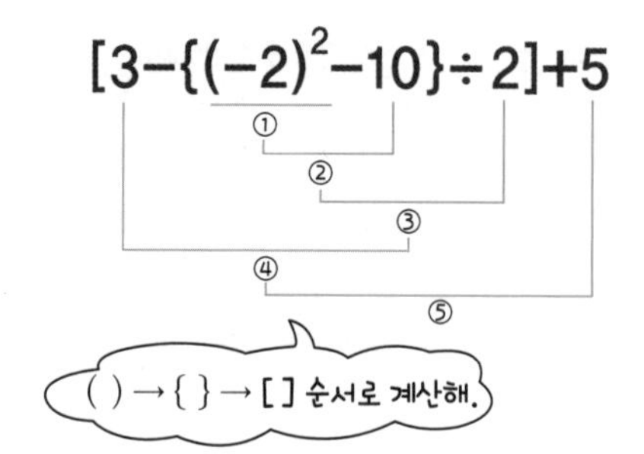

08 다음을 계산하시오.

(1) $3+(-4)\times2$

(2) $(-3)+5\times(-6)$

(3) $19-12\div(-4)$

(4) $(-5)\times4-30\div(-6)$

(5) $(-8-6)\div7-(-3)\times2$

(6) $3\times|-5|-6\div(1-7)$

(7) $(-8)+\frac{5}{9}\times18$

(8) $(-5+7)\times\left(-\frac{3}{4}\right)-\frac{1}{2}$

(9) $\left(-\frac{6}{5}\right)\div(-12)+0.2$

(10) $\left(-\frac{10}{3}\right)\div\frac{2}{3}\times\left(-\frac{1}{10}\right)+\frac{1}{2}$

09 다음을 계산하시오.

(1) $(-3)-(-3)^2\div(-6)$

(2) $(-2)^2-16\div2^2$

(3) $(-2^3)-(-4)^2\div(-8)$

(4) $6-(1-3^2)\div2^2$

(5) $(-35)\div7\times(-2^2)\times(-3)+10$

(6) $4-(-5)\times(3-6)$

(7) $3\times(1-2^2)\div(-3)^2+2$

(8) $\left(\frac{1}{2}-\frac{1}{3}\right)\times\frac{3}{5}+\frac{7}{10}$

(9) $4\times\left(-\frac{1}{2}\right)^2-2$

(10) $(-3)^2\times\frac{1}{3}\quad\frac{5}{2}$

(11) $\frac{1}{3}\times5\times(-1)^5+\frac{2}{3}$

(12) $\frac{1}{4}\div\left(-\frac{1}{2}\right)^3-(-9)\times\frac{7}{3}$

(13) $(-2)^3\div\frac{8}{9}\times(-10)-100$

10 다음 식의 계산 순서를 차례로 나열하시오.

(1) $1-\frac{5}{2}\times\left\{2-\left(-\frac{8}{3}\right)^2\div\frac{10}{9}\right\}$

↑ ㉠ (−), ↑ ㉡ (×), ↑ ㉢ (−), ↑ ㉣ ($\left(-\frac{8}{3}\right)^2$), ↑ ㉤ (÷)

㉣ → □ → □ → □ → □

(2) $\left[\left\{\left(-\frac{3}{2}\right)^2-10\right\}+1\right]\div\left(-\frac{9}{5}\right)-4$

↑ ㉠ ($\left(-\frac{3}{2}\right)^2$), ↑ ㉡ (−), ↑ ㉢ (+), ↑ ㉣ (÷), ↑ ㉤ (−)

㉠ → □ → □ → □ → □

(3) $7-\left[\frac{1}{4}-\left\{(-2)+\frac{3}{5}\div\left(-\frac{1}{4}\right)\right\}\times\frac{1}{2}\right]$

↑ ㉠ (−), ↑ ㉡ (−), ↑ ㉢ (+), ↑ ㉣ (÷), ↑ ㉤ (×)

□ → □ → □ → □ → □

(4) $6+\left[\left\{\left(-\frac{1}{2}\right)^2\div\left(\frac{5}{6}-1\right)+1\right\}-5\right]$

↑ ㉠ (+), ↑ ㉡ ($\left(-\frac{1}{2}\right)^2$), ↑ ㉢ (÷), ↑ ㉣ (−), ↑ ㉤ (+), ↑ ㉥ (−)

□ → □ → □ → □ → □ → □

11 다음을 계산하시오.

(1) $10-\{(-3)^2-(-6+2)\times3\}$

(2) $5\div\{(-2)^3-(-3)\}+(-1)^5\times(-6)$

(3) $\left(-\frac{1}{3}\right)^2\div\left\{1-\left(\frac{2}{3}-\frac{3}{2}\right)\right\}+\frac{3}{11}$

(4) $6\times\left[\left\{\left(-\frac{1}{3}\right)^2\div\left(\frac{5}{6}-\frac{1}{6}\right)+1\right\}\quad2\right]$

(5) $8-\left\{\left(\frac{1}{3}-\frac{3}{4}\right)\div\frac{5}{3}\right\}\times(-2)^3$

정답과 해설 _ p.23

01 두 수 A, B가 다음과 같을 때, $A\times B$의 값을 구하시오.

$$A=\frac{1}{5}\times(-12)\div(-3)^2$$
$$B=\left(-\frac{2}{3}\right)\div\frac{5}{6}\times\frac{5}{8}$$

거듭제곱을 먼저 계산하고 나눗셈은 역수를 이용하여 곱셈으로 고친 후, 음수가 짝수 개인지 홀수 개인지 살펴보고 부호를 정한다.

02 다음은 분배법칙을 이용하여 계산하는 과정이다. 두 수 a, b의 값을 각각 구하시오.

$$15\times94=15\times(a-6)=15\times a-15\times6=b$$

94를 $100-6$으로 생각하여 분배법칙을 이용한 것이다.

03 세 수 a, b, c에 대하여 $a\times b=14$, $a\times c=35$일 때, $a\times(b+c)$의 값을 구하시오.

$a\times(b+c)$
$=a\times b+a\times c$

04 다음 식에 대하여 물음에 답하시오.

$$-\frac{2}{5}+(-1)^2\times\frac{7}{9}\div\left\{\left(\frac{1}{3}-\frac{1}{2}\right)\times\frac{2}{3}\right\}$$

(연산 기호 아래 화살표 ㉠ ㉡ ㉢ ㉣ ㉤ ㉥: ㉠ $+$, ㉡ $(-1)^2$, ㉢ $\times$, ㉣ $\div$, ㉤ $-$, ㉥ $\times$)

(1) 가장 마지막에 계산하는 부분의 기호를 쓰시오.

(2) 계산 결과를 구하시오.

거듭제곱을 가장 먼저 계산하고 ( ) ⇨ { } 순서로 계산한다.

중단원 연산 마무리

정답과 해설 _ p.24

01 다음을 양의 부호 + 또는 음의 부호 −를 사용하여 나타내시오.

(1) 3일 후 ➡ +3일
5일 전 ➡ ____________

(2) 영하 7°C ➡ −7°C
영상 12°C ➡ ____________

(3) 득점 15점 ➡ +15점
실점 20점 ➡ ____________

02 다음 수를 보고 물음에 답하시오.

$+2.5 \quad -2 \quad +7 \quad -\frac{1}{4} \quad 0 \quad -\frac{30}{7}$

(1) 양의 유리수는 모두 몇 개인가?

(2) 음의 유리수는 모두 몇 개인가?

(3) 정수가 아닌 유리수는 모두 몇 개인가?

03 다음 중 옳은 것에는 ○표, 옳지 않은 것에는 ×표를 ( ) 안에 써넣으시오.

(1) 정수는 0과 양의 정수와 음의 정수로 이루어져 있다. ( )

(2) 양의 유리수는 자연수이다. ( )

(3) 정수는 모두 유리수이다. ( )

(4) 0은 정수이면서 유리수이다. ( )

(5) 양의 유리수가 아닌 유리수는 음의 유리수이다. ( )

04 다음 수직선에서 각 점에 대응하는 수를 구하시오.

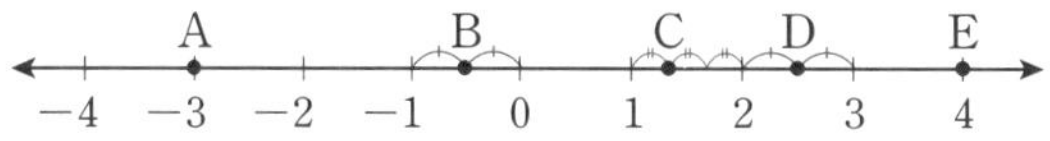

(수직선: −4, −3, −2, −1, 0, 1, 2, 3, 4 / 점 A, B, C, D, E)

(1) A

(2) B

(3) C

(4) D

(5) E

05 다음 절댓값에 대한 설명 중 옳은 것에는 ○표, 옳지 않은 것에는 ×표를 ( ) 안에 써넣으시오.

(1) 모든 수의 절댓값은 항상 양수이다. ( )

(2) 절댓값이 같은 수는 항상 2개이다. ( )

(3) 수직선에서 수의 절댓값이 클수록 원점에서 멀리 떨어져 있다. ( )

(4) 음수의 절댓값은 0보다 작다. ( )

(5) 절댓값이 6인 수는 −6, 6이다. ( )

06 다음을 절댓값 기호를 사용하여 나타내고, 그 값을 구하시오.

(1) +7의 절댓값

(2) $-\frac{2}{3}$의 절댓값

07 수직선에서 원점으로부터 거리가 다음과 같을 때 대응하는 수를 모두 구하시오.

(1) 8

(2) 10

(3) 24

08 다음을 계산하시오.

(1) $\left|-\frac{7}{5}\right|-\left|-\frac{9}{10}\right|$

(2) $\left|\frac{8}{9}\right|+\left|-\frac{7}{12}\right|$

(3) $-\left|\frac{5}{14}\right|+\left|\frac{7}{21}\right|$

09 다음 ○ 안에 >, < 중 알맞은 것을 써넣으시오.

(1) $+4$ ○ $+\frac{14}{3}$

(2) -3 ○ -3.2

10 다음을 부등호를 사용하여 나타내시오.

(1) x는 -3보다 크거나 같고 3보다 작다.

(2) x는 -5보다 작지 않고 8보다 크지 않다.

11 다음을 구하시오.

(1) -3 이상이고 $\frac{16}{5}$보다 작은 정수의 개수

(2) -5보다 크고 $\frac{5}{3}$ 이하인 정수의 개수

(3) $-\frac{16}{3}$보다 작지 않고 3보다 작거나 같은 정수의 개수

12 다음을 계산하여 계산 결과를 기약분수로 나타내시오.

(1) $\left(+\frac{1}{2}\right)+\left(-\frac{9}{4}\right)+\left(+4\right)+\left(-\frac{5}{6}\right)$

(2) $\left(-\frac{3}{4}\right)+\left(-\frac{5}{8}\right)+(+2)+\left(-\frac{5}{12}\right)$

13 다음을 계산하시오.

(1) $7-(-8)$

(2) $-\frac{2}{3}-\frac{1}{4}$

(3) $-9+3-5$

(4) $-5+|-7|-(-4)$

(5) $1.2-1-|-2.4|$

14 다음을 곱셈의 계산 법칙을 이용하여 계산하시오.

(1) $(-4)\times(+5)\times(-25)$

(2) $\left(-\frac{5}{4}\right)\times(-3)\times(-8)$

15 다음을 계산하시오.

(1) $\left(-\frac{1}{2}\right)^2$

(2) $-\left(\frac{1}{2}\right)^2$

(3) $\left(-\frac{1}{2}\right)^3$

(4) $-\left(\frac{1}{2}\right)^4$

16 다음을 계산하시오.

(1) $(-1)^{1004}-(-1)^{2025}-1^{5010}$

(2) $-(-1)^{113}+(-1)^{3001}-1^{2030}$

17 다음을 계산하시오.

(1) $(+27)\div(-9)$

(2) $\left(+\frac{2}{3}\right)\div\left(-\frac{2}{9}\right)$

(3) $\left(-\frac{7}{8}\right)\div\left(-\frac{21}{8}\right)$

18 다음을 구하시오.

(1) 1.2의 역수를 a, $-\frac{4}{5}$의 역수를 b라고 할 때, $a\div b$의 값

(2) $\frac{5}{6}$의 역수를 a, -1.5의 역수를 b라고 할 때, $a\times b$의 값

(3) $-\frac{5}{2}$의 역수를 a, -0.5의 역수를 b라고 할 때, $a+b$의 값

정답과 해설 _ p.24

19 다음을 구하시오.

(1) $a=\left(+\frac{5}{6}\right)\div\left(-\frac{1}{3}\right)$, $b=\left(-\frac{7}{12}\right)\div\left(-\frac{14}{15}\right)$일 때, $a\div b$의 값

(2) $a=\left(+\frac{5}{3}\right)\div\left(-\frac{1}{6}\right)$, $b=\left(-\frac{4}{15}\right)\div\left(+\frac{8}{9}\right)$일 때, $a\div b$의 값

20 다음을 계산하시오.

(1) $1.84\times(-3.4)+8.16\times(-3.4)$

(2) $(-5.4)\times52.8+(-5.4)\times47.2$

21 두 유리수 a, b의 부호가 $a>0$, $b<0$일 때, 다음 중 양수인 것에는 '양', 음수인 것에는 '음'을 ( ) 안에 써넣으시오.

(1) $-b$ ( )

(2) $a\times b$ ( )

(3) $a\div b$ ( )

(4) $a-b$ ( )

도전 100점

22 두 정수 a, b에 대하여 $|a|=3$, $|b|=2$일 때, 다음 중 $a+b$의 값이 될 수 없는 것은?

① -5 ② -2 ③ -1
④ 1 ⑤ 5

23 어떤 수에 $-\frac{7}{8}$을 더해야 할 것을 잘못하여 뺐더니 그 결과가 $\frac{9}{10}$가 되었다. 이때 바르게 계산한 답을 구하시오.

24 다음을 계산하시오.

$$-5+\left[\left\{\left(-\frac{2}{3}-1\right)\div\left(-\frac{1}{2}\right)^2\right\}\times3\right]+24$$

25 세 유리수 a, b, c에 대하여 $a\times b=54$, $a\times(b-c)=36$일 때, $a\times c$의 값을 구하시오.

나만의 비법 노트

Ⅱ. 문자와 식

연산 문제와 시험 대비 문제를 많이 풀어보고 개념과 원리를 확실하게 이해하자. 또한 이해도를 바탕으로 자신의 수준에 맞는 계획을 세워 반복 학습을 하자.

중단원명	강의 명	학습 날짜	이해도
1. 문자의 사용과 식의 계산	17강 문자의 사용	월 일	
	18강 식의 값	월 일	
	19강 다항식	월 일	
	20강 일차식과 수의 곱셈과 나눗셈	월 일	
	21강 일차식의 덧셈과 뺄셈	월 일	
	22강 중단원 연산 마무리	월 일	
2. 일차방정식	23강 방정식	월 일	
	24강 등식의 성질	월 일	
	25강 일차방정식과 그 풀이	월 일	
	26강 복잡한 일차방정식의 풀이	월 일	
	27강 일차방정식의 활용(1)	월 일	
	28강 일차방정식의 활용(2)	월 일	
	29강 중단원 연산 마무리	월 일	

힘수 점검

정답과 해설 _ p.26

어떤 수 대신 □를 사용할 수 있나요?

1 다음 문장을 '어떤 수' 대신 □를 사용하여 식으로 나타내시오. 초등4

(1) 어떤 수보다 3 큰 수

(2) 어떤 수보다 8 작은 수

(3) 어떤 수의 7배

(4) 어떤 수의 5배와 4의 합

(5) 어떤 수의 4배보다 10 작은 수

(6) 어떤 수의 2배보다 7 작은 수

분수의 곱셈을 할 수 있나요?

2 다음을 계산하시오. 초등5

(1) $\frac{5}{8} \times \frac{4}{7}$

(2) $\frac{5}{9} \times \frac{4}{15}$

(3) $\frac{5}{6} \times \frac{3}{10}$

(4) $1\frac{5}{9} \times \frac{3}{7}$

(5) $3\frac{1}{3} \times 2\frac{2}{5}$

분수의 나눗셈을 할 수 있나요?

3 다음을 계산하시오. 초등6

(1) $\frac{3}{5} \div \frac{1}{5}$

(2) $\frac{6}{13} \div \frac{9}{13}$

(3) $\frac{5}{6} \div \frac{4}{5}$

(4) $8 \div \frac{2}{9}$

(5) $1\frac{1}{4} \div \frac{2}{5}$

(6) $\frac{9}{14} \div 1\frac{2}{7}$

소수의 나눗셈을 할 수 있나요?

4 다음을 계산하시오. 초등6

(1) $0.4\overline{)2.8}$

(2) $0.59\overline{)2.36}$

(3) $4.5\overline{)31.5}$

(4) $1.3\overline{)16.9}$

(5) $0.07\overline{)6.72}$

(6) $0.15\overline{)1.425}$

17강 문자의 사용

정답과 해설 _ p.26

1. 문자를 사용하여 식 세우기

(1) 문제의 뜻을 파악하여 수량 사이의 관계 또는 규칙을 찾는다.

(2) 관계 또는 규칙에 맞게 문자를 사용하여 식을 세운다.

200원짜리 사탕 x개

문제의 뜻을 파악하여 규칙을 찾아봐!

↓

문자를 사용한 식으로 나타내니 정말 간단하다.

$(200\times x)$원

01 다음은 문장을 문자를 사용한 식으로 나타낸 것이다. □ 안에 알맞은 수나 문자를 써넣으시오.

(1) 한 봉지에 a원인 과자 2봉지의 가격

➡ (□×□)원

(2) 한 변의 길이가 x cm인 정사각형의 둘레의 길이

➡ (□×□) cm

(3) 한 개에 700원 하는 연필 x자루를 사고 10000원을 냈을 때의 거스름돈

➡ (□−□$\times x$)원

(4) 수학 점수가 a점, 영어 점수가 b점일 때, 두 과목의 평균 점수

➡ $\left(\frac{□+□}{2}\right)$점

(5) 길이가 x cm인 끈을 5등분했을 때, 끈 한 도막의 길이

➡ 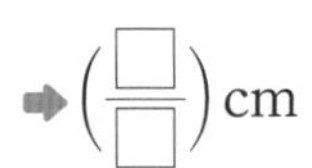 cm

(6) 백의 자리의 숫자가 a, 십의 자리의 숫자가 b, 일의 자리의 숫자가 c인 세 자리 자연수

➡ □$\times a+$□$\times b+c$

02 다음을 문자를 사용한 식으로 나타내시오.

(1) 가로의 길이가 x cm, 세로의 길이가 y cm인 직사각형의 둘레의 길이

(2) 시속 60 km로 자동차가 t시간 동안 달린 거리

(3) 70 kg의 감자를 x명에게 똑같이 나누어 줄 때, 한 사람이 받는 감자의 무게

2. 곱셈 기호의 생략 up+

① (수)×(문자)	수를 문자 앞에 쓴다.
② 1×(문자) 또는 (−1)×(문자)	1을 생략한다.
③ (문자)×(문자)	알파벳 순으로 쓴다.
④ 같은 문자의 곱	거듭제곱으로 나타낸다.
⑤ (수)×(괄호가 있는 식), (문자)×(괄호가 있는 식)	수 또는 문자를 괄호 앞에 쓴다.

예 $4\times a=4a$, $b\times(-1)=-b$, $a\times x\times b=abx$, $a\times a\times b\times b\times b=a^2b^3$, $(a-b)\times 3=3(a-b)$

참고 0.1, 0.01 등과 같은 소수와 문자의 곱에서는 1을 생략하지 않는다.

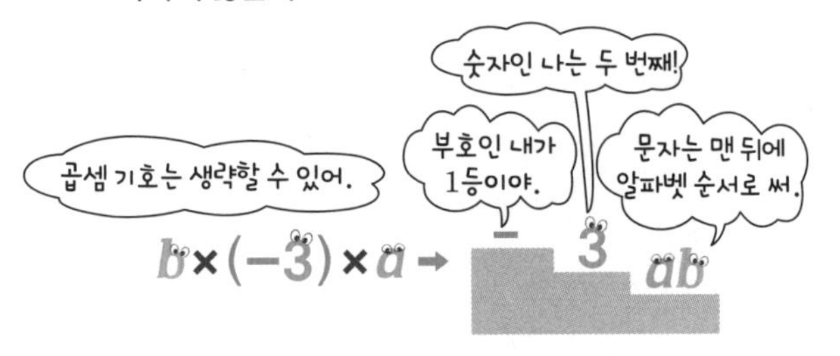

03 다음 식을 곱셈 기호 ×를 생략하여 나타내시오.

(1) $x\times 7$

(2) $a\times(-4)$

(3) $0.1\times a\times x\times b$

(4) $x\times x\times y\times y\times y$

04 다음 식을 곱셈 기호 ×를 생략하여 나타내시오.

(1) $(x+y)\times 7$

(2) $(a-b)\times(-1)$

(3) $6\times(x+y)\times a$

(4) $a\times a\times(x+y)$

(5) $x\times(y-2)\times(-5)$

(6) $x\times x\times\frac{3}{4}\times x\times y$

05 다음 보기와 같이 주어진 식을 곱셈 기호 ×를 생략하여 나타내시오.

보기
$a\times a\times a-b\times 5=a^3-5b$

(1) $3\times x+5\times y$

(2) $a\times a-b\times 2$

(3) $8\times a+(-2)\times b$

(4) $(-3)\times a\times a\times b-a\times b$

(5) $5000-a\times b\times b$

(6) $(-1)\times x\times x+y\times y\times 0.1$

개념 Tip 같은 문자의 곱은 거듭제곱으로 나타내고 1은 생략한다.

3. 나눗셈 기호의 생략 up+

나눗셈 기호 ÷를 생략하여 분수 꼴로 나타내거나 역수의 곱셈으로 바꿔서 곱셈 기호를 생략한다.

예 $a\div 2=\frac{a}{2}$, $x\div\frac{4}{5}=x\times\frac{5}{4}=\frac{5}{4}x$

참고 $a\div\frac{2}{3}b=x\times\frac{3}{2}b$ (×)

$a\div\frac{2}{3}b=x\times\frac{3}{2b}$ (○)

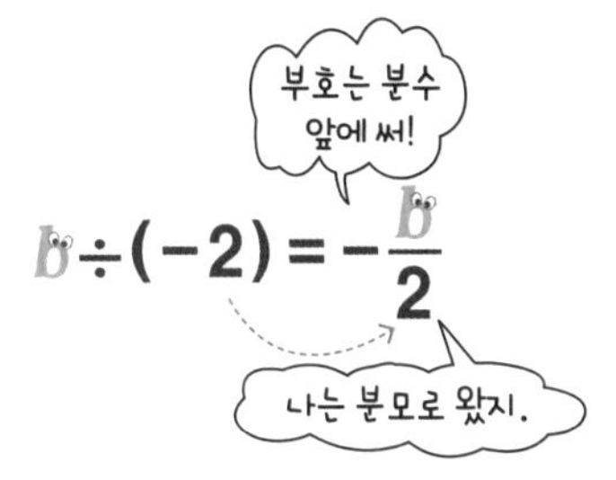

06 다음 식을 나눗셈 기호 ÷를 생략하여 나타내시오.

(1) $a\div b$

(2) $(-3)\div a$

(3) $4\div(-x)$

(4) $a\div\frac{1}{5}$

(5) $a\div\left(-\frac{1}{2}\right)$

07 다음 식을 나눗셈 기호 ÷를 생략하여 나타내시오.

(1) $x\div(x+y)$

(2) $(a+b)\div c$

(3) $(x-y)\div(-1)$

(4) $(x+y)\div a$

(5) $(-c)\div(a+b)$

08 다음 보기와 같이 주어진 식을 나눗셈 기호 ÷를 생략하여 나타내시오.

|보기|

$a\div b\div c=a\times\frac{1}{b}\times\frac{1}{c}=\frac{a}{bc}$

(1) $x\div y\div\frac{1}{z}$

(2) $a\div b\div(-1)$

(3) $3\div a\div(b+c)$

(4) $x\div\frac{1}{y}\div\frac{1}{z}$

(5) $(a-b)\div x\div y\div z$

|보기|

( )가 있는 경우

$a\times(b\div c)=a\times\frac{b}{c}=\frac{ab}{c}$

(7) $a\div(b\div c)$

(8) $a\div(b\times c)$

(9) $(a\times b)\div c$

(10) $(a\div b)\div c$

(11) $a\div\left(\frac{1}{b}\times\frac{1}{c}\right)$

(12) $a\times 8\div(b\times b)$

09 다음 보기와 같이 주어진 식을 ×, ÷를 생략하여 나타내시오.

|보기|

×, ÷가 섞여 있는 경우

$a\times b\div c=a\times b\times\frac{1}{c}=\frac{ab}{c}$

(1) $a\div b\times c$

(2) $x\div y\times 2$

(3) $(-1)\times(a+b)\div c$

(4) $a\times\left(-\frac{1}{3}\right)\div a$

(5) $(-2)\div(a+b)\times c$

(6) $(-1)\times(a-b)\div 4$

|보기|

+, −, ×, ÷가 섞여 있는 경우

$a\times b+c\div 5=ab+\frac{c}{5}$

(13) $x+y\div 9$

(14) $a-(b+c)\div 3$

(15) $a\times a-a\times b\div c$

(16) $a\times a\times a-a\times b\div c$

(17) $4\div x-y\div 7$

(18) $x\div\frac{y}{4}\times x-4$

정답과 해설 _ p.27

01 다음 중 문자를 사용하여 나타낸 식으로 옳은 것을 모두 고르시오.

㉠ a원의 40 % ➡ $a\times0.4$
㉡ 2개에 a원인 빵 8개를 사고 10000원을 냈을 때 거스름돈
➡ $(10000-a\times8)$원
㉢ 50 km를 시속 x km로 달렸을 때 걸린 시간 ➡ $(50\times x)$시간
㉣ 밑변의 길이가 a cm, 높이가 h cm인 삼각형의 넓이
➡ $\left(\frac{1}{2}\times a\times h\right)\text{cm}^2$
㉤ 둘레의 길이가 a cm인 정오각형의 한 변의 길이 ➡ $(a\times5)$cm

a %를 분수로 나타내면 $\frac{a}{100}$이다.

02 다음 중 곱셈 기호 ×를 생략하여 나타낸 것으로 옳은 것은?

① $0.1\times x\times y=0.xy$
② $(7+x)\times y=7xy$
③ $(-2)\times x\times x-y\times5=-2x^2+5y$
④ $x\times x\times x\times x=4x$
⑤ $(-2)\times a\times b\times b-a\times b=-2ab^2-ab$

0.1, 0.01 등과 같은 소수와 문자의 곱에서는 1을 생략하지 않는다.

03 다음 중 나눗셈 기호 ÷를 생략하여 나타낸 것으로 옳지 않은 것은?

① $(x-y)\div4=\frac{x-y}{4}$
② $x\div(a+b)=\frac{x}{a+b}$
③ $(-4)\times a\times a\div b=-\frac{4a^2}{b}$
④ $x\div y-b\div\frac{1}{2}\times c=\frac{x}{y}-2bc$
⑤ $a\div b\times c=\frac{a}{bc}$

$a\div b$를 분수 꼴로 나타낼 때, a는 분자, b는 분모가 된다.

04 다음 중 $a\div(b\times c)$와 결과가 같은 식은?

① $a\div b\div c$
② $a\div b\times c$
③ $a\times b\div c$
④ $a\div(b\div c)$
⑤ $a\times(b\div c)$

05 오른쪽 그림과 같은 사다리꼴의 넓이를 곱셈 기호 ×, 나눗셈 기호 ÷를 생략한 식으로 나타내시오.

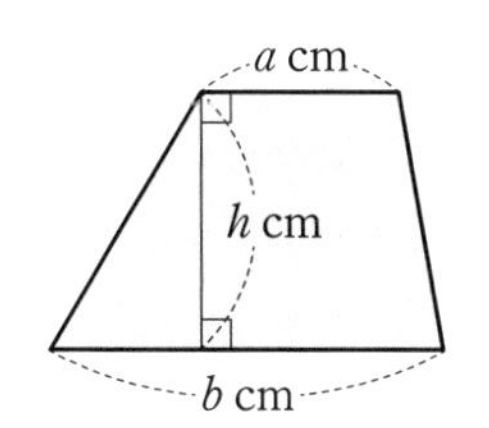

사다리꼴의 넓이를 식으로 나타낸 다음 곱셈 기호 ×와 나눗셈 기호 ÷를 생략한다.

1. 대입과 식의 값

(1) 대입: 문자를 사용한 식에서 문자에 어떤 수를 바꾸어 넣는 것

(2) 식의 값: 문자를 사용한 식에서 문자에 주어진 수를 대입하여 계산한 값

(3) 식의 값 구하는 방법

❶ 주어진 식에서 생략된 곱셈 기호와 나눗셈 기호를 다시 쓴다.

❷ 문자에 주어진 수를 대입하여 계산한다.

예 $x=3$일 때 $2x+1$의 값 구하기

$2x+1=2\times x+1=2\times 3+1=6+1=7$

$x=-2$

$5x+6$

$5\times(-2)+6=-4$

생략된 기호가 다시 생겼어.

식의 값

x 대신 -2를 대입해! 음수니까 반드시 괄호를 사용해.

01 $x=1$일 때, 다음 식의 값을 구하시오.

(1) $8-x$

(2) $\frac{10}{x+4}$

(3) $40-2x$

(4) x^2-x

(5) $-x^2+\frac{3}{x}$

(6) $(-x)^3$

02 $x=-2$일 때, 다음 식의 값을 구하시오.

(1) $7x+5$

(2) $-x+3$

(3) $\frac{7}{x}-\frac{5}{2}$

(4) $25+4x$

(5) $-(-2x)$

(6) $2x^2-6$

쌤 Tip 음수를 대입할 때에는 반드시 괄호를 사용해.

03 다음을 구하시오.

(1) $x=5$일 때, $2x^2$

(2) $x=-3$일 때, $-x^2+4x$

(3) $a=7$일 때, $\frac{21}{a}-5$

(4) $a=\frac{1}{3}$일 때, $\frac{3}{4}a-1$

(5) $k=-\frac{1}{2}$일 때, $8k+1$

(6) $p=-4$일 때, $\frac{p+4}{2}$

(7) $y=-5$일 때, $40-2y$

(8) $y=8$일 때, $100-y^2$

04 $x=3$, $y=-2$일 때, 다음 식의 값을 구하시오.

(1) $4x-3y$

(2) $7xy$

(3) $-2x+y+6$

(4) x^2+y

(5) $-5x+(-y)^3$

(6) $\frac{1}{x}+\frac{4}{y}$

05 다음을 구하시오

(1) $x=2$, $y=-1$일 때, $-6x+y-5$

(2) $x=-1$, $y=6$일 때, $3-\frac{y}{x}$

(3) $a=-2$, $b=5$일 때, $\frac{b}{4a-5}$

(4) $m=3$, $n=-3$일 때, $-m+\frac{1}{n}$

(5) $x=-5$, $y=3$일 때, $\frac{y}{x}-\frac{1}{x}-\frac{1}{y}$

(6) $x=-3$, $y=-1$일 때, $x^2-2xy+2y^2$

(7) $x=-1$, $y=4$일 때 $x^{311}-2y$

06 $x=\frac{1}{2}$, $y=-\frac{1}{2}$일 때, 다음 식의 값을 구하시오.

(1) $4x+2y$

(2) $\frac{1}{x}-\frac{1}{y}$

(3) $6x-\frac{1}{y^2}$

(4) $x+\frac{x}{y}$

(5) $\frac{3}{x}-\frac{4}{y}$

(6) $-\frac{7}{x}+\frac{5}{y}$

07 다음을 구하시오.

(1) $a=\frac{1}{3}$, $b=\frac{1}{4}$일 때, $\frac{1}{a}+\frac{1}{b}$

(2) $a=\frac{1}{2}$, $b=-\frac{1}{5}$일 때, $\frac{4}{a}+\frac{1}{b}$

(3) $a=-\frac{1}{3}$, $b=\frac{1}{3}$일 때, $-\frac{2}{a}+\frac{4}{b}$

(4) $a=\frac{3}{4}$, $b=-\frac{4}{3}$일 때, $2ab-\frac{a}{b}$

(5) $a=\frac{1}{2}$, $b=\frac{2}{3}$, $c=-\frac{1}{5}$일 때, $\frac{3}{a}-\frac{2}{b}+\frac{1}{c}$

01 $x=-3$일 때, 다음 중 식의 값이 나머지 넷과 다른 하나는?

① $-3x$　② $-4x-3$　③ $(-x)^2$
④ $2x^2-9$　⑤ $\frac{1}{3}x^3$

주어진 식에서 생략된 곱셈 기호를 다시 쓴 후 x의 값을 대입한다.

02 $a=\frac{1}{2}$일 때, 다음 중 가장 큰 것은?

① $-a$　② $\frac{1}{a}$　③ $-\frac{1}{a}$　④ $\frac{1}{a^2}$　⑤ $-a^2$

03 $x=2$, $y=-3$일 때, $5x^2-3y$의 값을 구하시오.

음수를 대입할 때에는 반드시 괄호를 사용한다.

04 다음을 구하시오.

$x=-1$, $y=-2$, $z=2$일 때, $x^{101}-2y^3+z$의 값

$(-1)^{\text{짝수}}=1$
$(-1)^{\text{홀수}}=-1$

05 지면의 온도가 $25\ {}^\circ\text{C}$ 일 때, 지면으로부터 높이가 x km인 곳의 기온은 $(25-6x)\,{}^\circ\text{C}$라고 한다. 이때 지면으로부터 높이가 5 km인 곳의 기온을 구하시오.

19강 다항식

정답과 해설 _ p.29

1. 단항식과 다항식

(1) 항: 수 또는 문자의 곱으로만 이루어진 식

(2) 상수항: 수로만 이루어진 식

(3) 계수: 수와 문자의 곱으로 이루어진 항에서 문자에 곱해진 수

(4) 다항식: 한 개의 항 또는 여러 개의 항의 합으로 이루어진 식

(5) 단항식: 다항식 중 한 개의 항으로만 이루어진 식

참고 $\frac{1}{x}$과 같이 분모에 문자가 포함된 식은 다항식이 아니다.

01 다항식 $x+2y+3$에 대하여 다음 □ 안에 알맞은 것을 써넣으시오.

(1) 항은 □, □, □이다.

(2) 상수항은 □이다.

(3) x의 계수는 □, y의 계수는 □이다.

02 다항식 $3x-4y-5$에 대하여 다음 □ 안에 알맞은 것을 써넣으시오.

(1) 항은 □, □, □이다.

(2) 상수항은 □이다.

(3) x의 계수는 □, y의 계수는 □이다.

[03~06] 주어진 다항식에 대하여 다음을 구하시오.

03 $4x-3y+7$

(1) 항

(2) 상수항

(3) x의 계수

(4) y의 계수

04 $-7x^2+2y-4$

(1) 항

(2) 상수항

(3) x^2의 계수

(4) y의 계수

05 $-5x+\frac{y}{2}-5$

(1) 항

(2) 상수항

(3) x의 계수

(4) y의 계수

06 $x-5y$

(1) 항

(2) 상수항

(3) x의 계수

(4) y의 계수

07 다음 설명 중에서 옳은 것에는 ○표, 옳지 않은 것에는 ×표를 하시오.

(1) $2x^2$은 다항식이면서 단항식이다. ( )

(2) $x+1$은 다항식이지만 단항식은 아니다. ( )

(3) $\frac{1}{x}$은 다항식이 아니다. ( )

(4) $7x+3$에서 항은 모두 2개이다. ( )

(5) x^2-2x-5의 항은 x^2, $2x$, 5이다. ( )

(6) $x-\frac{1}{2}y+3$에서 x의 계수는 $-\frac{1}{2}$이다. ( )

(7) $-5x+7$에서 상수항은 7이다. ( )

(8) $2x-3y+5$에서 x의 계수는 2이다. ( )

(9) $-4y^2$에서 상수항은 -4이다. ( )

(10) x^3에서 x^3의 계수는 3이다. ( )

(11) $-3x+3y+7$에서 x의 계수와 y의 계수는 같다. ( )

(12) $-2x^2-x-2$에서 x의 계수는 -1이다. ( )

(13) $4x-5y-1$에서 상수항은 1이다. ( )

(14) $3x^2+2x$에서 상수항은 0이다. ( )

(15) $2x-\frac{1}{2}y-1$에서 x의 계수와 y의 계수의 곱은 1이다. ( )

08 다음 중 단항식인 것에는 '단', 단항식이 아닌 다항식인 것에는 '다'를 ( ) 안에 써넣으시오.

(1) $x+y$ ( )

(2) -2 ( )

(3) $-\frac{1}{2}x$ ( )

(4) $\frac{y}{2}+x-1$ ( )

(5) $-7y^2$ ( )

(6) $\frac{x}{5}-1$ ( )

(7) y^3-y^2+y ( )

(8) $-\frac{1}{5}+x$ ( )

(9) $-\frac{1}{4}x^2$ ( )

(10) x^2+y^3 ( )

(11) $-6x^2$ ( )

(12) $-\frac{x}{10}+\frac{7}{10}$ ( )

단항식은 다항식 중 한 개의 항으로만 이루어진 식이다.

정답과 해설 _ p.29

01 다음 표를 완성하시오.

다항식	항	상수항	x의 계수	y의 계수
$3x-4y-5$				

항은 주어진 다항식을 덧셈으로 고쳐서 생각하면 편리하다.
$3x-4y-5$
$=3x+(-4y)+(-5)$

02 다항식 $\frac{1}{3}x-6y-1$에서 x의 계수를 a, y의 계수는 b, 상수항을 c라고 할 때, abc의 값을 구하시오.

$abc=a\times b\times c$

03 다음 설명 중 옳은 것은?

① x^2+2x는 단항식이다.
② x^2+3x-2에서 상수항은 3이다.
③ $-5x$는 다항식이다.
④ $2x^2+2x-4$에서 x의 계수는 -4이다.
⑤ $-4x^2+4x$에서 x^2의 계수와 x의 계수의 합은 8이다.

모든 단항식은 다항식이다.

04 다음 보기 중 다항식 x^2-4x+1에 대한 설명으로 옳지 않은 것을 모두 고르시오.

보기
ㄱ. x^2-4x+1은 다항식이다.
ㄴ. x^2의 계수는 없다.
ㄷ. 항은 x^2, $4x$, 1의 3개이다.
ㄹ. 상수항은 1이다.
ㅁ. x의 계수는 -4이다.

$x+2$에서 x의 계수는 1이다.

05 다음 중 단항식는 모두 몇 개인지 구하시오.

ㄱ. x　　ㄴ. $2x^2-2x$　　ㄷ. $3x+2y$
ㄹ. $-4x-2$　　ㅁ. $-\frac{1}{10}x^2$　　ㅂ. -5

정답과 해설 _ p.29

1. 일차식

(1) 차수: 항에 포함되어 있는 어떤 문자의 곱해진 개수

예 $2x^3=2\times x\times x\times x$이므로 $2x^3$의 차수는 3이다.

(2) 다항식의 차수: 다항식에서 차수가 가장 큰 항의 차수

예 다항식 $2x^2+3x+5$에서 차수가 가장 큰 항은 $2x^2$이므로 이 다항식의 차수는 2이다.

(3) 일차식: 차수가 1인 다항식

예 $2x$, $-5x$, $x-3$, $\frac{x}{2}$

항의 차수는 문자의 지수와 같다.

$2x^2+3x-1$ → 다항식의 차수 : 2

(2차, 1차, 0차)

01 다음 다항식의 차수를 쓰고 일차식인 것에 ○표 하시오.

(1) $-2x+5$

차수: ________ (　　)

(2) $5x^2-5x-1$

차수: ________ (　　)

(3) y^3+3y+1

차수: ________ (　　)

(4) $\frac{x}{3}-2$

차수: ________ (　　)

(5) $0\times x+7$

차수: ________ (　　)

(6) $-\frac{x}{8}-4$

차수: ________ (　　)

02 다음 중 일차식인 것에는 ○표, 일차식이 아닌 것에는 ×표를 하시오.

(1) $-5x^3+x+1$ (　　)

(2) $4x-5$ (　　)

(3) $\frac{1}{x}+2$ (　　)

(4) $xy-1$ (　　)

(5) $4-0\times x$ (　　)

(6) x^2-2x+1 (　　)

(7) $-\frac{x}{7}+9$ (　　)

(8) $0.5x-1$ (　　)

03 다음 중 옳은 것에는 ○표, 옳지 않은 것에는 ×표를 하시오.

(1) $5x^3$에서 x^3의 계수는 5이다. (　　)

(2) x^2에서 x^2의 차수는 1이다. (　　)

(3) $\frac{1}{3}x^4+x^3$의 차수는 4이다. (　　)

(4) $-\frac{2}{3}a^2$과 $-\frac{1}{2}a^2$은 차수가 같지 않다. (　　)

(5) x^2+x-x^3의 차수는 2이다. (　　)

(6) x^2의 차수는 $4x^2+5x-1$의 차수와 같다. (　　)

2. 단항식과 수의 곱셈과 나눗셈

(1) (단항식)×(수): 곱셈의 교환법칙과 결합법칙을 이용하여 수끼리 곱하여 문자 앞에 쓴다.

예 $3x\times5=3\times x\times5$
$=3\times5\times x$
$=(3\times5)\times x$
$=15x$

(2) (단항식)÷(수): 나누는 수를 그 수의 역수로 바꾸어 곱셈으로 고쳐서 계산한다.

예 $8x\div2=8\times x\times\frac{1}{2}=8\times\frac{1}{2}\times x=4x$

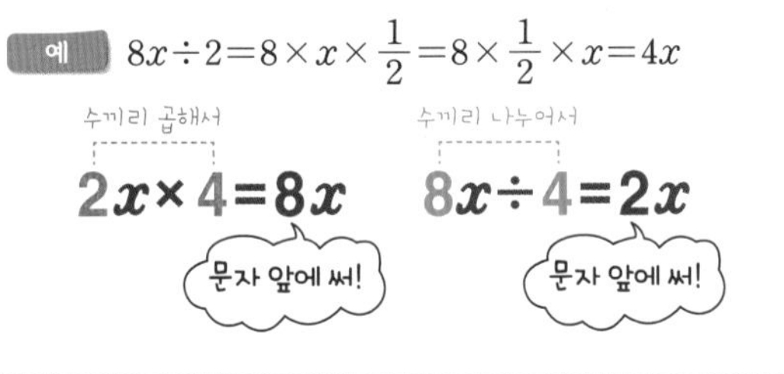

04 다음을 계산하시오.

(1) $2x\times5$

(2) $4\times2y$

(3) $-4\times(-4x)$

(4) $17\times(-a)$

(5) $(-2a)\times\frac{1}{6}$

(6) $-\frac{3}{4}x\times\frac{8}{9}$

(7) $0.5a\times(-8)$

(8) $-0.1a\times\frac{2}{5}$

05 다음을 계산하시오.

(1) $28x\div7$

(2) $8a\div(-4)$

(3) $(-30x)\div6$

(4) $8x\div\frac{1}{2}$

(5) $4x\div\left(-\frac{4}{5}\right)$

(6) $\frac{2}{3}y\div(-2)$

(7) $\frac{4}{5}x\div\frac{4}{15}$

(8) $(-35x)\div(-7)$

(9) $(-8a)\div\frac{1}{8}$

(10) $\left(-\frac{1}{10}x\right)\div\left(-\frac{1}{5}\right)$

(11) $\left(-\frac{3}{4}x\right)\div\frac{5}{8}$

(12) $0.3x\div6$

3. 일차식과 수의 곱셈과 나눗셈 up+

(1) (일차식)×(수): 분배법칙을 이용하여 일차식의 각 항에 수를 곱하여 계산한다.

예 $3(x+2)=3\times x+3\times 2$
$=3x+6$

(2) (일차식)÷(수): 분배법칙을 이용하여 나누는 수의 역수를 일차식의 각 항에 곱하여 계산한다.

예 $(5x-10)\div 5=(5x-10)\times\frac{1}{5}$
$=5x\times\frac{1}{5}-10\times\frac{1}{5}$
$=x-2$

$\blacksquare\times(ax+b) \rightarrow \blacksquare\times ax+\blacksquare\times b$

나를 각 항에 모두 곱해야 해.

$(ax+b)\div\blacksquare \rightarrow ax\times\frac{1}{\blacksquare}+b\times\frac{1}{\blacksquare}$

각 항에 나누는 수의 역수를 곱해야 해.

06 다음을 계산하시오.

(1) $2(2x+1)$

(2) $-4(3x+1)$

(3) $-(-2x+3)$

(4) $\frac{1}{7}(35x-14)$

(5) $(8x-4)\times\frac{3}{4}$

(6) $(18x-6)\times\left(-\frac{4}{9}\right)$

(7) $(-4x-5)\times(-2)$

07 다음을 계산하시오.

(1) $\frac{x+5}{2}\times 2$

(2) $\frac{x-1}{2}\times 6$

(3) $20\times\frac{3x-4}{10}$

(4) $(-14)\times\frac{-2x+5}{7}$

(5) $\frac{5-2x}{5}\times(-15)$

(6) $\frac{2}{5}\times\frac{10x+5}{2}$

08 다음을 계산하시오.

(1) $(10x+5)\div 5$

(2) $(8x-20)\div 4$

(3) $(12x+24)\div(-6)$

(4) $(-20x-40)\div 10$

(5) $(-9x-3)\div(-3)$

(6) $\left(\frac{1}{2}x-\frac{2}{3}\right)\div\left(-\frac{1}{6}\right)$

정답과 해설 _ p.31

01 다음 중 일차식을 모두 고르면?(정답 2개)

① $4x^2-4x$　② $0.1x+\frac{1}{2}$　③ $\frac{5}{x}$

④ $\frac{5}{x+2}$　⑤ $-\frac{x}{4}-7$

일차식은 차수가 1인 다항식이다.

02 $(a-3)x^2+2x+4$가 x에 대한 일차식이 되도록 하는 상수 a의 값을 구하시오.

x^2의 계수가 0이 되어야 한다.

03 다음을 계산하시오.

(1) $(-5)\times 3x$　(2) $(-24)\times \frac{5}{8}x$

(3) $\left(-\frac{4}{5}x\right)\div 8$　(4) $(-6x)\div\left(-\frac{3}{5}\right)$

단항식과 수의 곱셈은 수끼리 곱하여 문자 앞에 쓰고, 나눗셈은 나누는 수의 역수를 곱하여 계산한다.

04 다음을 계산하시오.

(1) $(x+6)\times 3$　(2) $(-4x+6)\times(-2)$

(3) $(-8x+12)\div(-2)$　(4) $\left(\frac{x}{6}-\frac{5}{2}\right)\div\frac{1}{12}$

분배법칙을 이용하여 일차식의 각 항에 수를 곱하거나 나누어 계산한다.

05 $(24x-12)\div(-6)$을 간단히 하면 $ax+b$일 때, $a+b$의 값을 구하시오.(단, a, b는 상수)

21강 일차식의 덧셈과 뺄셈

1. 동류항의 계산

(1) 동류항: 문자와 차수가 모두 같은 항

예 $3x$와 $-\frac{1}{2}x$, $2y^2$과 $-y^2$, 3과 -5

(2) 동류항의 덧셈과 뺄셈: 분배법칙을 이용하여 동류항의 계수끼리 더하거나 뺀 후 문자 앞에 쓴다.

예 $2x+4x=(2+4)x=6x$

$5x+4-2x+1=5x-2x+4+1$
$=(5-2)x+(4+1)$
$=3x+5$

문자와 차수가 같은 우리는 동류항

$5x+3y-4x+2y=(5-4)x+(3+2)y$

동류항끼리 계산해

01 다음 표를 완성하고 ( ) 안의 알맞은 것에 ○표를 하시오.

(1)

항	$4x$	$7x$
문자		
차수		

따라서 $4x$와 $7x$는 동류항이 (맞다 , 아니다).

(2)

항	$2a^3$	$3a^2$
문자		
차수		

따라서 $2a^3$과 $3a^2$은 동류항이 (맞다 , 아니다).

(3)

항	$3a$	$\frac{a}{3}$
문자		
차수		

따라서 $3a$와 $\frac{a}{3}$는 동류항이 (맞다 , 아니다).

02 다음 중 두 항이 동류항인 것에는 ○표, 동류항이 아닌 것에는 ×표를 하시오.

(1) x와 $\frac{1}{3}x$ ( )

(2) $2x^2$과 $5y^2$ ( )

(3) 9와 $9x$ ( )

(4) x^2과 $-5x^2$ ( )

(5) $-2a$와 $-2b$ ( )

(6) $10x$와 $-\frac{x}{7}$ ( )

03 다음 식에서 동류항을 모두 찾으시오.

(1) $2x+1+3x$

(2) $-3x+1-5$

(3) $-5a-2b+4a-b$

(4) $\frac{3}{4}a-7+\frac{1}{3}a+9$

04 다음을 계산하시오.

(1) $9x+5x$

(2) $10x-3x$

(3) $-5x+12x$

(4) $0.5a+0.7a-0.2a$

(5) $3y-\frac{3}{2}y+y$

(6) $-4b+7b-\frac{7}{2}b$

쌤 Tip 동류항끼리의 계산에서는 계수만 계산하므로 문자는 바뀌지 않아.

05 다음을 계산하시오.

(1) $4a-6-3a$

(2) $10x+y-2x+4y$

(3) $2x-4+5x-x+8$

2. 일차식의 덧셈과 뺄셈 up+

(1) 괄호가 있으면 분배법칙을 이용하여 괄호를 푼다.

괄호 앞에 ┌ + 가 있으면 괄호 안의 부호를 그대로
　　　　　└ − 가 있으면 괄호 안의 부호를 반대로

(2) 동류항끼리 모아서 계산한다.

예 $(3x+2)-(x+4)$　→ 괄호를 푼다.
$=3x+2-x-4$　→ 동류항끼리 모은다.
$=3x-x+2-4$　→ 동류항끼리 계산한다.
$=2x-2$

(3) 계수가 분수인 일차식의 덧셈과 뺄셈은 통분한 후 계산한다.

계수가 분수인 일차식을 계산 할 때에는 분모를 통분한 후 계산.

$$\frac{x-3}{4}+\frac{x}{2}=\frac{x-3+2x}{4}=\frac{3x-3}{4}=\frac{3}{4}x-\frac{3}{4}$$

06 다음 □ 안에 알맞은 수를 써넣으시오.

(1) $4(2x+3)+(4x-2)$
$=4\times\square+4\times\square+4x-2$
$=\square+\square+4x-2$
$=\square+4x+\square-2$
$=\square x+\square$

(2) $-2(4x-5)-(6x+3)$
$=-2\times\square-2\times(\square)-6x-3$
$=\square+\square-6x-3$
$=\square-6x+\square-3$
$=\square x+\square$

07 다음을 계산하시오.

(1) $(x+4)+(2x-1)$

(2) $6a+(4a-5)$

(3) $(6x-3)+(-7x+5)$

(4) $(-8-4a)+(-2a+3)$

(5) $(10x-2)+4(x-5)$

(6) $\frac{1}{2}(-4x+6)+\frac{3}{4}(12-24x)$

08 다음을 계산하시오.

(1) $(4x+5)-(7x+5)$

(2) $(9a-6)-(6a+7)$

(3) $(-2x+8)-(-3x-4)$

(4) $(x-4)-(-x+1)$

(5) $2(2a-3)-3(2a-3)$

(6) $-(x+3)-4(5-2x)$

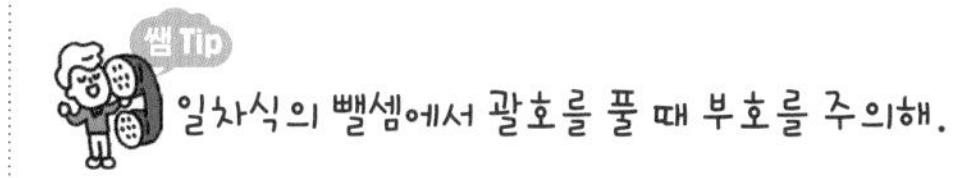

09 다음 □ 안에 알맞은 수를 써넣으시오.

(1) $x-3\{5x-(7-x)\}$

$=x-3(5x-7+\square)$

$=x-3(\square x-\square)$

$=x-\square x+\square$

$=\square x+\square$

(2) $4x+[3x-\{3-(x-1)\}]$

$=4x+\{3x-(3-x+\square)\}$

$=4x+\{3x-(-x+\square)\}$

$=4x+(3x+x-\square)$

$=4x+\square x-\square$

$=\square x-\square$

10 다음을 계산하시오.

(1) $2x+\{7-(x+1)\}$

(2) $5x-2\{3x+2(x-2)\}$

(3) $-x-[7-\{2(x+3)-7x\}]$

(4) $2(5x-1)-\frac{1}{2}\{8x+2(3-x)\}$

(5) $9x-[3x-\{3-(5-4x)\}]$

(6) $(7a-4)-\left\{\frac{1}{4}(8a-4)+2\right\}$

11 다음 □ 안에 알맞은 수를 써넣으시오.

(1) $\frac{x-6}{2}+\frac{2x-9}{5}=\frac{5(x-6)+2(2x-9)}{10}$

$=\frac{5x-\square+\square x-18}{10}$

$=\frac{\square x-\square}{10}$

$=\frac{\square}{10}x-\frac{\square}{5}$

(2) $\frac{x-3}{2}-\frac{x-4}{3}=\frac{3(x-3)-\square(x-4)}{6}$

$=\frac{3x-9-\square x+\square}{6}$

$=\frac{x-\square}{6}$

$=\frac{\square}{6}x-\frac{\square}{6}$

12 다음을 계산하시오.

(1) $\frac{x+2}{3}+\frac{x-5}{2}$

(2) $\frac{3-x}{4}+\frac{2x-3}{6}$

(3) $\frac{3}{5}x+\frac{-4x-3}{3}$

(4) $\frac{5x-1}{3}-\frac{x+2}{2}$

(5) $\frac{x-2}{2}-\frac{2x-5}{7}$

(6) $\frac{-x+3}{3}-\frac{1}{4}+2x$

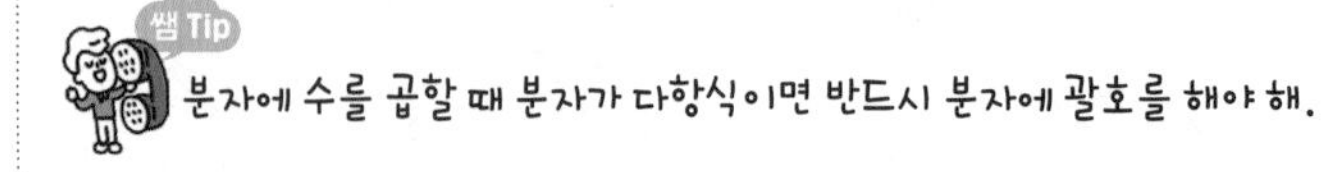

정답과 해설 _ p.33

01 다음 보기 중 동류항인 것끼리 짝 지어진 것은?

|보기|

ㄱ. x^3	ㄴ. $4y^2$	ㄷ. $-\frac{1}{2}x^2$	ㄹ. 5
ㅁ. $-6x$	ㅂ. $\frac{5}{x}$	ㅅ. $\frac{2}{3}a$	ㅇ. $-2y^2$

① ㄱ, ㄴ ② ㄴ, ㄹ ③ ㄴ, ㄷ
④ ㅁ, ㅂ ⑤ ㄴ, ㅇ

문자와 차수가 모두 같은 항을 찾는다.

02 다음을 계산하시오.

$$(7x-5)-2(6x-5)$$

괄호를 풀고 동류항끼리 모아서 계산한다.

03 $4x^2+2x+5-ax^2-4x-2$를 간단히 하였을 때, x에 대한 일차식이 되도록 하는 상수 a의 값은?

① -4 ② -2 ③ 1
④ 2 ⑤ 4

04 $A=-4x+1$, $B=x-2$일 때, $2A-B$를 간단히 하면?

① $-x-1$ ② $-9x+4$ ③ $-9x+5$
④ $9x+4$ ⑤ $9x+5$

05 다항식 $\frac{3}{2}(-4x-6)-\frac{5}{3}(6-9x)$를 계산하면 x의 계수는 a, 상수항은 b이다. $a-b$의 값을 구하시오.

일차식의 뺄셈은 괄호를 풀 때 부호에 주의한다.

중단원 연산 마무리

01 다음 중 기호 ×, ÷를 생략하여 나타낸 것이 옳은 것에는 ○표, 옳지 않은 것에는 ×표를 ( ) 안에 써넣으시오.

(1) $a\div b\div c=\dfrac{a}{bc}$ ( )

(2) $a\div(b\times c)=\dfrac{ac}{b}$ ( )

(3) $a\times b\div c=\dfrac{a}{bc}$ ( )

(4) $a\div(b\div c)=\dfrac{ac}{b}$ ( )

(5) $(a\div b)\div c=\dfrac{ab}{c}$ ( )

(6) $a\div b\times c=\dfrac{ac}{b}$ ( )

02 다음 중 옳은 것에는 ○표, 옳지 않은 것에는 ×표를 ( ) 안에 써넣으시오.

(1) 250원짜리 사탕 x개의 가격은 $250x$원이다. ( )

(2) 사과를 5명에게 a개씩 나누어 주고 4개 남았을 때 처음 사과는 $(5a-4)$개이다. ( )

(3) 정가가 2000원인 물건을 a % 할인하여 살 때의 물건값은 $\left(2000-2000\times\dfrac{a}{100}\right)$원이다. ( )

(4) 자동차가 시속 60 km로 a시간 동안 달린 거리는 $\dfrac{60}{a}$ km이다. ( )

(5) 십의 자리 숫자가 a, 일의 자리 숫자가 b인 두 자리의 자연수는 ab이다. ( )

(6) 어느 학교의 작년 학생 수는 a명이었고, 올해는 작년보다 학생 수가 15% 증가하였을 때, 올해의 학생 수는 $1.15a$명이다. ( )

03 다음을 구하시오.

(1) $a=3$일 때, a^2-4a의 값

(2) $a=-4$일 때, $-a^2+3a$의 값

(3) $a=-2$일 때, $-4a+3a^2$의 값

(4) $a=-\dfrac{1}{3}$일 때, $6a-9a^2$의 값

04 $x=-1$, $y=2$일 때, 다음 식의 값을 구하시오.

(1) $2x+y$

(2) x^2+2y

(3) $-x+3y$

(4) $5xy-y^2$

(5) $\dfrac{x+y}{xy}$

05 다음을 구하시오.

(1) $a=\dfrac{1}{3}$, $b=\dfrac{1}{5}$일 때, $\dfrac{1}{a}+\dfrac{1}{b}$

(2) $a=-\dfrac{1}{5}$, $b=\dfrac{3}{7}$일 때, $\dfrac{4}{a}+\dfrac{6}{b}$

(3) $a=\dfrac{1}{5}$, $b=-\dfrac{1}{7}$, $c=\dfrac{1}{2}$일 때, $\dfrac{2}{a}+\dfrac{1}{b}-\dfrac{1}{c}$

(4) $a=-\dfrac{1}{2}$, $b=\dfrac{3}{2}$, $c=-\dfrac{1}{3}$일 때, $\dfrac{4}{a}+\dfrac{3}{b}-\dfrac{1}{c}$

06 다음 설명 중 옳은 것에는 ○표, 옳지 않은 것에는 ×표를 ( ) 안에 써넣으시오.

(1) $-x^2$은 다항식이다. ( )

(2) $-7y$는 단항식이다. ( )

(3) x^2-5x+4에서 x의 계수는 5이다. ( )

(4) $7a^2-4a+2$에서 상수항은 2이다. ( )

(5) $4x-2x^2$의 다항식의 차수는 4이다. ( )

07 다음 중 일차식인 것에는 ○표, 일차식이 아닌 것에는 ×표를 ( ) 안에 써넣으시오.

(1) $5x+1$ ( )

(2) $4x^3+5$ ( )

(3) $x(5-x)$ ( )

(4) $\frac{1}{3}x$ ( )

(5) $\frac{2}{x}$ ( )

(6) $0\times x+4$ ( )

08 다음을 간단히 하시오.

(1) $\frac{1}{2}(6x+18)$

(2) $\frac{3}{4}(8x-12)$

09 다음 다항식에서 동류항을 모두 찾으시오.

(1) $4x-5y+7x-9$

(2) $5x^2+\frac{2}{3}x+x^2-4x+5$

(3) $2x-3y+(-7)+5x+2y+4$

10 다음 식을 간단히 하시오.

(1) $-x+3x-5x$

(2) $\frac{1}{3}x+\frac{2}{3}x-\frac{1}{6}x$

(3) $-5x+2+7x-2$

(4) $-5(x+1)+7(2x-1)$

(5) $-(x+1)-(x-1)$

11 다음 식을 간단히 하면 x에 대한 일차식일 때, a의 값을 구하시오.

(1) $3x^2-4x+1+ax^2+2x$

(2) $-2ax^2+3x+8x^2+5x-7$

(3) $15x^2-9x+3ax^2+5x+2$

정답과 해설 _ p.33

12 a가 짝수일 때, 다음을 간단히 하시오.

(1) $(-1)^a(4x+5)+(-1)^{a+1}(-2x+1)$

(2) $(-1)^a(2x-3)+(-1)^{a-1}(5-2x)$

13 다음 식을 간단히 하시오.

(1) $-2x-\{-(4x+5)+7\}$

(2) $7x-\{4x-5-(2x-3)+2\}$

(3) $\dfrac{3x+1}{5}-\dfrac{5x-2}{2}$

(4) $\dfrac{4x+3}{7}-\dfrac{3+2x}{3}$

14 $A=2x-3$, $B=-x+5$일 때, 다음 식을 간단히 하시오.

(1) $-2A+3(A+B)$

(2) $-(A-2B)+5(-2A-B)$

도전 100점

15 기온을 나타낼 때, 우리나라에서는 섭씨온도(°C)를 사용하고 미국에서는 화씨온도(°F)를 사용한다. 화씨온도 x°F를 섭씨온도로 나타내면 $\dfrac{5}{9}(x-32)$°C라고 한다. 미국 뉴욕의 기온이 86°F일 때, 이 온도를 섭씨온도로 나타내시오.

16 x의 계수가 -1, 상수항이 7인 x에 대한 일차식에서 $x=-3$일 때의 식의 값을 구하시오.

17 오른쪽 그림과 같은 직사각형에서 색칠한 부분의 넓이를 x를 사용한 식으로 나타내시오.

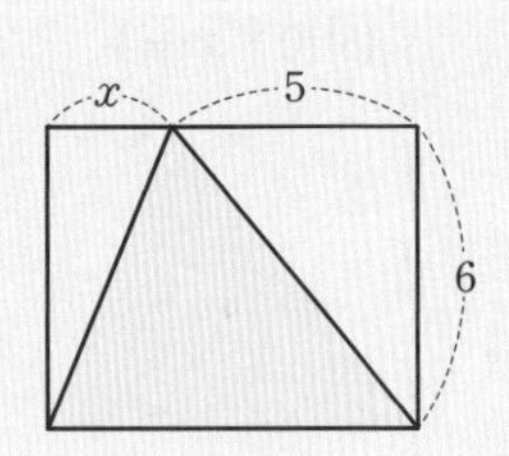

방정식

정답과 해설 _ p.35

1. 등식

등식: 등호(=)를 사용하여 두 수나 식이 같음을 나타낸 식

참고 등식에서 등호의 왼쪽 부분을 좌변, 오른쪽 부분을 우변이라 하고, 좌변과 우변을 통틀어 양변이라고 한다.

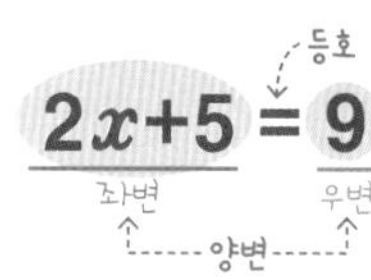

01 다음 중 등식인 것에는 ○표, 등식이 아닌 것에는 ×표를 하시오.

(1) $5-x$ ( )

(2) $2x+1>5$ ( )

(3) $x-4x=9$ ( )

(4) $10-4=6$ ( )

02 다음 문장을 등식으로 나타내시오.

(1) 어떤 수 x에 5를 더하면 7과 같다.

(2) 어떤 수 x의 4배에서 7을 빼면 17과 같다.

(3) 어떤 수 x에서 2를 뺀 값의 2배는 6과 같다.

03 다음 문장을 등식으로 나타내시오.

(1) 미술관의 학생 1명당 입장료가 a원일 때, 학생 5명의 입장료는 6500원이다.

(2) 200원짜리 사탕 3개와 500원짜리 초콜릿 x개를 사고 4100원을 지불했다.

2. 방정식과 항등식

방정식: 미지수의 값에 따라 참이 되기도 하고, 거짓이 되기도 하는 등식

(1) 미지수: 방정식에 있는 x, y 등의 문자

(2) 방정식의 해(근): 방정식을 참이 되게 하는 미지수의 값

➡ 방정식의 해(근)을 구하는 것을 '방정식을 푼다'고 한다.

(3) 항등식: 미지수에 어떤 값을 대입해도 항상 참이 되는 등식

예 등식 $4x=3x+x$는 x에 어떤 값을 대입해도 항상 참이므로 항등식이다.

방정식	항등식
$4x+1=5$	(좌변)=(우변)
x=1일 때만 참 나는 방정식의 해	항상 참 계수끼리, 상수항끼리 같으면 돼!

04 다음 방정식 중 해가 $x=2$인 것에는 ○표, 아닌 것에는 ×표를 하시오.

(1) $x+4=6$ ( )

(2) $7-x=9$ ( )

(3) $5x-8=2$ ( )

(4) $-\frac{1}{2}x+7=6$ ( )

05 다음 [ ] 안의 수가 주어진 방정식의 해이면 ○표, 아니면 × 표를 하시오.

(1) $x+5=12$ [7] ( )

(2) $5x-7=-2$ [−1] ( )

(3) $5x-8=2$ [0] ( )

(4) $-\frac{1}{2}x+7=6$ [2] ( )

06 다음 등식 중 방정식인 것에는 '방', 항등식인 것에는 '항'을 써넣으시오.

(1) $5x-4=x$ ( )

(2) $7x-3x=4x$ ( )

(3) $(3x+6)\div3=x+2$ ( )

(4) $7(x-4)=7x-28$ ( )

(5) $\frac{1}{2}x+1=7$ ( )

(6) $-x+2=x-2$ ( )

(7) $5x=5(x+1)-5$ ( )

07 다음 등식이 x에 대한 항등식이 되도록 상수 a, b의 값을 각각 구하시오.

(1) $ax+b=2x+3$

(2) $4x-b=ax-5$

(3) $1-ax=-2x+b$

(4) $3x-b=-ax+7$

등식 $ax+b=cx+d$(a, b, c, d는 상수)가 x에 대한 항등식이 되기 위한 조건은 $a=c$, $b=d$이다.

08 다음 등식이 x에 어떤 값을 대입하여도 항상 참일 때, 상수 a, b의 값을 각각 구하시오.

(1) $4(2x-1)=ax+b$

(2) $2(2x+4)=ax+b$

(3) $5(x-2)=ax+b$

(4) $2(x+2)-4=ax+b$

(5) $3(x+b)=ax+9$

(6) $2(x-b)=ax-6$

정답과 해설 _ p.35

01 다음 보기 중 등식인 것을 모두 고르시오.

> 등호를 사용하여 나타낸 식이 등식이다.

|보기|

ㄱ. $4-5=-1$	ㄴ. $6x+9$
ㄷ. $7+3<11$	ㄹ. $2x-4>5$
ㅁ. $5x+5x=10x$	ㅂ. $x+y+4=1$

02 다음 중 문장을 등식으로 나타낸 것으로 옳지 않은 것은?

① 어떤 수 x보다 7만큼 작은 수는 10이다.
➡ $x-7=10$

② 어떤 수 x와 4의 합은 x의 2배이다.
➡ $x+4=2x$

③ 밑변의 길이가 6 cm, 높이가 x cm인 삼각형의 넓이는 20 cm^2이다.
➡ $\frac{1}{2}\times 6x=20$

④ 한 개에 1000원인 참외 x개를 사고 10000원을 냈더니 3000원을 거슬러 받았다.
➡ $10000-1000x=3000$

⑤ 어떤 수 x에서 7을 뺀 값에 2를 곱하면 8이다.
➡ $x-7\times 2=8$

03 다음 중 x의 값에 따라 참이 되기도 하고 거짓이 되기도 하는 등식은?

> 등식에서 등호가 성립할 때 참, 성립하지 않을 때 거짓이다.

① $5x+7>10$ ② $2x>x$ ③ $x-5=x+1$
④ $3(x-2)=3x-6$ ⑤ $2(x+7)=x+10$

04 다음 중 [ ] 안의 수가 주어진 방정식의 해인 것을 모두 고르면? (정답 2개)

> x의 값을 방정식의 x에 대입하여 등식이 참이 되는 값을 찾는다.

① $7x-5=9$ [2] ② $8-4x=-4$ [-3]
③ $\frac{x-1}{4}=3$ [11] ④ $6x-4=14$ [3]
⑤ $3x-2x+1$ [-1]

05 등식 $4x+b=-(ax-1)+3$이 x에 대한 항등식일 때, 상수 a, b에 대하여 $a+b$의 값을 구하시오.

1. 등식의 성질

(1) 등식의 양변에 같은 수를 더하여도 등식은 성립한다.

$$a=b\text{이면 } a+c=b+c$$

(2) 등식의 양변에서 같은 수를 빼어도 등식은 성립한다.

$$a=b\text{이면 } a-c=b-c$$

(3) 등식의 양변에 같은 수를 곱하여도 등식은 성립한다.

$$a=b\text{이면 } ac=bc$$

(4) 등식의 양변을 0이 아닌 같은 수로 나누어도 등식은 성립한다.

$$a=b\text{이면 } \frac{a}{c}=\frac{b}{c}\ (\text{단, } c\neq 0)$$

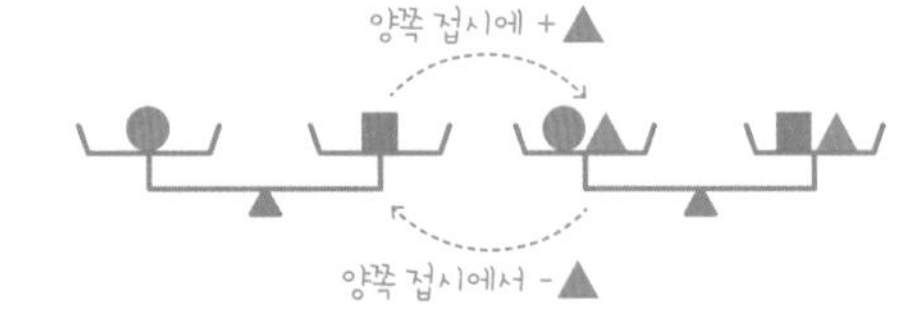

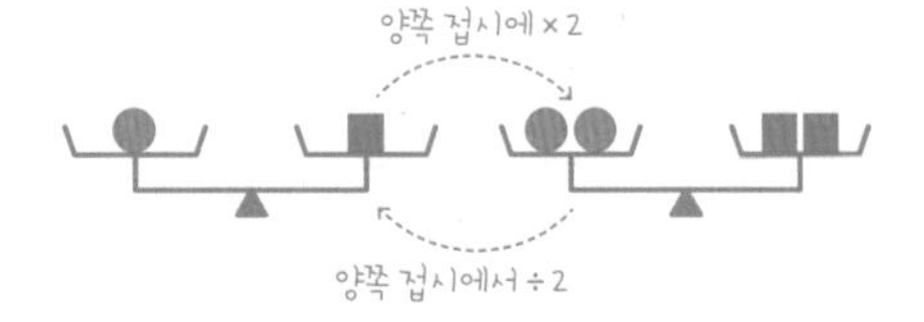

01 $a=b$일 때, 다음 등식이 성립하도록 □ 안에 알맞은 수를 써넣으시오.

(1) $a+5=b+\square$

(2) $a-7=b-\square$

(3) $3a=\square b$

(4) $\frac{a}{9}=\frac{b}{\square}$

(5) $a+8=b-(\square)$

(6) $-\frac{a}{4}=-\frac{b}{\square}$

02 다음 중 옳은 것에는 ○표, 옳지 않은 것에는 ×표를 하시오.

(1) $x=y$이면 $x-2=y-2$이다. (　　)

(2) $a=b$이면 $a+4=b-4$이다. (　　)

(3) $4x=4y$이면 $x=y$이다. (　　)

(4) $6x=5y$이면 $\frac{x}{6}=\frac{y}{5}$이다. (　　)

(5) $a+2=3b+2$이면 $a=3b$이다. (　　)

(6) $a-10=2b+10$이면 $a=2b$이다. (　　)

03 다음에서 옳지 않은 부분을 바르게 고치시오.

(1) $a=b$이면 $a+2=b-2$이다.

____

(2) $\frac{a}{3}=\frac{b}{4}$이면 $3a=4b$이다.

____

(3) $8x=2$이면 $4x=2$이다.

____

(4) $p=q$이면 $3p+5=2q+5$이다.

____

(5) $\frac{a}{c}=\frac{b}{c}\ (c\neq 0)$이면 $a=c$이다.

____

쌤 Tip
0으로 나누는 것은 생각하지 않으므로 (5)에서 $c\neq 0$이라는 조건이 반드시 필요해.

04 등식의 성질을 이용하여 □ 안에 알맞은 수를 써넣으시오.

(1) $5x-7=1$의 양변에 □을 더하면 $5x=8$이다.

(2) $-6x+3=5$의 양변에서 □을 빼면 $-6x=2$이다.

(3) $\frac{1}{5}x=-2$의 양변에 □를 곱하면 $x=-10$이다.

(4) $9x=81$의 양변을 □로 나누면 $x=9$이다.

2. 등식의 성질을 이용한 방정식의 풀이

x에 대한 방정식은 등식의 성질을 이용하여 주어진 방정식을 $x=$(수)의 꼴로 바꾸어 해를 구할 수 있다.

예 $x-4=7$ $\xrightarrow[\text{4를 더하면}]{\text{양변에}}$ $x=11$

좌변에 x만 남기려면 어떻게 해야 하지?

$x+3=5$ $\xrightarrow{\text{양변에서 3을 빼.}}$ $x=2$

우변에도 똑같이 적용해야 해.

05 다음 방정식의 풀이 과정에서 이용된 등식의 성질을 보기에서 골라 ( ) 안에 번호를 써넣으시오.

보기

$a-b$이고 c가 자연수일 때

① $a+c=b+c$　② $a-c=b-c$

③ $ac=bc$　④ $\frac{a}{c}=\frac{b}{c}$

(1) $x+5=8$ ➡ $x=3$ (　　)

(2) $-5+x=10$ ➡ $x=15$ (　　)

(3) $\frac{1}{8}x=3$ ➡ $x=24$ (　　)

(4) $8x=56$ ➡ $x=7$ (　　)

06 등식의 성질을 이용하여 다음 방정식을 푸시오.

(1) $x-7=12$

(2) $4-x=5$

(3) $x+5=-3$

(4) $\frac{2}{3}x=8$

(5) $\frac{1}{5}x=2$

(6) $-4x=36$

(7) $4x-6=2$

(8) $5x+3=18$

(9) $\frac{x}{3}-2=1$

(10) $\frac{1}{2}x+4=7$

(11) $-\frac{5}{3}x=25$

(12) $7x-10=\frac{1}{2}$

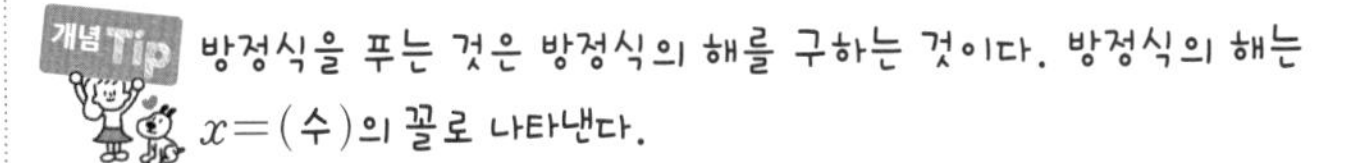

정답과 해설 _ p.36

01 $a=b$일 때, 다음 등식이 성립하도록 □ 안에 알맞은 수를 써넣으시오.

(1) $a+7=b+\square$　　(2) $a-12=b-\square$

(3) $5a=\square b$　　(4) $\frac{a}{-9}=\frac{b}{\square}$

02 $5x=y$일 때, 다음 중 옳지 않은 것을 모두 고르면? (정답 2개)

① $x=\frac{y}{5}$　② $5x+6=y+6$　③ $-5x-3=-y-3$

④ $10x+2=2y+4$　⑤ $\frac{x}{5}=\frac{1}{y}$

03 다음 중 방정식을 푸는 과정에서 등식의 성질 '$a=b$이면 $ac=bc$이다.'를 이용한 것은? (단, c는 자연수)

① $x+7=11$ ➡ $x=4$　② $7-x=-5$ ➡ $x=12$

③ $4x+2=10$ ➡ $x=2$　④ $2x-1=3$ ➡ $x=2$

⑤ $\frac{x+2}{3}=1$ ➡ $x=1$

등식의 양변에 같은 수를 곱하여도 등식은 성립한다는 성질이다.

04 오른쪽은 등식의 성질을 이용하여 방정식 $4x-9=3$을 푸는 과정이다. ㈎와 ㈏에서 이용한 등식의 성질을 보기에서 골라 차례로 기호를 쓰시오.

$4x-9=3$
↓ ㈎
$4x=12$
↓ ㈏
$x=3$

보기

$a=b$이고 c가 자연수일 때

ㄱ. $a+c=b+c$　ㄴ. $a-c=b-c$

ㄷ. $ac=bc$　ㄹ. $\frac{a}{c}=\frac{b}{c}$

방정식의 해는 등식의 성질을 이용하여 $x=(수)$의 꼴로 나타낸다.

정답과 해설 _ p.37

1. 이항

이항: 등식의 성질을 이용하여 등식의 한 변에 있는 항을 부호를 바꾸어 다른 변으로 옮기는 것

$$2x+2=-5 \xrightarrow[\text{바꾸어 우변으로 이항}]{\text{좌변에 }+2\text{를 부호만}} 2x=-5-2$$

01 다음은 밑줄 친 부분을 이항한 것이다. □ 안에 $+$, $-$ 중 알맞은 것을 써넣으시오.

(1) $5x\underline{-2}=7$ ➡ $5x=7\square 2$

(2) $\underline{8}+x=-5$ ➡ $x=-5\square 8$

(3) $-6x=\underline{4x}-5$ ➡ $-6x\square 4x=-5$

(4) $x\underline{+12}=3\underline{-6x}$ ➡ $x\square 6x=3\square 12$

02 다음 중 밑줄 친 항을 바르게 이항한 것에는 ○표, 그렇지 않은 것에는 ×표를 하시오.

(1) $x\underline{-4}=9$ ➡ $x=9+4$ ( )

(2) $8x=\underline{-x}+27$ ➡ $8x-x=27$ ( )

(3) $6x\underline{+1}=7$ ➡ $6x=7-1$ ( )

(4) $9x=\underline{5x}+2$ ➡ $9x+5x=2$ ( )

03 다음 등식에서 밑줄 친 항을 이항하시오.

(1) $8x\underline{-4}=3$

(2) $4x=\underline{x}-9$

(3) $\underline{10}-x=6$

(4) $x=\underline{-x}+6$

(5) $5x\underline{-7}=\underline{4x}-3$

(6) $9x\underline{+6}=\underline{-2x}+4$

04 다음 방정식을 이항만을 이용하여 $ax=b(a>0)$의 꼴로 나타내시오. (단, a, b는 상수)

(1) $5x+2=7$

(2) $4x-6=3x+4$

(3) $6x+8=4x$

(4) $22-x=-5x+6$

(5) $x=-x-4$

(6) $4x-5=-3x+2$

2. 일차방정식

방정식의 우변의 모든 항을 좌변으로 이항하여 정리한 식이

$$(x\text{에 대한 일차식})=0$$

의 꼴로 나타나는 방정식을 x에 대한 일차방정식이라 한다.

예 $2x-2=x+1$ $\xrightarrow[\text{좌변으로 이항}]{\text{모든 항을}}$ $2x-2-x-1=0$

$\xrightarrow[\text{계산}]{\text{동류항끼리}}$ $x-3=0$ ← x에 대한 일차방정식

(일차식) = 0 ➡ 일차방정식

$ax+b=0(a\neq0)$

05 다음 □ 안에 알맞은 것을 써넣고, 주어진 식이 일차방정식인 것에는 ○표, 아닌 것에는 ×표를 하시오.

(1) $7x-4=-5$
➡ $7x+\square=0$ ( )

(2) $x^2-4=x-4$
➡ $\square-x=0$ ( )

(3) $x^2+2x=x^2-4$
➡ $2x+\square=0$ ( )

(4) $2(x+1)-7$
➡ $2x-\square$ ( )

(5) $6x=3(2x-1)$
➡ $\square=0$ ( )

(6) $8x=7x$
➡ $\square=0$ ( )

06 다음 중 일차방정식인 것에는 ○표, 아닌 것에는 ×표를 하시오.

(1) $3x=0$ ( )

(2) $x^2-5=x^2-x+1$ ( )

(3) $-2x+6=-2(3+x)$ ( )

(4) $\frac{x}{5}-3=2$ ( )

(5) $-4(x-2)=8-4x$ ( )

07 다음 보기와 같이 주어진 등식이 x에 대한 일차방정식이 되기 위한 상수 a의 조건을 구하시오.

보기
$4x+3=ax-2$
➡ $4x+3-ax+2=0$
➡ $(4-a)x+5=0$
일차방정식이 되려면 (x의 계수)$\neq0$이어야 하므로
$4-a\neq0$ $\therefore a\neq4$

(1) $ax-4=0$

(2) $x+2=ax+2$

(3) $-ax+7=x+5$

(4) $7x-4=ax-2$

3. 일차방정식의 풀이 up+

❶ 괄호가 있으면 분배법칙을 이용하여 괄호를 먼저 푼다.

❷ 일차항은 좌변으로, 상수항은 우변으로 각각 이항하여 정리한다.

❸ 양변을 x의 계수로 나누어 $x=$(수)의 꼴로 나타낸다.

$4x-1=x+5$ (x를 포함하는 항은 좌변으로 상수항은 우변으로 이항)

$4x-x=5+1$ (양변을 정리해도 아직도 끝나지 않았어.)

$3x=6$

$x=2$ (양변을 x의 계수로 나누어야 끝!)

08 다음 일차방정식을 푸시오.

(1) $x+9=11$

(2) $2x+4=8$

(3) $3x=5x+2$

(4) $4x+14=-6$

(5) $-2x+10=-8$

(6) $15-8x=11$

(7) $6x+5=-2$

09 다음 일차방정식을 푸시오.

(1) $x=12+4x$

(2) $-4x=-6x+16$

(3) $30-4x=2x$

(4) $16x+23=-4x+3$

(5) $3x-1=11-x$

(6) $9x-2=5x-10$

(7) $7+3x=5x+13$

(8) $6+2x=-4+3x$

(9) $15-6x=43-2x$

(10) $4x+30-x=5x-10$

(11) $7x-54=-30+4x+3$

(12) $36+6x=18-6x+12$

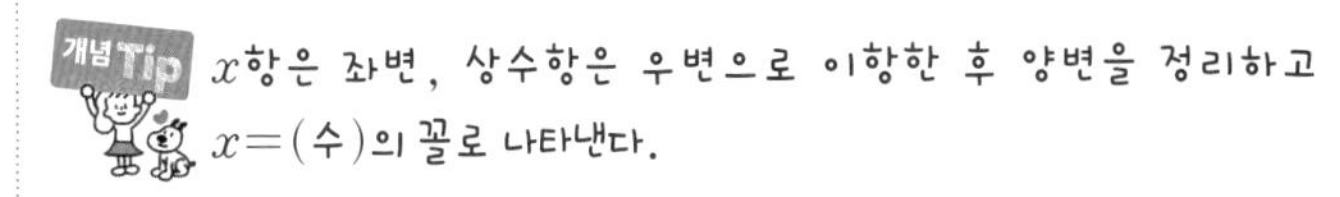

정답과 해설 _ p.38

01 다음 중 일차방정식이 아닌 것은?

① $7x+5=6$ ② $5x-1=x+5$ ③ $x-10=10-x$
④ $\frac{2}{3}x^2-1=\frac{2}{3}x^2+x$ ⑤ $-4x+5=6-4x$

방정식의 우변의 모든 항을 좌변으로 이항하여 정리한 식이 (일차식)$=0$의 꼴이면 일차방정식이다.

02 $4x+6=ax-2$가 x에 대한 일차방정식이 되기 위한 상수 a의 조건은?

① $a\neq2$ ② $a\neq4$ ③ $a\neq0$
④ $a\neq-4$ ⑤ $a\neq-2$

모든 항을 좌변으로 이항하여 동류항끼리 정리한 식에서 x의 계수가 0이 아니어야 한다.

03 다음 □ 안에 알맞은 수를 써넣으시오.

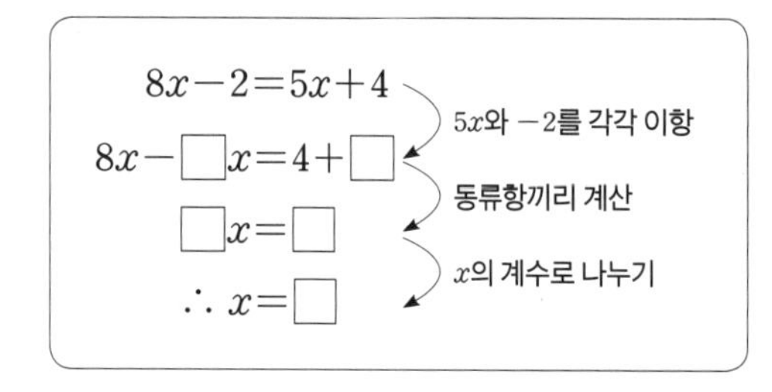

x를 포함하는 항은 좌변으로, 상수항은 우변으로 이항한 후 양변을 x의 계수로 나누어 일차방정식의 해를 구한다.

04 다음 일차방정식을 푸시오.

(1) $6x+9=-3$ (2) $x-5=-3x-1$
(3) $-7x-2=-2x+3$ (4) $3x-8=-3x+4$

일차방정식의 해는 $x=$(수)의 꼴로 나타낸다.

05 x에 대한 일차방정식 $5x+8=4-2a$의 해가 $x=-4$일 때, 상수 a의 값을 구하시오.

x에 대한 일차방정식에서 해가 주어지면 방정식의 x에 주어진 해를 대입하여 등식이 성립하도록 한다.

26강 ••• 복잡한 일차방정식의 풀이

정답과 해설 _ p.38

1. 괄호가 있는 일차방정식

분배법칙을 이용하여 괄호를 풀어 정리한 후 방정식을 푼다.

예 $3(x-2)=-x+2$

$3x-6=-x+2$ ← 괄호를 풀기

$3x+x=2+6$ ← $-x$와 -6을 각각 이항하기

$4x=8$ ← 양변을 정리하기

$x=2$ ← $x=$(수)의 꼴로 나타내기

괄호를 풀 때는 분배법칙을 이용해~

$-(●-▲)=-●+▲$

괄호를 풀 때는 항상 부호에 주의해야 돼

2. 계수가 소수인 일차방정식

양변에 10의 거듭제곱 중 적당한 수를 곱하여 계수를 정수로 고쳐서 푼다.

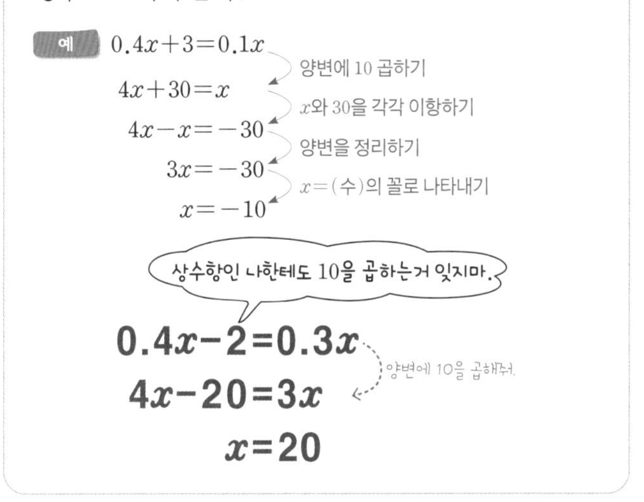

01 다음 일차방정식을 푸시오.

(1) $5(x-2)=x+6$

(2) $4(2-x)=2x+14$

(3) $-5x=2(x-8)-5$

(4) $14-6(x+2)=-4x+8$

(5) $3(x+2)-6=4(x-3)$

(6) $2(x+8)=-4(x-10)$

(7) $2-3(2x-1)=-4x+1$

02 다음 일차방정식을 푸시오.

(1) $0.5x+0.6=0.2x$

(2) $1.4x+1.5=-1.3$

(3) $0.4x-0.2=-0.7x+2$

(4) $0.21x+2.4=0.09x+1.2$

(5) $0.1(x-2)=0.03x+0.08$

(6) $0.5(7-x)=0.2(2-3x)$

(7) $0.3x=-0.02(4-x)+0.36$

3. 계수가 분수인 일차방정식

양변에 분모의 최소공배수를 곱하여 계수를 정수로 고쳐서 푼다.

예 $\frac{1}{2}x+1=\frac{1}{3}x$) 양변에 6 곱하기
$3x+6=2x$) $2x$와 6을 각각 이항하기
$x=-6$

$\frac{3}{2}x-5=\frac{2}{3}x$ ⋯ 분모의 최소공배수를 양변에 곱해.

$\frac{3}{2}x\times6-5\times6=\frac{2}{3}x\times6$ ⋯ 상수항에도 곱하는 걸 절대 잊지마.

$9x-30=4x$

03 다음 일차방정식을 푸시오.

(1) $\frac{1}{2}x-\frac{2}{3}=\frac{5}{6}x$

(2) $\frac{3}{4}x-\frac{1}{2}=\frac{7}{8}x$

(3) $\frac{3}{2}x+4=\frac{5}{3}x-1$

(4) $\frac{2}{9}+\frac{5}{6}x=\frac{5}{9}x-\frac{1}{3}$

(5) $\frac{1}{10}(x-7)=\frac{1}{5}-\frac{2}{25}x$

(6) $\frac{x-15}{6}=\frac{x-4}{4}-\frac{5}{3}$

4. 비례식으로 나타낸 일차방정식 up+

외항의 곱과 내항의 곱이 같음을 이용하여 등식으로 나타낸 후 푼다.

예 $(x-2):(2x+3)=2:5$) 외항끼리, 내항끼리 곱하기
$5(x-2)=2(2x+3)$) 괄호 풀기
$5x-10=4x+6$) $4x$와 -10을 각각 이항하기
$x=16$

외항의 곱과
$a:b=c:d \rightarrow ad=bc$
내항의 곱이 같아.

04 다음 일차방정식을 푸시오.

(1) $(x+1):(x-3)=2:3$

(2) $(x-7):4=(2x+1):3$

(3) $(4x+2):(5x-2)=2:1$

(4) $7:(2x-2)=5:(3x+8)$

(5) $9:4=(x-1):(x+4)$

(6) $(2x+2):2=2(x-1):3$

(7) $8:(2x-4)=5:(2-x)$

(8) $7:(2x+1)=2:(x-4)$

정답과 해설 _ p.39

01 다음 일차방정식을 푸시오.

(1) $3(x+1)-4x=7$

(2) $0.46-0.2x=0.06(x-1)$

(3) $\frac{x}{2}+\frac{3-x}{3}=\frac{1}{6}(2x-1)$

계수가 소수 또는 분수인 일차방정식은 양변에 적당한 수를 곱하여 계수를 모두 정수로 고쳐서 푼다.

02 다음 비례식에서 x의 값을 구하시오.

(1) $(x-4):(x-2)=5:4$

(2) $(3x-9):3=5x:2$

$a:b=c:d$
⇨ $ad=bc$

03 x에 대한 일차방정식 $4(x+5)=-4-a$의 해가 $x=-4$일 때, 상수 a의 값을 구하시오.

x에 대한 일차방정식에서 해가 주어지면 방정식의 x에 주어진 해를 대입하여 등식이 성립하도록 한다.

04 다음 일차방정식을 푸시오.

$$\frac{7}{10}x-2.6=0.4(-0.5x+0.25)$$

05 방정식 $4(3x-1)=-28$의 해를 $x=a$라 할 때, 방정식 $1.2x-0.5=0.7x+a$의 해를 구하시오.

27강 일차방정식의 활용 (1)

정답과 해설 _ p.39

1. 일차방정식을 활용한 문제 풀이

❶ 미지수 정하기: 문제의 뜻을 파악하여 구하려고 하는 것을 x로 놓는다.

❷ 방정식 세우기: 문제의 뜻에 맞게 x에 대한 일차방정식을 세운다.

❸ 방정식 풀기: 일차방정식을 풀어서 x의 값을 구한다.

❹ 확인하기: 구한 해가 문제의 뜻에 맞는지 확인한다.

2. 수에 대한 문제

(1) 연속하는 두 정수: x, $x+1$ 또는 $x-1$, x

(2) 연속하는 두 짝수(또는 홀수): x, $x+2$ 또는 $x-2$, x

(3) 십의 자리 숫자가 a, 일의 자리 숫자가 b인 두 자리의 자연수 $10a+b$

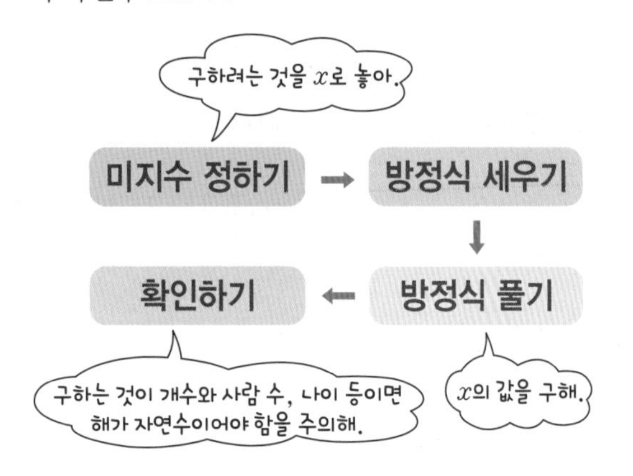

01 어떤 수와 15의 합은 어떤 수의 2배보다 7만큼 작을 때, 어떤 수를 구하려고 한다. 물음에 답하시오.

(1) 어떤 수를 x로 놓고 방정식을 세우시오.

(2) 방정식을 푸시오.

(3) 어떤 수를 구하시오.

02 어떤 수에서 3을 뺀 수의 5배는 어떤 수의 4배에 6을 더한 수와 같을 때, 어떤 수를 구하시오.

03 연속하는 두 자연수의 합이 125일 때, 두 자연수를 구하려고 한다. 물음에 답하시오.

(1) 두 자연수 중 작은 자연수를 x라 하고 방정식을 세우시오.

(2) 방정식을 푸시오.

(3) 두 자연수를 구하시오.

04 연속하는 두 짝수의 합이 38일 때, 두 짝수를 구하시오.

05 십의 자리의 숫자가 3인 두 자리의 자연수가 있다. 이 자연수의 십의 자리의 숫자와 일의 자리의 숫자를 바꾼 수는 처음 수보다 27만큼 크다고 할 때, 처음 수를 구하려고 한다. 물음에 답하시오.

(1) 처음 수의 일의 자리의 숫자를 x라 하고 방정식을 세우시오.

(2) 방정식을 푸시오.

(3) 처음 수를 구하시오.

06 십의 자리의 숫자가 7인 두 자리의 자연수가 있다. 십의 자리의 숫자와 일의 자리의 숫자를 바꾼 수는 처음 수보다 45만큼 작다고 할 때, 처음 두 자리 자연수를 구하시오.

3. 나이에 대한 문제

현재 나이 x살에서

(1) a년 후의 나이: $(x+a)$살

(2) a년 전의 나이: $(x-a)$살

4. 도형에 대한 문제

(1) (삼각형의 넓이) $=\frac{1}{2}\times$(밑변의 길이)$\times$(높이)

(2) (직사각형의 둘레의 길이)

$=2\times\{$(가로의 길이)$+$(세로의 길이)$\}$

(3) (사다리꼴의 넓이)

$=\frac{1}{2}\times\{$(윗변의 길이)$+$(아랫변의 길이)$\}\times$(높이)

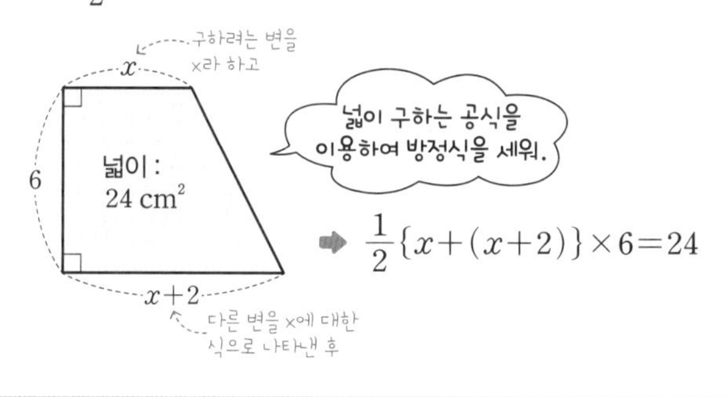

07 현재 아버지의 나이는 46살, 아들의 나이는 12살이다. 아버지의 나이가 아들의 나이의 2배가 되는 것은 몇 년 후인지 구하려고 한다. 물음에 답하시오.

(1) x년 후에 아버지의 나이가 아들의 나이의 2배가 된다고 할 때, 방정식을 세우시오.

(2) 방정식을 푸시오.

(3) 아버지의 나이가 아들의 나이의 2배가 되는 것은 몇 년 후인지 구하시오.

08 현재 고모의 나이는 42살, 선주의 나이는 12살이다. 고모의 나이가 선주의 나이의 3배가 되는 것은 몇 년 후인지 구하시오.

09 둘레의 길이가 40 cm인 직사각형이 있다. 이 직사각형의 가로의 길이가 세로의 길이보다 4 cm 더 길 때, 세로의 길이를 구하려고 한다. 물음에 답하시오.

(1) 세로의 길이를 x cm라 하고 방정식을 세우시오.

(2) 방정식을 푸시오.

(3) 세로의 길이를 구하시오.

10 둘레의 길이가 30 cm이고 가로의 길이가 세로의 길이의 2배보다 6 cm 더 짧은 직사각형 모양의 나무판이 있다. 이 나무판의 가로의 길이를 구하시오.

11 아랫변의 길이가 윗변의 길이보다 2 cm 더 길고 높이가 6 cm인 사다리꼴이 있다. 이 사다리꼴의 넓이가 36 cm^2일 때 사다리꼴의 윗변의 길이를 구하려고 할 때, 물음에 답하시오.

(1) 윗변의 길이를 x cm라 할 때, 방정식을 세우시오.

(2) 방정식을 푸시오.

(3) 사다리꼴의 윗변의 길이를 구하시오.

12 아랫변의 길이가 윗변의 길이보다 4 cm 더 길고 높이가 5 cm인 사다리꼴이 있다. 이 사다리꼴의 넓이가 40 cm^2일 때 사다리꼴의 아랫변의 길이를 구하시오.

만점

01 연속하는 두 짝수의 합이 30일 때, 두 짝수 중 작은 수를 구하시오.

연속하는 두 짝수를 x, $x+2$ 또는 $x-2$, x로 놓고 식을 세운다.

02 십의 자리 숫자가 2인 두 자리의 자연수가 있다. 십의 자리의 숫자와 일의 자리의 숫자를 바꾼 수는 처음 수보다 54만큼 클 때, 처음 자연수를 구하시오.

십의 자리의 숫자가 a, 일의 자리의 숫자가 b인 두 자리의 자연수는 $10a+b$이고, 십의 자리의 숫자와 일의 자리의 숫자를 서로 바꾼 수는 $10b+a$이다.

03 한 자루에 200원 하는 연필과 한 자루에 300원 하는 색연필을 합하여 20자루 사고 4800원을 지불하였다. 연필과 색연필은 각각 몇 자루씩 샀는지 구하시오.

연필을 x자루 샀다고 하면 색연필은 $(20-x)$자루 산 것이다.

04 올해 아버지의 나이는 48살, 아들의 나이는 12살이다. 아버지의 나이가 아들의 나이의 3배가 되는 것은 몇 년 후인지 구하시오.

아버지의 나이가 아들의 나이의 3배가 되는 것을 x년 후라 하고 방정식을 세운다.

05 오른쪽 그림과 같이 한 변의 길이가 12 cm인 정사각형의 가로의 길이를 6 cm 늘이고 세로의 길이를 x cm 줄였더니 넓이가 90 cm^{2}인 직사각형이 되었다. 이때 x의 값을 구하시오.

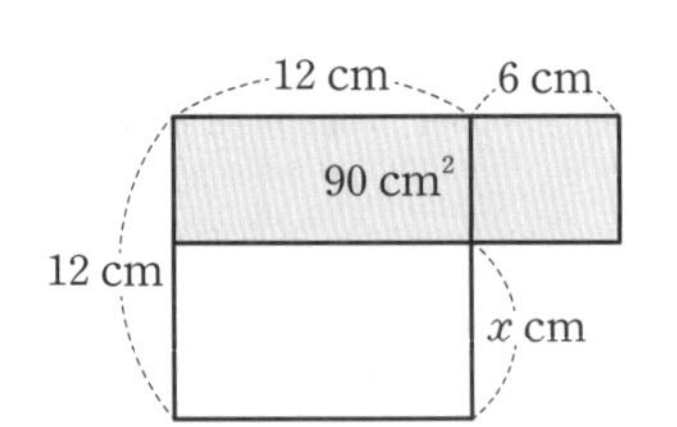

일차방정식의 활용(2)

정답과 해설 _ p.41

1. 거리, 속력, 시간에 대한 문제

(1) (거리)=(속력)×(시간)

(2) (속력)$=\dfrac{(\text{거리})}{(\text{시간})}$　　(3) (시간)$=\dfrac{(\text{거리})}{(\text{속력})}$

참고 거리, 속력, 시간에 대한 문제에서 각각의 단위가 다른 경우에는 방정식을 세우기 전에 단위를 통일한다.
➡ 1 km=1000 m, 1시간=60분

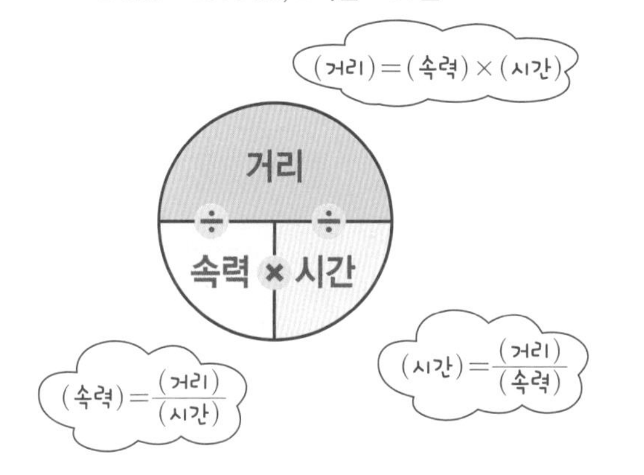

01 연우가 등산을 하는데 올라갈 때는 시속 2 km로 걷고, 내려올 때는 같은 길을 시속 3 km로 걸었더니 총 5시간이 걸렸다. 연우가 등산한 총 거리를 구하려고 할 때, 물음에 답하시오.

(1) 올라간 거리를 x km라 할 때, 다음 표를 완성하시오.

	올라갈 때	내려올 때
거리	x km	
속력	시속 2 km	시속 3 km
시간	$\dfrac{x}{2}$시간	

(2) (올라갈 때 걸린 시간)+(내려올 때 걸린 시간)=(5시간)임을 이용하여 방정식을 세우시오.

(3) 방정식을 푸시오.

(4) 연우가 등산한 총 거리를 구하시오.

02 유현이가 집에서 도서관을 가는데 갈 때는 시속 6 km로 뛰고, 올 때는 시속 4 km로 걸어서 총 50분이 걸렸다고 한다. 집에서 도서관까지의 거리를 구하시오.

03 집에서 학교까지 시속 5 km로 걸어가면 시속 12 km로 자전거를 타고 가는 것보다 28분이 더 걸린다고 한다. 집에서 학교까지의 거리를 구하려고 할 때, 물음에 답하시오.

(1) 집에서 학교까지의 거리를 x km라 할 때, (걸어간 시간)−(자전거를 타고 간 시간)=(28분)임을 이용하여 방정식을 세우시오.

(2) 방정식을 푸시오.

(3) 집에서 학교까지의 거리를 구하시오.

04 현우네 집에서 할머니 댁까지 가는데 시속 60 km로 자동차를 타고 가면 시속 15 km로 자전거를 타고 가는 것보다 45분 먼저 도착한다. 현우네 집에서 할머니 댁까지의 거리를 구하시오.

05 수영이와 지민이는 900 m 떨어진 두 지점 A, B에서 서로 마주 보고 동시에 출발하였다. 수영이는 분속 80 m로 걷고, 지민이는 분속 100 m로 걸을 때, 두 사람은 출발한 지 몇 분 후에 만나는지 구하려고 한다. 물음에 답하시오.

(1) 두 사람이 출발한 지 x분 후에 만난다고 할 때, (수영이가 걸어간 거리)+(지민이가 걸어간 거리)=(900 m)임을 이용하여 방정식을 세우시오.

(2) 방정식을 푸시오.

(3) 두 사람은 출발한 지 몇 분 후에 만나는지 구하시오.

06 둘레의 길이가 2100 m인 호수의 둘레를 따라 승희와 민우가 같은 출발점에서 동시에 서로 반대 방향으로 걷기 시작하였다. 승희와 민우가 각각 분속 90 m, 분속 120 m로 걸을 때, 두 사람은 출발한 지 몇 분 후에 처음으로 만나는지 구하시오.

2. 농도에 대한 문제

(1) $(\text{소금물의 농도})=\dfrac{(\text{소금의 양})}{(\text{소금물의 양})}\times 100(\%)$

(2) $(\text{소금의 양})=\dfrac{(\text{소금물의 농도})}{100}\times(\text{소금물의 양})$

예 7 %의 소금물 100 g 속에 들어 있는 소금의 양

➡ $\dfrac{7}{100}\times 100=7(\text{g})$

물을 더 넣어도

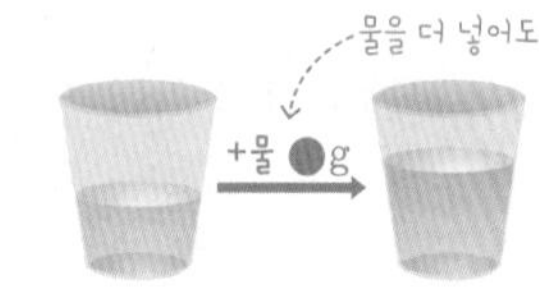

소금물의 양	■g	(■+●) g
소금의 양	▲g	▲g

소금의 양은 변하지 않아.

07 10 %의 소금물 200 g에 물을 더 넣어 8 %의 소금물을 만들려고 할 때, 더 넣어야 하는 물의 양을 구하려고 한다. 물음에 답하시오.

(1) 더 넣어야 하는 물의 양을 x g이라 할 때, 다음 표를 완성하시오.

	물을 넣기 전	물을 넣은 후
농도(%)	10	
소금물의 양(g)	200	$200+x$
소금의 양(g)	$\dfrac{10}{100}\times 200$	

(2) 소금의 양은 변하지 않음을 이용하여 방정식을 세우시오.

(3) 방정식을 푸시오.

(4) 더 넣어야 하는 물의 양을 구하시오.

08 5 %의 소금물 400 g과 8 %의 소금물을 섞어 6 %의 소금물을 만들려고 할 때, 섞어야 하는 8 %의 소금물의 양을 구하시오.

3. 과부족에 대한 문제 up⁺

남은 수만큼 더해 주고, 부족한 수만큼 빼 준다.

❶ 학생 수를 x명으로 놓는다.

❷ 나누어 주는 방법에 관계없이 물건의 개수는 같음을 이용하여 방정식을 세운다.

x명에게 사탕을 5개씩 나누어 줄 때
사탕이 2개 남으면

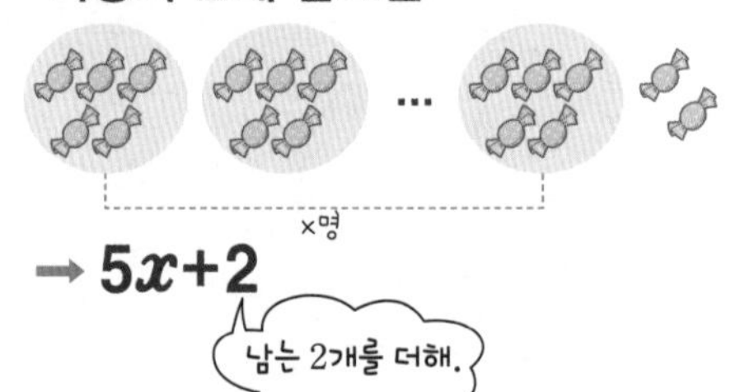

×명

➡ $5x+2$

남는 2개를 더해.

사탕이 3개 모자라면

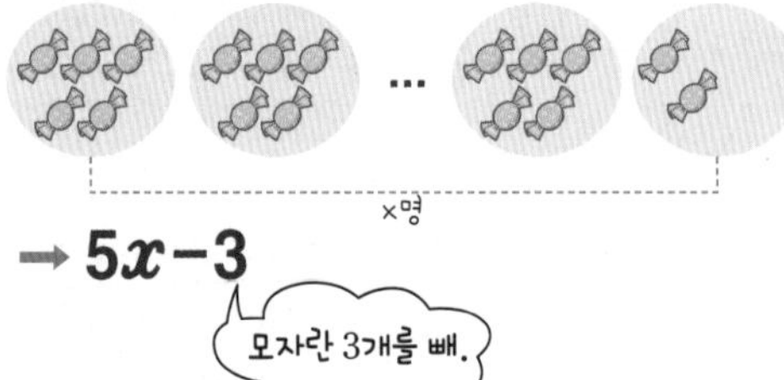

×명

➡ $5x-3$

모자란 3개를 빼.

09 학생들에게 귤을 나누어 주는데 4개씩 나누어 주면 7개가 남고, 5개씩 나누어 주면 3개가 모자란다고 한다. 학생 수와 귤의 개수를 구하려고 할 때, 물음에 답하시오.

(1) 학생 수를 x명이라 할 때, 방정식을 세우시오.

(2) 방정식을 푸시오.

(3) 학생 수를 구하시오.

(4) 귤의 개수를 구하시오.

10 학생들에게 초콜릿을 나누어 주는데 8개씩 나누어 주면 7개가 부족하고, 7개씩 나누어 주면 6개가 남는다. 초콜릿은 모두 몇 개인지 구하시오.

정답과 해설 _ p.41

01 다음 글에서 석찬이가 분속 120 m로 간 거리를 x m라고 할 때, x를 구하는 방정식으로 알맞은 것은?

> 석찬이네 집에서 서점까지의 거리는 3 km이다. 석찬이가 집에서 서점까지 가는데 처음에는 분속 120 m로 가다가 중간에 분속 100 m로 갔더니 26분만에 도착하였다.

① $\frac{x}{120}+\frac{3-x}{100}=26$　② $\frac{x}{120}+\frac{3-x}{100}=\frac{26}{60}$

③ $\frac{x}{120}+\frac{3000-x}{100}=26$　④ $120x+100(3-x)=26$

⑤ $120x+100(3000-x)=\frac{26}{60}$

분속 120 m이므로 시간 단위는 분으로, 거리 단위는 m로 통일해야 한다.

02 성진이가 집에서 마트를 가는데 갈 때는 시속 3 km로 걷고, 올 때는 시속 4 km로 걸어서 총 35분이 걸렸다. 집에서 마트까지의 거리를 구하시오.

(갈 때 걸린 시간)
+(올 때 걸린 시간)
=35분

03 예진이와 정희네 집 사이의 거리는 2100 m이다. 예진이는 분속 40 m로, 정희는 분속 30 m로 각자의 집에서 서로 상대방의 집을 향하여 동시에 출발하였다. 두 사람은 출발한 지 몇 분 후에 서로 만나는지 구하시오.

(예진이가 걸은 거리)
+(정희가 걸은 거리)
=2100 m

04 농도가 15 %인 소금물 400 g이 있다. 이 소금물에서 몇 g의 물을 증발시키면 30 %의 소금물이 되는지 구하시오.

소금물에서 물을 증발시켜도 소금의 양은 변하지 않는다.

05 학생들에게 연필를 나누어 주는데 5자루씩 나누어 주면 3자루가 남고, 6자루씩 나누어 주면 4자루가 모자란다고 한다. 연필의 개수를 구하시오.

남는 수만큼 더해 주고, 모자란 수만큼 빼 준 후 연필의 수가 같음을 이용하여 방정식을 세운다.

중단원 연산 마무리

01 다음 문장을 등식으로 나타내시오.

(1) 7000원을 내고 한 자루에 x원인 볼펜 5자루를 샀더니 거스름돈이 500원이었다.

(2) 어떤 수 x에 7을 더하면 x의 2배에서 6을 뺀 값과 같다.

(3) 한 변의 길이가 a cm인 정사각형의 둘레의 길이는 36 cm이다.

(4) 시속 5 km로 x km를 이동하는 데 걸린 시간은 2 시간이다.

02 다음 [ ] 안의 수가 주어진 방정식의 해이면 ○표, 해가 아니면 ×표를 ( ) 안에 써넣으시오.

(1) $x-5=10$ [5] ( )

(2) $x-4=-2$ [6] ( )

(3) $-4x=x+5$ [-1] ( )

(4) $3(x-1)=6$ [-3] ( )

(5) $6x+10=4x$ [-5] ( )

03 다음 중 항등식인 것에는 ○표, 항등식이 아닌 것에는 ×표를 ( ) 안에 써넣으시오.

(1) $4x=5x-2x$ ( )

(2) $x+2x=3x$ ( )

(3) $4x-8=2(2x-4)$ ( )

(4) $5x-3=5(x-1)$ ( )

04 다음 중 옳은 것에는 ○표, 옳지 않은 것에는 ×표를 ( ) 안에 써넣으시오.

(1) $a=b$이면 $\frac{a}{-4}=\frac{b}{-4}$이다. ( )

(2) $-7a=-7b$이면 $a=b$이다. ( )

(3) $\frac{a}{5}=\frac{b}{2}$이면 $5a=2b$이다. ( )

(4) $ac=bc$이면 $a=b$이다. ( )

05 다음 등식에서 밑줄 친 항을 이항하시오.

(1) $7x\underline{+3}=8$ ➡ ____________

(2) $5x\underline{-5}=7$ ➡ ____________

(3) $4x=6\underline{+x}$ ➡ ____________

(4) $x\underline{+5}=6\underline{-2x}$ ➡ ____________

(5) $-6x\underline{+8}=-3\underline{+5x}$ ➡ ____________

06 다음 일차방정식을 푸시오.

(1) $7+x=-2x-8$

(2) $4(x+2)=5x+6$

(3) $0.48x-9=0.6$

정답과 해설 _ p.42

07 다음 일차방정식을 푸시오.

(1) $\frac{1}{5}x-\frac{1}{2}=\frac{1}{4}x$

(2) $\frac{x+1}{3}=\frac{3x-1}{5}$

(3) $\frac{2x-1}{3}-\frac{x+1}{2}=1$

(4) $x-\frac{5x-4}{6}=-1-\frac{x}{4}$

08 다음 x에 대한 일차방정식의 해가 $x=-2$일 때, 상수 a의 값을 구하시오.

(1) $x+4=2x+a$

(2) $-4(2x+a)=2x-8$

(3) $2(x-3)-4(x+2)=a$

(4) $0.4x+1.5=0.1x+a$

09 다음 두 일차방정식의 해가 같을 때, 상수 a의 값을 구하시오.

(1) $2x-6=7x+9$, $ax+2=x-7$

(2) $-8x-15=1$, $2-6x=a$

(3) $-9x-19-x=-6x-15$, $7x-8=ax-10$

10 다음 비례식에서 x의 값을 구하시오.

(1) $3:1=(x+1):(x-1)$

(2) $(3x-5):(x-3)=8:3$

(3) $(x+1):3=(x+2):4$

(4) $(3-x):4=3(2x+1):1$

11 어떤 수와 10의 합은 어떤 수의 3배보다 2만큼 크다고 할 때, 어떤 수를 구하시오.

12 연속하는 세 짝수의 합이 48일 때, 세 짝수를 구하시오.

정답과 해설 _ p.42

도전 100점

13 현주가 2점짜리 문제와 3점짜리 문제를 합하여 15문제를 맞혀 37점을 받았을 때, 현주가 맞힌 2점짜리 문제 수를 구하시오.

14 현재 주형이의 나이는 13살, 어머니의 나이는 49살이다. 어머니의 나이가 주형이의 나이의 3배가 되는 때는 몇 년 후인지 구하시오.

15 12 %의 소금물 200 g에서 물을 증발시켜 15 %의 소금물을 만들려고 할 때, 증발시켜야 하는 물의 양을 구하시오.

16 학생들에게 사탕을 나누어 주는데 5개씩 나누어 주면 2개가 남고, 6개씩 나누어 주면 3개가 부족하다고 한다. 학생 수와 사탕의 개수를 각각 구하시오.

17 등식 $2x+b=a(x+10)$의 x에 어떤 값을 대입해도 항상 참일 때, b의 값을 구하시오. (단, a, b는 상수)

18 다음 그림에서 오른쪽 보기와 같은 규칙이 주어졌을 때, x의 값을 구하시오.

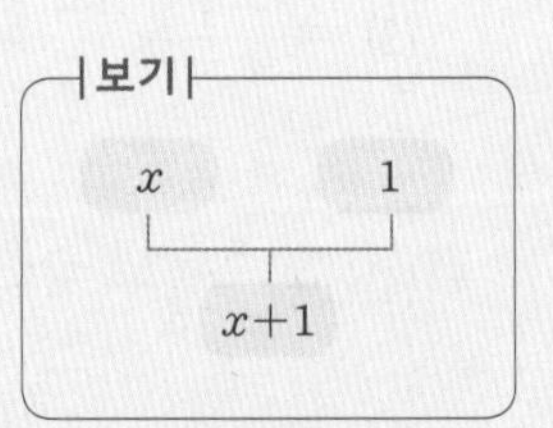

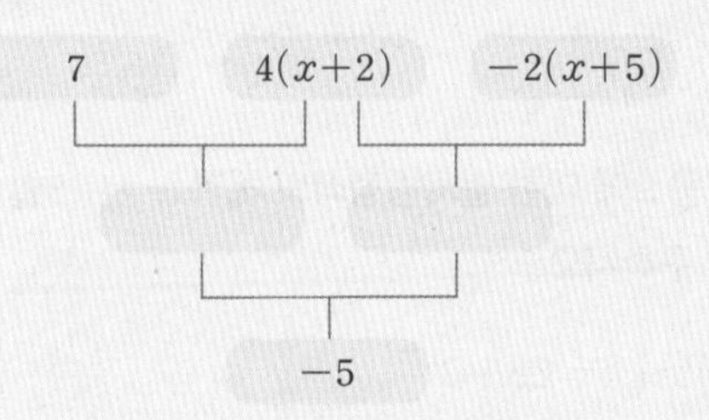

19 아랫변의 길이가 윗변의 길이보다 5 cm 더 길고 높이가 6 cm인 사다리꼴이 있다. 이 사다리꼴의 넓이가 39 cm^2일 때 사다리꼴의 아랫변의 길이를 구하시오.

20 석현이가 등산을 하는데 올라갈 때는 시속 2 km로 걷고, 내려올 때는 올라갈 때보다 2 km 더 먼 길을 시속 3 km로 걸어서 총 4시간이 걸렸다고 한다. 석현이가 올라갈 때 걸은 거리를 구하시오.

나만의 비법 노트

Ⅲ. 좌표평면과 그래프

연산 문제와 시험 대비 문제를 많이 풀어보고 개념과 원리를 확실하게 이해하자. 또한 이해도를 바탕으로 자신의 수준에 맞는 계획을 세워 반복 학습을 하자.

중단원명	강의 명	학습 날짜	이해도
1. 좌표평면과 그래프	30강 순서쌍과 좌표	월 일	
	31강 사분면	월 일	
	32강 그래프	월 일	
	33강 중단원 연산 마무리	월 일	
2. 정비례와 반비례	34강 정비례와 그 그래프	월 일	
	35강 정비례 관계의 그래프의 성질	월 일	
	36강 반비례와 그 그래프	월 일	
	37강 반비례 관계의 그래프의 성질	월 일	
	38강 정비례와 반비례의 활용	월 일	
	39강 중단원 연산 마무리	월 일	

힘수 점검

정답과 해설 p.44

꺾은선그래프를 알 수 있나요?

1 초등4 교실의 온도를 조사하여 나타낸 그래프이다. 물음에 답하시오.

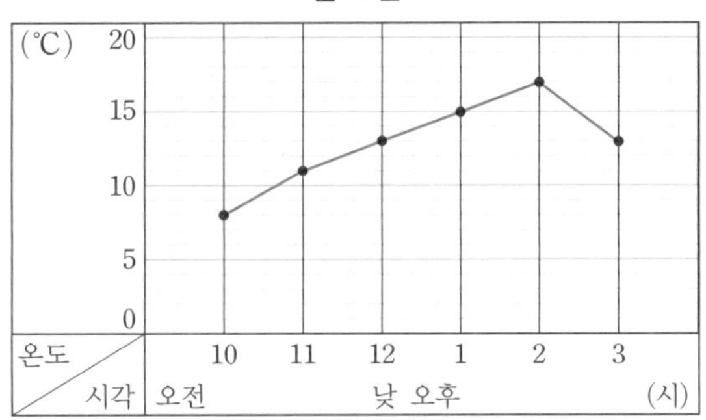

(1) 그래프의 가로와 세로는 각각 무엇을 나타낼까요?

(2) 오전 11시에 교실의 온도는 몇 °C일까요?

(3) 오후 2시 30분에 교실의 온도는 몇 °C였을지 예상하시오.

꺾은선그래프를 알 수 있나요?

2 초등4 어느 마을의 낮 최고 기온을 조사하여 나타낸 꺾은선그래프이다. 물음에 답하시오.

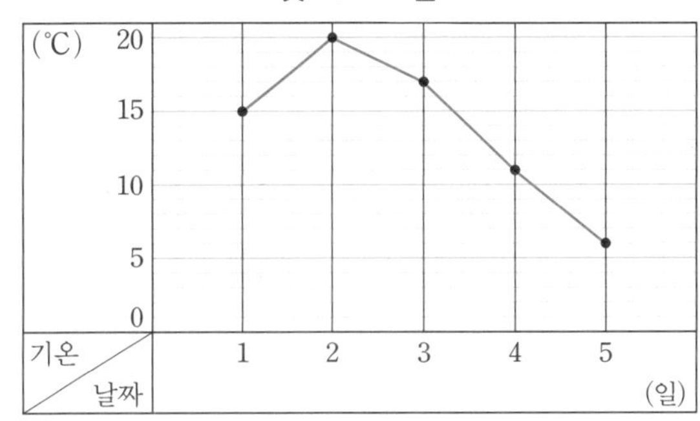

(1) 기온이 가장 높은 때는 며칠일까요?

(2) 5일의 낮 최고 기온은 2일보다 몇 °C 낮아졌을까요?

(3) 최고 기온이 가장 많이 낮아진 때는 며칠과 며칠 사이일까요?

두 양 사이의 관계를 알 수 있나요?

3 초등5 도형의 배열을 보고 물음에 답하시오.

(1) 삼각형과 원의 수가 어떻게 변하는지 표를 이용하여 알아보시오.

삼각형의 수(개)	1	2	3	…
원의 수(개)	2	4		…

(2) 삼각형의 수가 1개씩 증가할 때 원의 수는 몇 개씩 증가할까요?

(3) 원의 수는 삼각형의 수의 몇 배인지 구하시오.

대응 관계를 식으로 나타낼 수 있나요?

4 초등5 한 봉지에 젤리가 5개씩 들어 있습니다. 봉지의 수와 젤리의 수 사이의 대응 관계를 알아보려고 합니다. 물음에 답하시오.

(1) 봉지의 수와 젤리의 수 사이의 대응 관계를 표를 이용하여 알아보시오.

봉지의 수(개)	1	2	3	4	…
젤리의 수(개)	5				…

(2) 봉지의 수를 □, 젤리의 수를 △라 할 때, 두 양 사이의 대응 관계를 식으로 나타내시오.

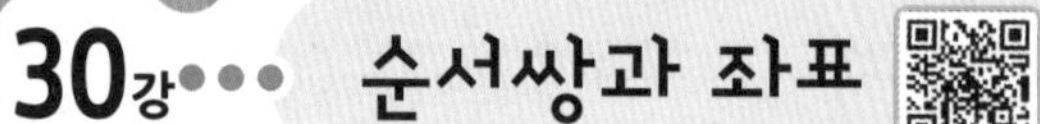

30강 순서쌍과 좌표

정답과 해설 _ p.44

1. 수직선 위의 점의 좌표

(1) 좌표: 수직선 위의 한 점에 대응하는 수

➡ 좌표 P의 좌표가 a일 때, 이것을 기호로 $\mathrm{P}(a)$와 같이 나타낸다.

(2) 원점: 좌표가 0인 점 O ➡ $\mathrm{O}(0)$

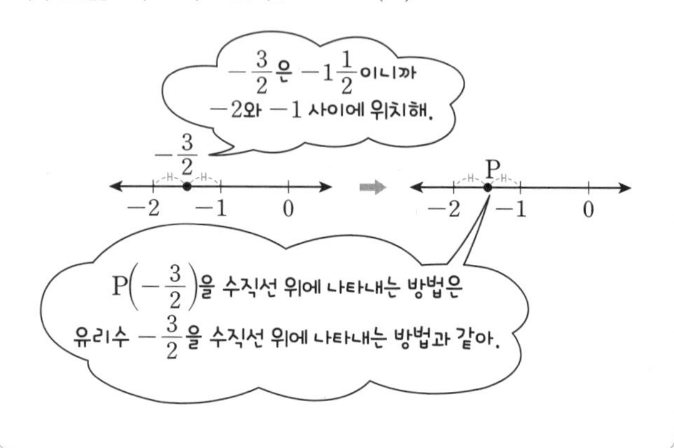

01 다음 수직선 위의 세 점 A, B, C의 좌표를 기호로 나타내시오.

(1) A, B, C: -4 -3 -2 -1 0 1 2 3 4

(2)

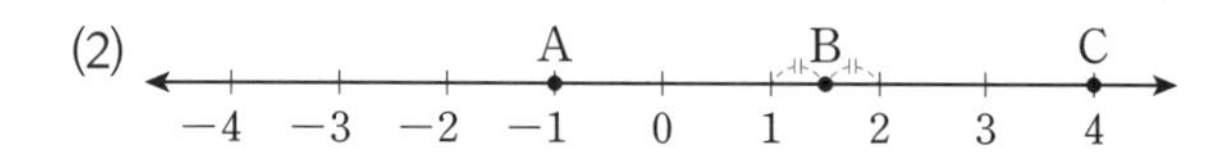

(3)

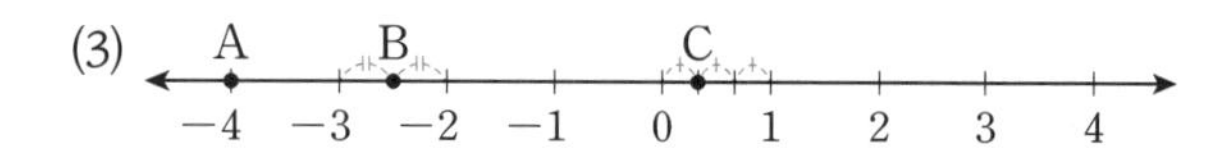

(4)

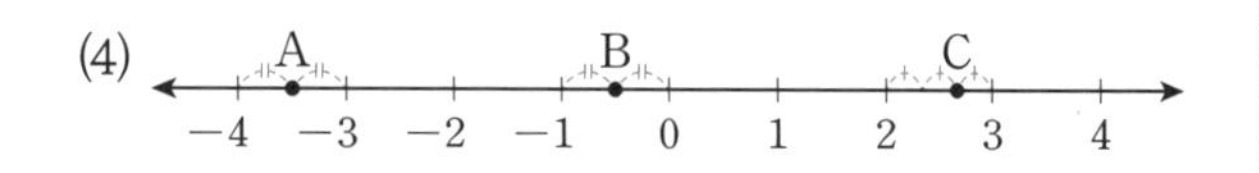

02 세 점 A, B, C를 다음 수직선 위에 나타내시오.

(1) $\mathrm{A}(-3)$, $\mathrm{B}(-1)$, $\mathrm{C}(2)$

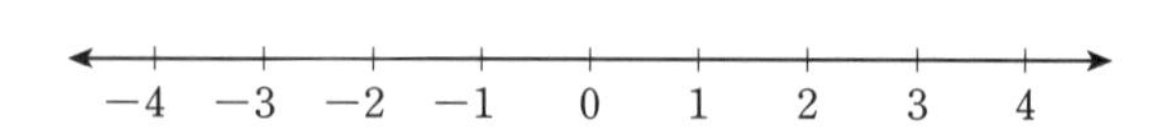

(2) $\mathrm{A}(-2)$, $\mathrm{B}(0)$, $\mathrm{C}\left(\frac{1}{2}\right)$

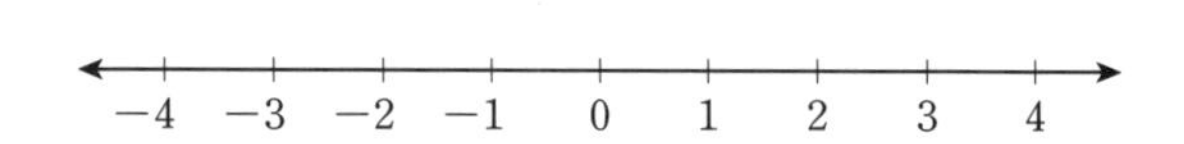

(3) $\mathrm{A}\left(-\frac{3}{2}\right)$, $\mathrm{B}(-1)$, $\mathrm{C}\left(\frac{5}{3}\right)$

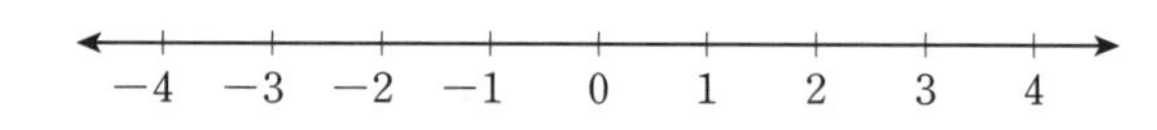

(4) $\mathrm{A}\left(-\frac{7}{2}\right)$, $\mathrm{B}\left(\frac{1}{2}\right)$, $\mathrm{C}\left(\frac{5}{2}\right)$

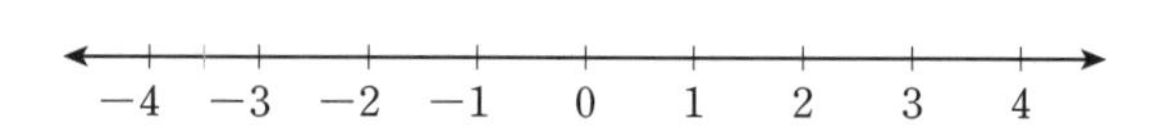

(5) $\mathrm{A}\left(-\frac{5}{3}\right)$, $\mathrm{B}(2)$, $\mathrm{C}\left(\frac{7}{2}\right)$

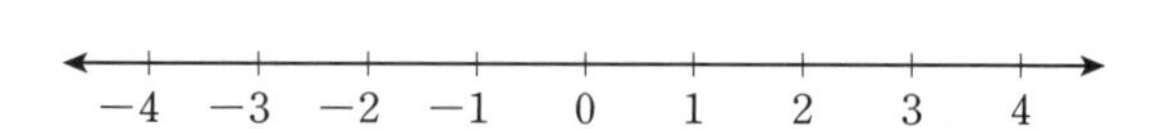

(6) $\mathrm{A}(-2.5)$, $\mathrm{B}\left(\frac{2}{3}\right)$, $\mathrm{C}\left(\frac{10}{3}\right)$

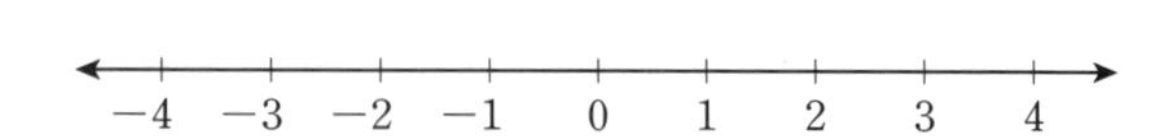

2. 좌표평면 위의 점의 좌표 up+

(1) 두 수직선이 점 O에서 서로 수직으로 만날 때

① x축: 가로의 수직선 ② y축: 세로의 수직선

③ x축과 y축을 통틀어 **좌표축**이라 한다.

(2) **원점**: 두 좌표축이 만나는 점

(3) **좌표평면**: 두 좌표축이 정해져 있는 평면

(4) **순서쌍**: 순서를 생각하여 두 수를 짝 지어 나타낸 것

(5) 좌표평면 위의 점 P에서 x축, y축 각각에 내린 수선과 x축, y축이 만나는 점에 대응하는 수를 각각 a, b라 할 때, 순서쌍 (a, b)를 점 P의 좌표라 하고, 이것을 기호로 $P(a, b)$와 같이 나타낸다.

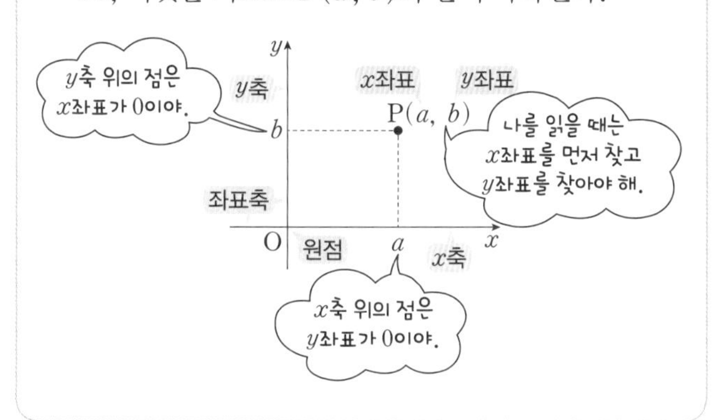

03 다음 좌표평면 위의 네 점 A, B, C, D의 좌표를 기호로 나타내시오.

(1)

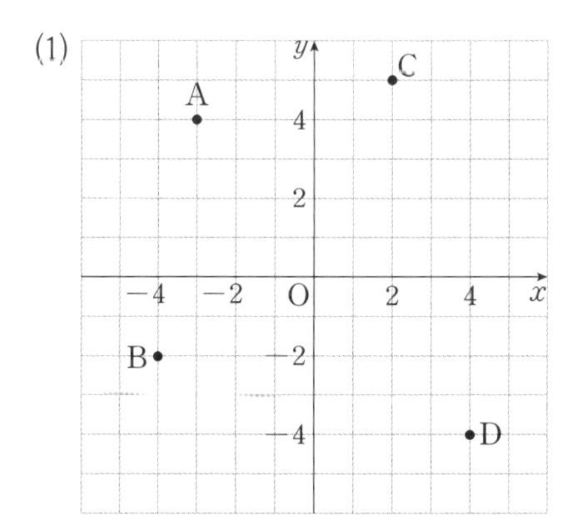

A(−3, 4), B(□, □), C(□, □), D(□, □)

(2)

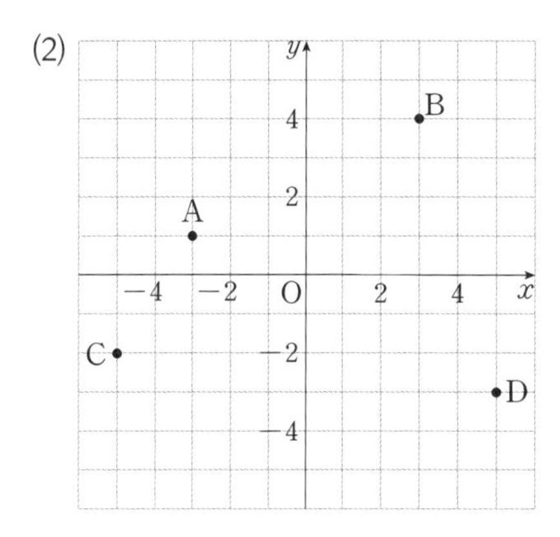

(3)

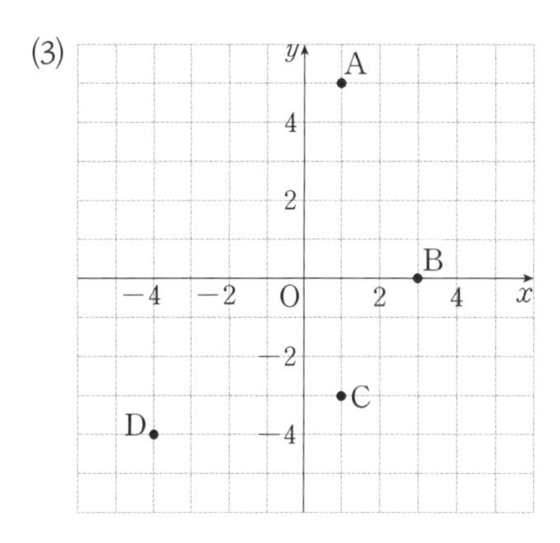

(4)

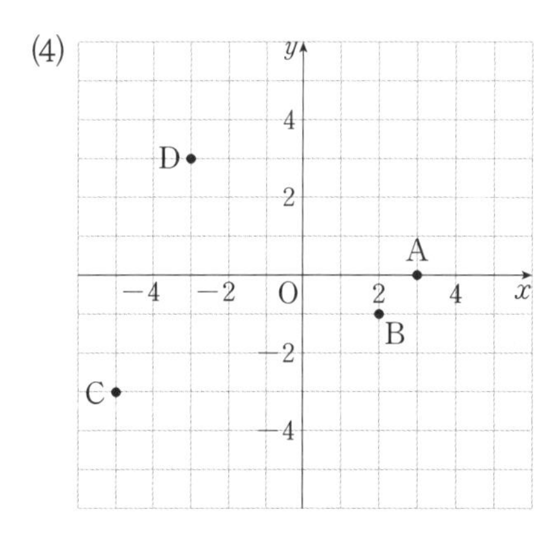

(5)

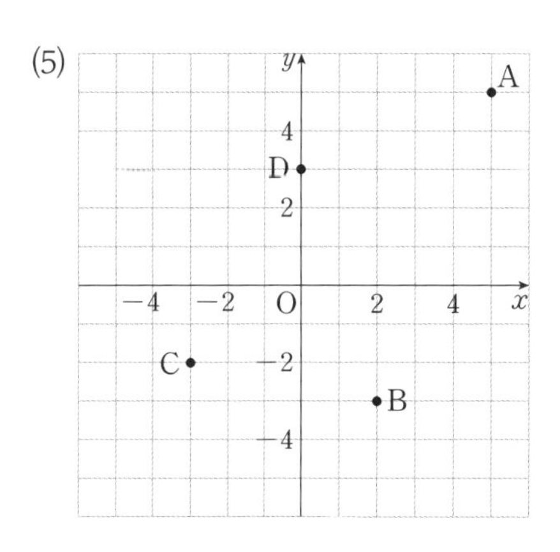

04 네 점 A, B, C, D를 다음 좌표평면 위에 나타내시오.

(1) A$(1, 1)$, B$(-2, 5)$, C$(3, -3)$, D$(-5, -2)$

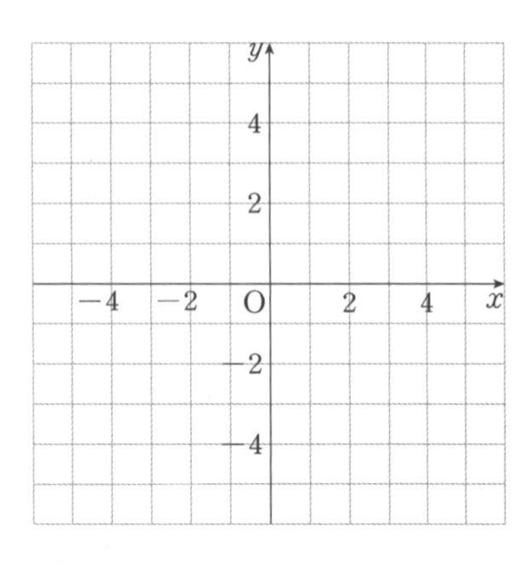

(2) A$(-1, -3)$, B$(4, 3)$, C$(0, 2)$, D$(5, -4)$

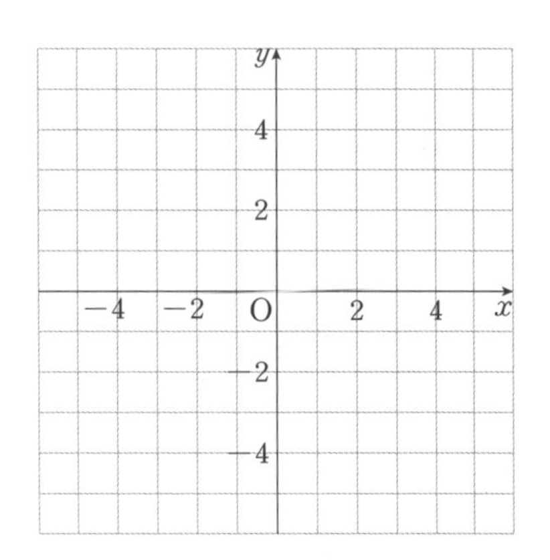

(3) A$(3, 0)$, B$(-1, 4)$, C$(2, -5)$, D$(-6, -3)$

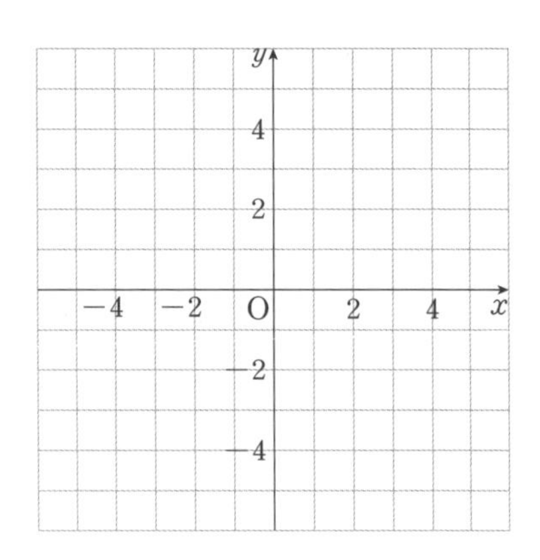

05 좌표평면 위에 있는 다음 점의 좌표를 구하시오.

(1) x좌표가 5, y좌표가 3인 점

(2) x좌표가 -4, y좌표가 1인 점

(3) x좌표가 2, y좌표가 -7인 점

(4) x좌표가 -5, y좌표가 5인 점

(5) x좌표가 -3이고, y좌표가 -3인 점

(6) 원점

(7) x축 위에 있고 x좌표가 8인 점

(8) y축 위에 있고 y좌표가 -2인 점

(9) x축 위에 있고 x좌표가 -6인 점

(10) y축 위에 있고 y좌표가 9인 점

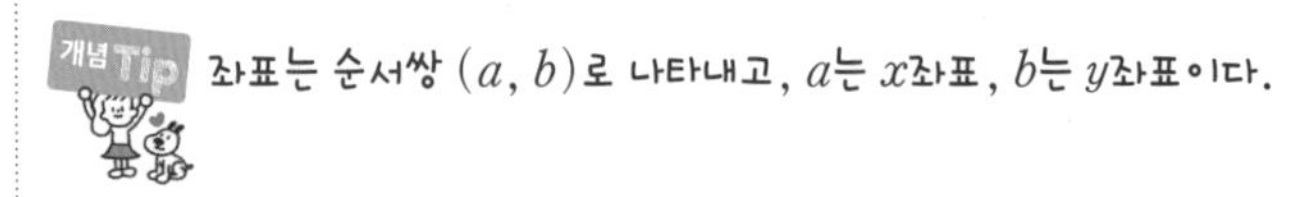

정답과 해설 _ p.44

01 다음 수직선 위의 세 점 A, B, C의 좌표를 각각 기호로 나타내시오.

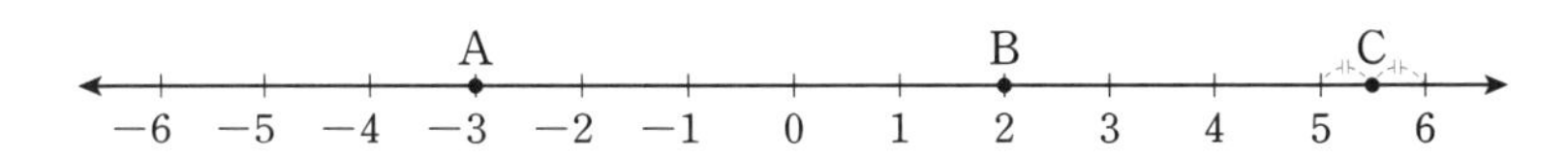

좌표가 a인 점 P를 기호로 P(a)와 같이 나타낸다.

02 다음 수직선 위에 세 점 A, B, C를 각각 나타내시오.

A(-6)　B(4)　C$\left(-\frac{9}{2}\right)$

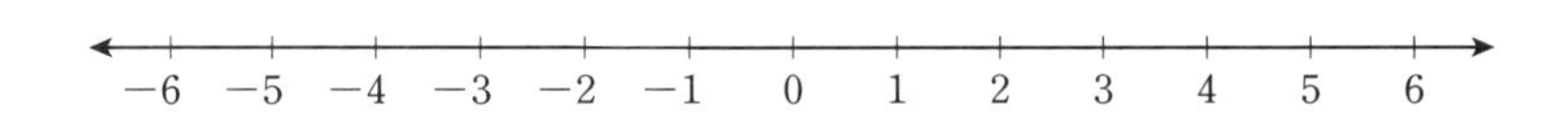

03 두 순서쌍 $(3a, 6)$, $(-12, 3b)$가 서로 같을 때, $a+b$의 값을 구하시오.

두 순서쌍 (a, b)와 (c, d)가 서로 같으면 $a=c$, $b=d$이다.

04 다음 점을 오른쪽 좌표평면 위에 나타내시오.

(1) A$(3, 2)$　(2) B$(3, -5)$
(3) C$(-1, 4)$　(4) D$(-2, -3)$
(5) E$(-4, 0)$　(6) F$(0, 3)$

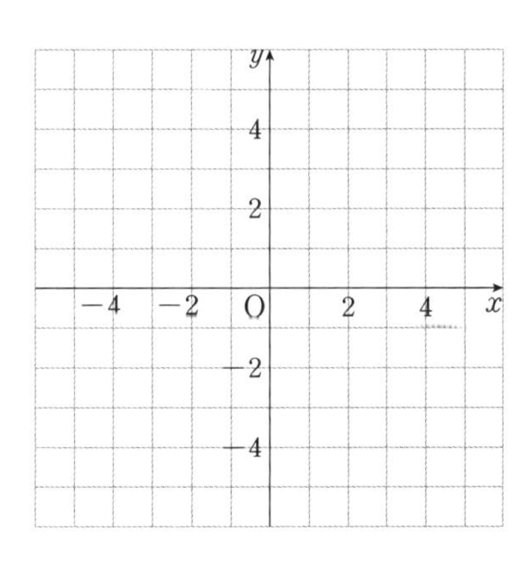

좌표평면 위에 있는 점의 좌표는 (x좌표, y좌표)로 나타낸다.

05 다음 점의 좌표를 구하시오.

(1) 원점 O

(2) x좌표가 3, y좌표가 -1인 점 A

(3) x축 위에 있고, x좌표가 2인 점 B

(4) y축 위에 있고, y좌표가 -4인 점 C

31강 사분면

정답과 해설 _ p.45

1. 사분면

(1) 좌표평면은 좌표축에 의하여 네 부분으로 나누어지는데 이들 네 부분을 각각 제1사분면, 제2사분면, 제3사분면, 제4사분면이라 한다.

참고 좌표축 위의 점은 어느 사분면에도 속하지 않는다.

(2) 사분면 위에 있는 점의 좌표의 부호

	제1사분면	제2사분면	제3사분면	제4사분면
x좌표의 부호	$+$	$-$	$-$	$+$
y좌표의 부호	$+$	$+$	$-$	$-$

제2사분면 $(-, +)$ | 제1사분면 $(+, +)$
제3사분면 $(-, -)$ | 제4사분면 $(+, -)$

원점과 좌표축에 있는 점은 어느 사분면에도 속하지 않아.

01 아래 좌표평면 위의 점을 보고 다음 사분면 위의 점을 찾으시오.

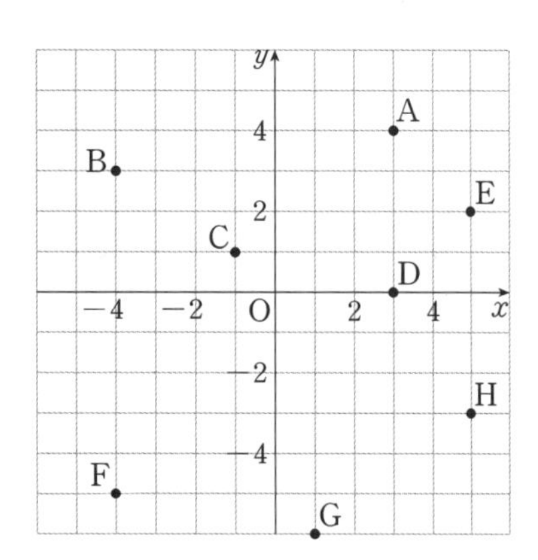

(1) 제1사분면

(2) 제2사분면

(3) 제3사분면

(4) 제4사분면

02 다음 점은 어느 사분면 위에 있는지 구하시오.

(1) $(2, 8)$

(2) $(-5, 2)$

(3) $(5, -3)$

(4) $(-7, -5)$

(5) $(-4, 6)$

(6) $(7, -9)$

03 보기의 점에 대하여 다음을 구하시오.

보기	
ㄱ. $(4, 9)$	ㄴ. $(-5, 2)$
ㄷ. $(-3, -3)$	ㄹ. $(7, 12)$
ㅁ. $(2, -8)$	ㅂ. $(-1, 0)$
ㅅ. $(-5, -6)$	ㅇ. $(0, -2)$
ㅈ. $(9, -6)$	ㅊ. $(0, 0)$

(1) 제1사분면 위의 점

(2) 제2사분면 위의 점

(3) 제3사분면 위의 점

(4) 제4사분면 위의 점

(5) 어느 사분면에도 속하지 않는 점

04 $a>0$, $b>0$일 때, 다음 점은 어느 사분면 위에 있는지 구하시오.

(1) (a, b)

(2) $(a, -b)$

(3) $(-a, b)$

(4) (b, a)

(5) $(2a, -2b)$

(6) $(-a, -b)$

점 (a, b)에서 a는 x좌표, b는 y좌표이다.

05 $a<0$, $b>0$일 때, 다음 점은 어느 사분면 위에 있는지 구하시오.

(1) (a, b)

(2) $(-a, -b)$

(3) $(-2a, 3b)$

(4) $(-b, a)$

(5) $(a, -b)$

(6) (ab, b)

06 점 (a, b)가 제3사분면 위의 점일 때, 다음 점은 어느 사분면 위에 있는지 구하시오.

(1) $(a, -b)$

(2) $(-a, -b)$

(3) $(-b, a)$

(4) (a, ab)

(5) $(3a, -3b)$

(6) $(-a, -ab)$

07 점 (a, b)가 제4사분면 위의 점일 때, 다음 점은 어느 사분면 위에 있는지 구하시오.

(1) $(-a, -b)$

(2) $(5a, -4b)$

(3) $(-a, ab)$

(4) $(3a, -2b)$

(5) $(-b, a)$

(6) $(-a, -b)$

2. 대칭인 점의 좌표 up+

점 P(a, b)와

(1) x축에 대하여 대칭인 점 A의 좌표 ➡ A$(a, -b)$

(2) y축에 대하여 대칭인 점 B의 좌표 ➡ B$(-a, b)$

(3) 원점에 대하여 대칭인 점 C의 좌표 ➡ C$(-a, -b)$

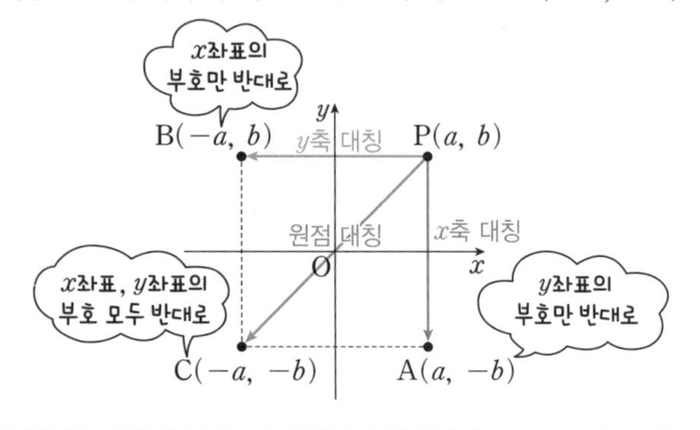

08 점 P$(1, 3)$에 대하여 다음 점의 좌표를 구하시오.

(1) x축에 대하여 대칭인 점 A의 좌표

(2) y축에 대하여 대칭인 점 B의 좌표

(3) 원점에 대하여 대칭인 점 C의 좌표

기준이 되는 것으로 접었을 때 완전히 겹쳐지는 점을 생각한다.

09 점 P$(-2, 5)$에 대하여 다음 점의 좌표를 구하시오.

(1) x축에 대하여 대칭인 점 A의 좌표

(2) y축에 대하여 대칭인 점 B의 좌표

(3) 원점에 대하여 대칭인 점 C의 좌표

10 다음 점의 좌표를 구하시오.

(1) 점 $(-2, -3)$과 x축에 대하여 대칭인 점의 좌표

(2) 점 $(1, -6)$과 y축에 대하여 대칭인 점의 좌표

(3) 점 $(-4, 5)$와 원점에 대하여 대칭인 점의 좌표

(4) 점 $(8, 7)$과 x축에 대하여 대칭인 점의 좌표

(5) 점 $(3, -5)$와 원점에 대하여 대칭인 점의 좌표

11 다음을 구하시오.

(1) 두 점 P$(a, 2)$와 Q$(-3, b)$는 x축에 대하여 대칭일 때, a, b의 값

(2) 두 점 P$(3, a)$와 Q$(b, 4)$는 y축에 대하여 대칭일 때, a, b의 값

(3) 두 점 P$(1, a)$와 Q$(b, -2)$는 원점에 대하여 대칭일 때, a, b의 값

(4) 두 점 P$(5, -a)$와 Q$(b, 4)$는 x축에 대하여 대칭일 때, a, b의 값

(5) 두 점 P$(2a, 6)$과 Q$(8, b)$는 y축에 대하여 대칭일 때, a, b의 값

(6) 두 점 P$(3, a)$와 Q$(-3b, -1)$은 원점에 대하여 대칭일 때, a, b의 값

정답과 해설 _ p.46

01 다음 보기의 점에 대하여 물음에 답하시오.

보기			
ㄱ. $(3, -2)$	ㄴ. $\left(-\frac{1}{2}, 4\right)$	ㄷ. $(0, 5)$	ㄹ. $(11, 7)$
ㅁ. $(-6, -4)$	ㅂ. $(-4, 3)$	ㅅ. $\left(-2, -\frac{2}{3}\right)$	ㅇ. $(-7, 0)$

(1) 제2사분면 위의 점을 모두 골라 기호를 쓰시오.

(2) 제3사분면 위의 점을 모두 골라 기호를 쓰시오.

02 다음 점의 좌표를 구하고 제몇 사분면 위의 점인지 구하시오.

(1) x좌표가 -2, y좌표가 5인 점 A

(2) x좌표가 7, y좌표가 -1인 점 B

(3) y축 위에 있고, y좌표가 -1인 점 C

y축 위에 있는 점은 x좌표가 0인 점이다.

03 점 $\mathrm{P}(a, b)$가 제4사분면 위의 점일 때, 다음 점은 제몇 사분면 위의 점인지 구하시오.

(1) $\mathrm{A}(-a, b)$

(2) $\mathrm{B}(a, -b)$

(3) $\mathrm{C}(-a, -b)$

(4) $\mathrm{D}(b, -a)$

04 점 (a, b)가 제2사분면 위의 점일 때, 다음 중 점 (a, ab)와 같은 사분면 위의 점은?

① $(2, 4)$ ② $(2, -4)$ ③ $(-2, 4)$
④ $(-2, -4)$ ⑤ $(2, 0)$

05 오른쪽 좌표평면 위의 점 $\mathrm{P}(-2, 3)$에 대하여 다음 점을 좌표평면 위에 나타내고 점의 좌표를 구하시오.

(1) x축에 대하여 대칭인 점 A

(2) y축에 대하여 대칭인 점 B

(3) 원점에 대하여 대칭인 점 C

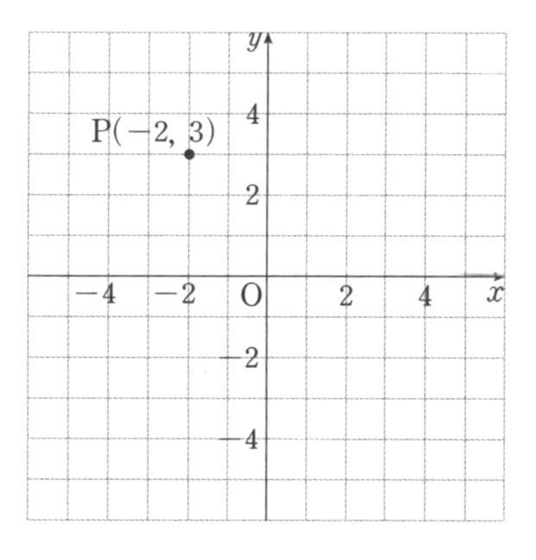

기준이 되는 것으로 접었을 때 완전히 겹쳐지는 점을 생각한다.

32강 그래프

정답과 해설 _ p.46

1. 그래프

(1) 변수: x, y와 같이 여러 가지로 변하는 값을 나타내는 문자

(2) 그래프: 변하는 두 양 사이의 관계를 좌표평면 위에 점, 직선, 곡선 등의 그림으로 나타낸 것

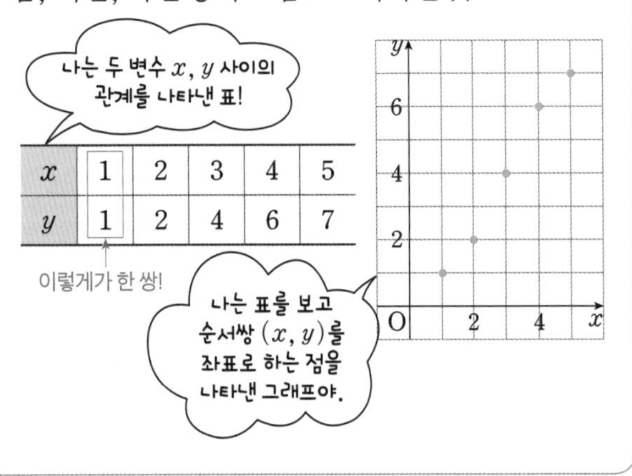

x	1	2	3	4	5
y	1	2	4	6	7

2. 그래프 해석하기 up+

두 양 사이의 관계를 좌표평면 위에 나타내면 두 양의 변화 관계를 쉽게 알아볼 수 있다.

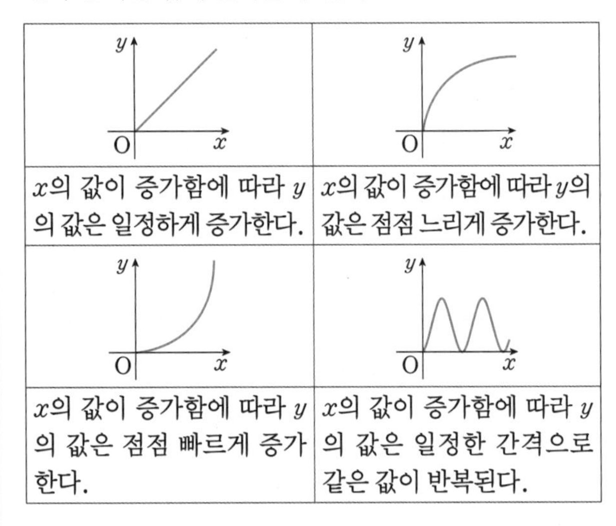

x의 값이 증가함에 따라 y의 값은 일정하게 증가한다.	x의 값이 증가함에 따라 y의 값은 점점 느리게 증가한다.
x의 값이 증가함에 따라 y의 값은 점점 빠르게 증가한다.	x의 값이 증가함에 따라 y의 값은 일정한 간격으로 같은 값이 반복된다.

비행기의 고도를 시간에 따라 나타낸 그래프

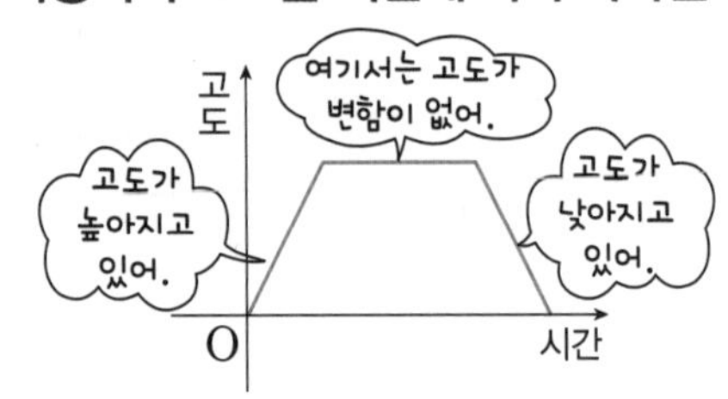

01 영진이가 3살일 때 동생은 1살이었다. 영진이의 나이를 x살, 동생의 나이를 y살이라 할 때, 물음에 답하시오.

(1) 아래 표의 빈칸을 채우시오.

x	3	4	5	6	7	8
y						

(2) 위 (1)의 표에서 얻어지는 순서쌍 (x, y)를 모두 구하시오.

(3) 위 (2)의 순서쌍 (x, y)를 좌표로 하는 점을 아래 좌표평면 위에 나타내시오.

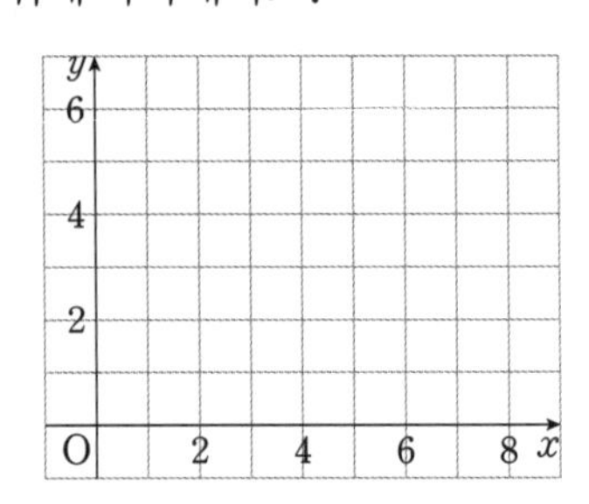

02 현우가 다음과 같이 주스를 마실 때, 각 상황에 가장 알맞은 그래프를 보기에서 고르시오.

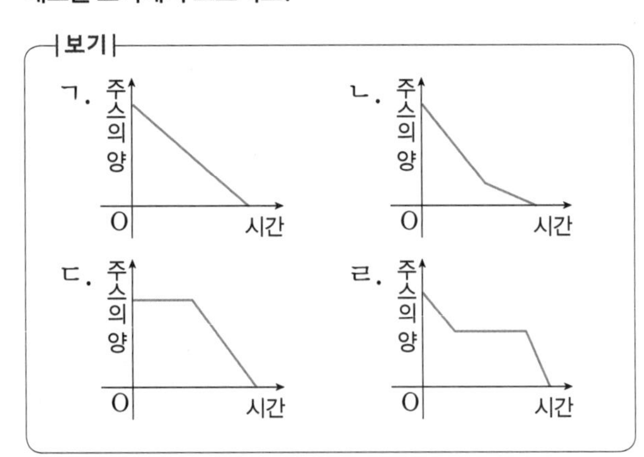

(1) 쉬지 않고 일정하게 모두 마셨다.

(2) 일정하게 마시다가 잠시 동안 멈추고 또 다시 일정하게 모두 마셨다.

03 다음 그림은 물을 가열하기 시작한 후 지난 시간을 x분, 물의 온도를 y °C라 할 때, 두 변수 x와 y 사이의 관계를 그래프로 나타낸 것이다. 물음에 답하시오.

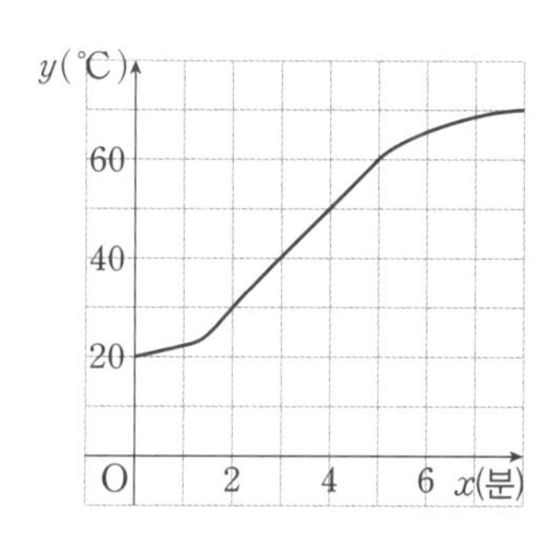

(1) 물을 가열하기 시작한 지 3분 후의 물의 온도를 구하시오.

(2) 물을 가열하기 시작한 지 5분 후의 물의 온도를 구하시오.

(3) 물의 온도가 30 °C가 되는 것은 물을 가열하기 시작한 지 몇 분 후인지 구하시오.

(4) 물의 온도가 50 °C가 되는 것은 물을 가열하기 시작한 지 몇 분 후인지 구하시오.

04 오른쪽 그림은 지표로부터의 높이를 x km, 기온을 y°C라 할 때, 두 변수 x와 y 사이의 관계를 그래프로 나타낸 것이다. 물음에 답하시오.

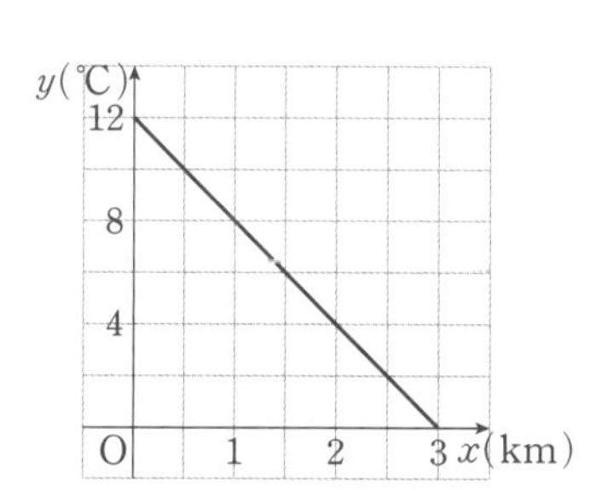

(1) 지표로부터의 높이가 1 km일 때, 기온을 구하시오.

(2) 기온이 4 °C일 때, 지표로부터의 높이를 구하시오.

(3) 지표로부터의 높이가 올라갈수록 기온은 어떻게 되는지 알맞은 말에 ○표 하시오.

(높아진다 , 낮아진다)

05 오른쪽 그림은 지영이가 집에서 거리가 2 km인 서점까지 갔다가 돌아올 때, 집을 출발한 지 x분 후 집에서 지영이까지의 거리 y m 사이의 관계를 나타낸 것이다. 물음에 답하시오.

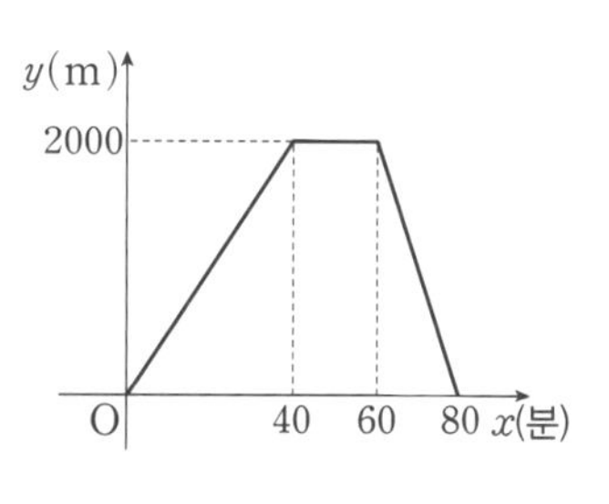

(1) 집에서 서점까지 가는 데 걸린 시간을 구하시오.

(2) 서점에 머문 시간을 구하시오.

(3) 집을 출발하여 다시 집에 도착할 때까지 걸린 시간을 구하시오.

06 다음 그림과 같은 모양의 그릇에 일정한 속력으로 물을 넣는다고 할 때, 시간에 따른 물의 높이의 변화를 좌표평면 위에 그래프로 나타낸 것으로 알맞은 것을 보기에서 고르시오.

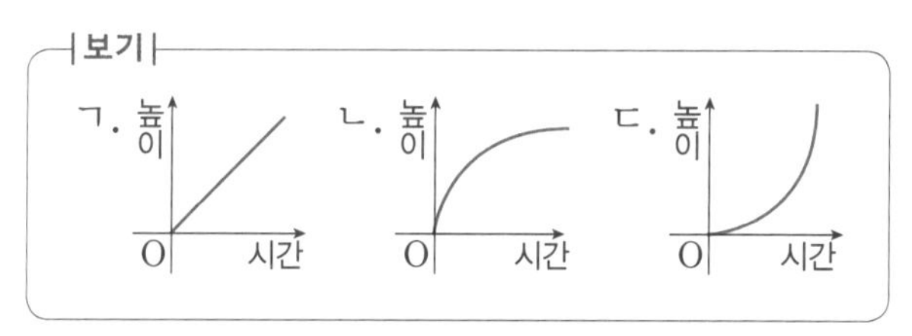

(1)

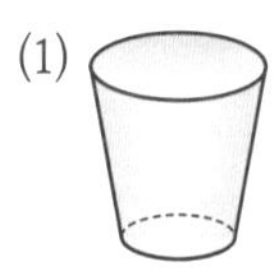

(2)

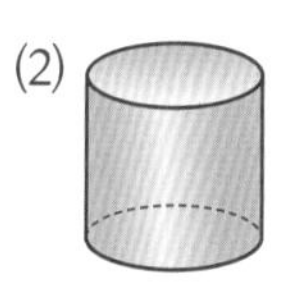

(3)

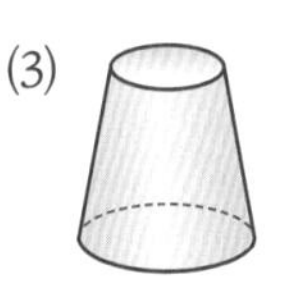

쌤 Tip
위로 갈수록 폭이 넓어지는 모양의 그릇은 시간이 지남에 따라 물의 높이는 점점 느리게 증가해.

만점

정답과 해설 _ p.47

01 오른쪽 그래프는 비행기가 이륙한 후 착륙할 때까지 비행기의 속력의 변화를 나타낸 것이다. 다음 중 옳지 않은 것은?

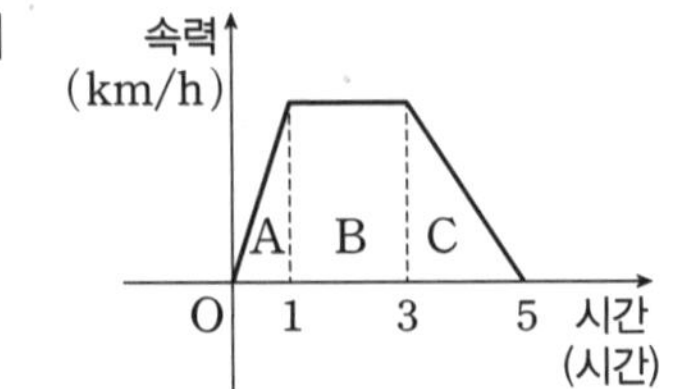

① 비행기가 비행한 시간은 5시간이다.
② A 구간에서 비행기의 속력은 점점 증가하였다.
③ C 구간에서 비행기의 속력은 점점 감소하였다.
④ B 구간에서 비행기의 속력은 일정하였다.
⑤ B 구간에서 비행기는 멈춰 있었다.

시간이 지남에 따라 속력이 어떻게 변하는지 생각해 본다.

02 다음 상황을 읽고, 대홍이가 움직인 거리를 시간에 따라 나타낸 그래프를 보기에서 고르시오.

대홍이는 집에서 공원까지 일정한 속력으로 자전거를 타고 갔다가 공원에서 잠시 쉰 다음 집으로 갈 때는 자전거를 끌고 걸어갔다.

보기

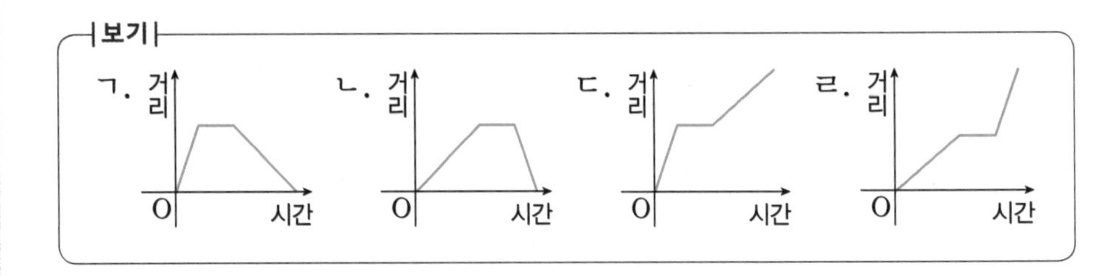

대홍이가 갈수록 대홍이가 움직인 거리는 점점 증가한다.

03 도현이가 자전거를 타고 직선으로 된 자전거길을 갈 때, 출발한 지 x분 후의 출발점으로부터 떨어진 거리를 y km라 하자. x와 y 사이의 관계를 그래프로 나타내면 오른쪽과 같을 때, 도현이가 출발점으로 다시 돌아올 때까지 이동한 거리를 구하시오.

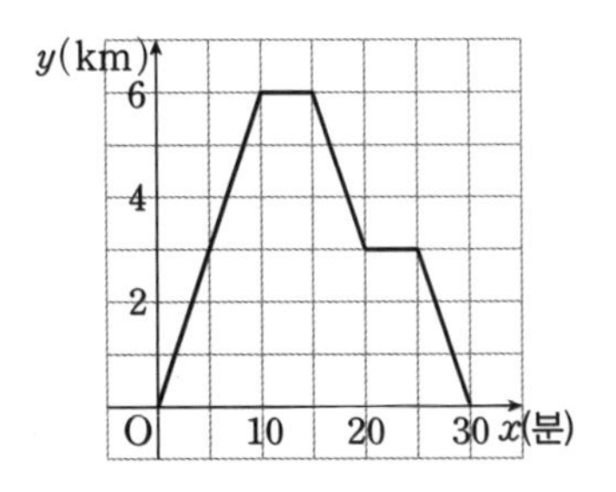

중단원 연산 마무리

정답과 해설 _ p.47

01 다음 수직선 위에 두 점 $\mathrm{A}(-3)$, $\mathrm{B}(2)$를 각각 나타내고, 두 점 사이의 거리를 구하시오.

(1) $\mathrm{A}(-3)$, $\mathrm{B}(2)$

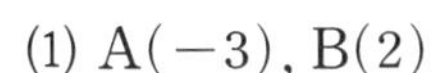

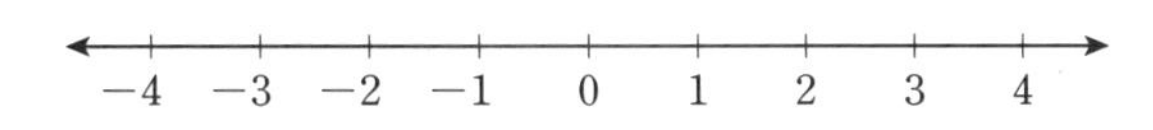

(2) $\mathrm{A}(-2)$, $\mathrm{B}(1)$

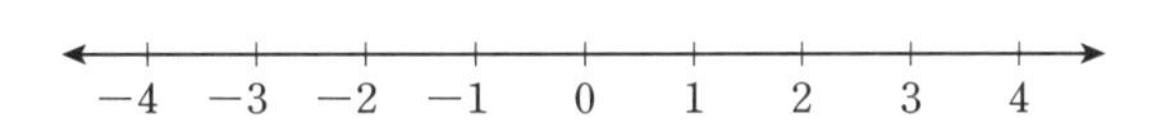

02 다음 점의 좌표를 구하시오.

(1) 원점 O

(2) x좌표가 1, y좌표가 -2인 점 A

(3) y축 위에 있고, y좌표가 3인 점 B

03 다음 중 좌표평면 위의 점의 좌표를 나타낸 것으로 옳은 것에는 ○표, 옳지 않은 것에는 ×표를 ( ) 안에 써넣으시오.

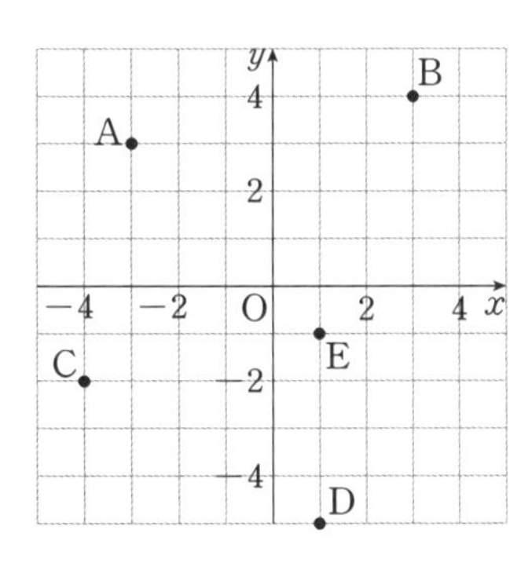

(1) $\mathrm{A}(3,\ 3)$ ( )

(2) $\mathrm{B}(3,\ 4)$ ( )

(3) $\mathrm{C}(4,\ -2)$ ( )

(4) $\mathrm{D}(1,\ -5)$ ( )

(5) $\mathrm{E}(-1,\ -2)$ ( )

04 다음 좌표평면 위에 네 점 $\mathrm{A}(-3,\ -4)$, $\mathrm{B}(4,\ -4)$, $\mathrm{C}(3,\ 2)$, $\mathrm{D}(-4,\ 2)$를 각각 나타내시오.

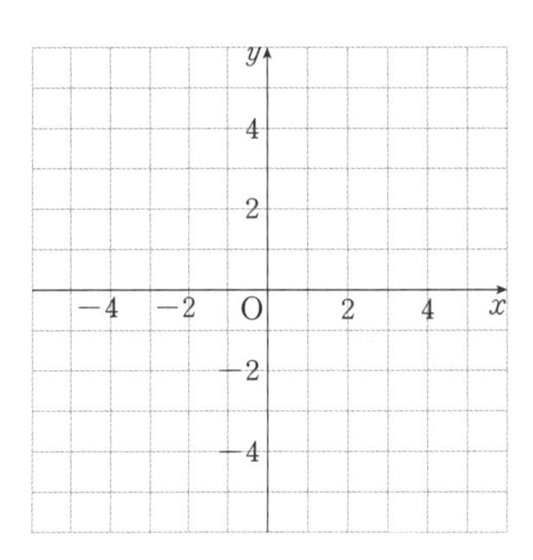

05 다음 중 옳은 것에는 ○표, 옳지 않은 것에는 ×표를 ( ) 안에 써넣으시오.

(1) 점 $(0,\ 4)$는 y축 위의 점이다. ( )

(2) 점 $(3,\ 0)$은 제1사분면 위의 점이다. ( )

(3) 점 $(-3,\ -3)$은 제3사분면 위의 점이다. ( )

(4) 점 $(2,\ -5)$는 어느 사분면에도 속하지 않는다. ( )

(5) 점 $(1,\ 2)$와 점 $(2,\ 1)$은 서로 같은 점이다. ( )

06 다음 점의 좌표를 구하고 제몇 사분면 위의 점인지 구하시오.

(1) x좌표가 5, y좌표가 -2인 점 A

(2) x좌표가 -7, y좌표가 -4인 점 B

(3) x축 위에 있고, x좌표가 1인 점 C

07 점 (a, b)가 제4사분면 위의 점일 때, 다음 점은 제몇 사분면 위의 점인지 구하시오.

(1) $(-a, b)$

(2) $(-b, a)$

(3) $(ab, a-b)$

(4) $(-ab, a^2b)$

08 다음 두 점이 원점에 대하여 대칭일 때, a, b의 값을 구하시오.

(1) $(5, -7)$, (a, b)

(2) $(-4, a)$, $(2b, -2)$

(3) $(3, a)$, $(-b, -8)$

09 다음 그림은 드론이 움직인 시간 x초와 높이 y m 사이의 관계를 그래프로 나타낸 것이다. 물음에 답하시오.

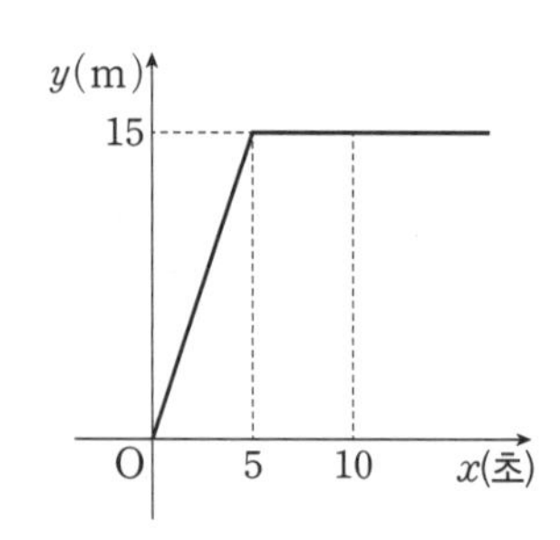

(1) $x=5$일 때, y의 값을 구하시오.

(2) x의 값이 5에서 10까지 변할 때, y의 값의 변화를 설명하시오.

(3) x의 값이 0에서 10까지 변할 때, y의 값의 변화를 설명하시오.

10 다음은 밑면의 반지름의 길이가 서로 다른 원기둥 모양의 물통 3개에 매초 일정한 양의 물을 똑같이 넣을 때, 시간 x초와 물의 높이 y cm 사이의 관계를 나타낸 그래프이다. 각 물통에 해당하는 그래프를 찾아 바르게 연결하시오.

(1) 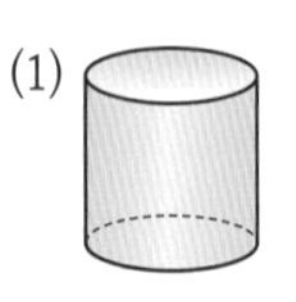 •   • ㉠ 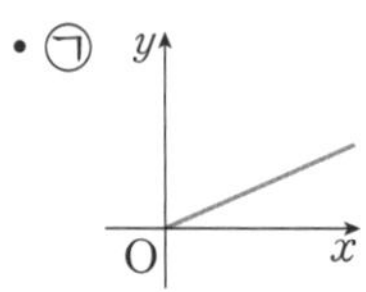

(2) 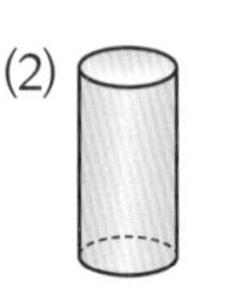 •   • ㉡ 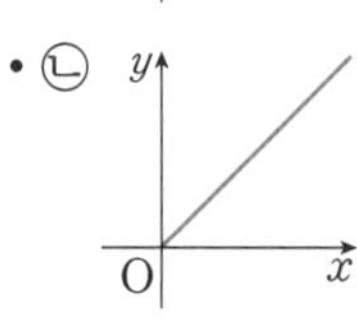

(3) 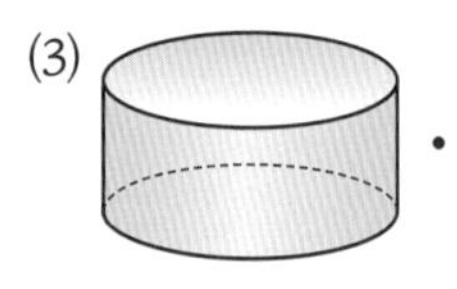 •   • ㉢ 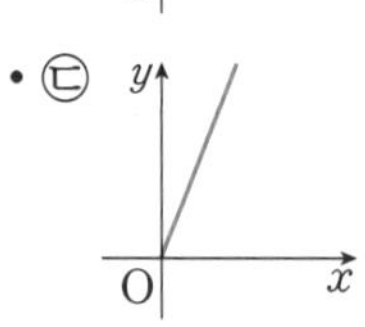

쌤 Tip
밑면의 넓이가 좁을수록 물통의 높이가 빠르게 증가해.

11 우성이가 집에서 공원까지 걸어가는데, 처음 500 m는 일정한 속력으로 걸어가다가 속력을 바꾸어 다시 일정한 속력으로 걸어서 공원에 도착했다. 이때 시간 x분과 거리 y m 사이의 관계를 나타낸 그래프가 위의 그림과 같을 때, 다음 중 옳지 않은 것은?

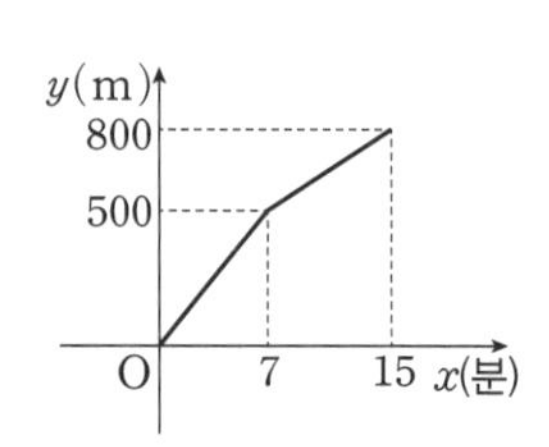

① 집에서 공원까지의 거리는 800 m이다.
② 우성이가 집에서 공원까지 걸어가는 데 걸린 시간은 15분이다.
③ 우성이가 처음 7분 동안 걸은 속력은 매분 $\frac{500}{7}$ m이다.
④ 우성이는 처음 7분보다 그 후 8분 동안 더 빠르게 걸었다.
⑤ 우성이는 공원까지 쉬지 않고 걸었다.

도전 100점

12 다음 그림은 승호가 반지름의 길이가 15 m인 원 모양의 대관람차에 탑승한 지 x분 후 지면으로부터 승호가 탄 관람차의 높이를 y m라 할 때, 두 변수 x와 y 사이의 관계를 그래프로 나타낸 것이다. 물음에 답하시오.

(단, 탑승한 관람차는 3바퀴를 돌고 멈춘다.)

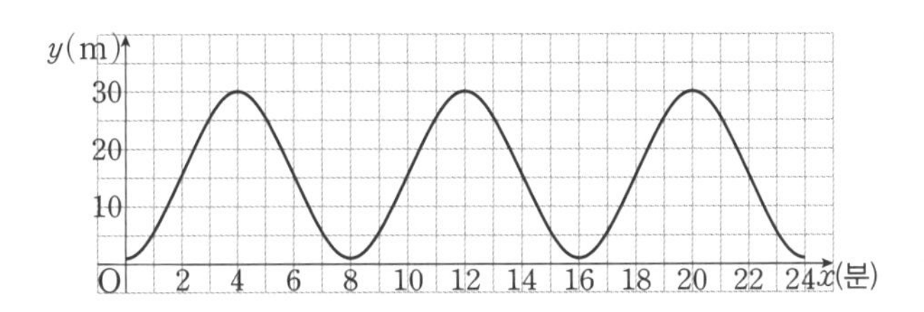

(1) 관람차가 지면으로부터 가장 높은 곳에 있을 때의 높이를 구하시오.

(2) 관람차의 높이가 지면으로부터 15 m일 때는 탑승하고 몇 분 후인지 모두 구하시오.

(3) 관람차가 2바퀴를 돌아 처음 위치로 돌아오는 것은 탑승하고 몇 분 후인지 구하시오.

13 오른쪽 그림은 현서와 수영이가 100 m 달리기를 했을 때 달린 거리를 시간에 따라 나타낸 것이다. 물음에 답하시오.

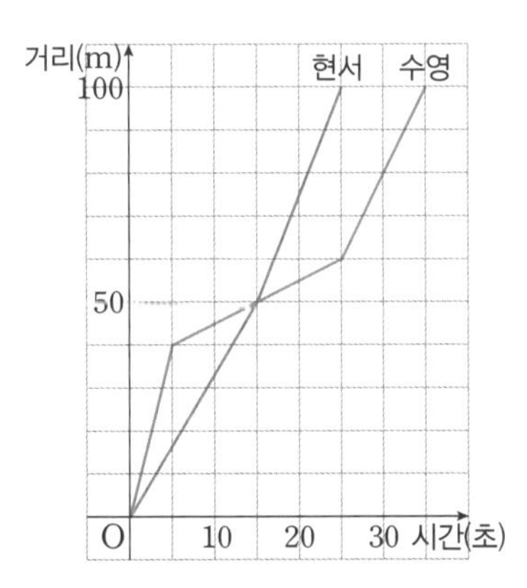

(1) 현서가 수영이보다 앞서기 시작한 것은 출발한 지 몇 초 후인지 구하시오.

(2) 현서와 수영이가 100 m를 달리는 데 걸린 시간의 차를 구하시오.

14 두 순서쌍 $(2a, 5)$, $(-6, b+1)$이 서로 같을 때, a, b의 값을 각각 구하시오.

15 오른쪽 좌표평면 위의 점 P$(3, 2)$에 대하여 x축에 대하여 대칭인 점 A, y축에 대하여 대칭인 점 B, 원점에 대하여 대칭인 점 C의 좌표를 좌표평면 위에 나타내고, 이 네 점을 꼭짓점으로 하는 사각형의 넓이를 구하시오.

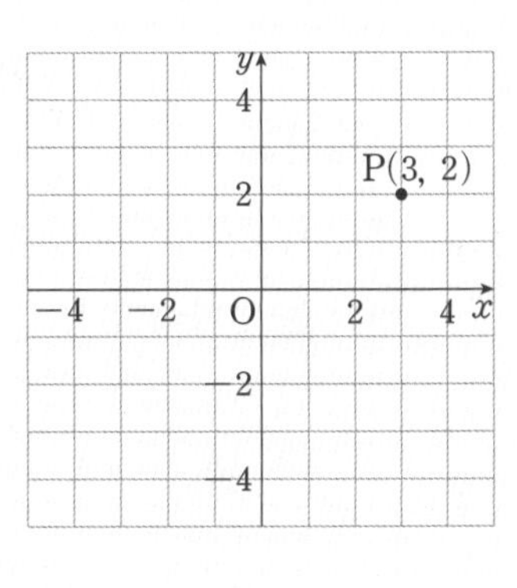

16 오른쪽 그림과 같이 두 원기둥을 합친 모양의 통에 물이 가득 차 있다. 물이 일정하게 빠져 나가도록 수도꼭지를 튼 지 x분 후의 물의 높이를 $y$cm라 할 때, 다음 보기 중 두 변수 x, y 사이의 관계를 그래프로 나타낸 것을 찾으시오.

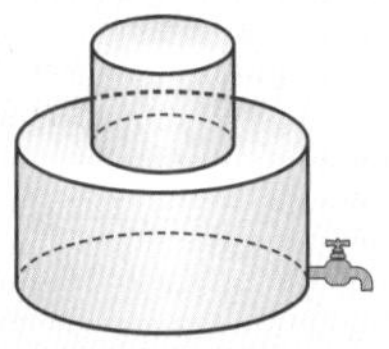

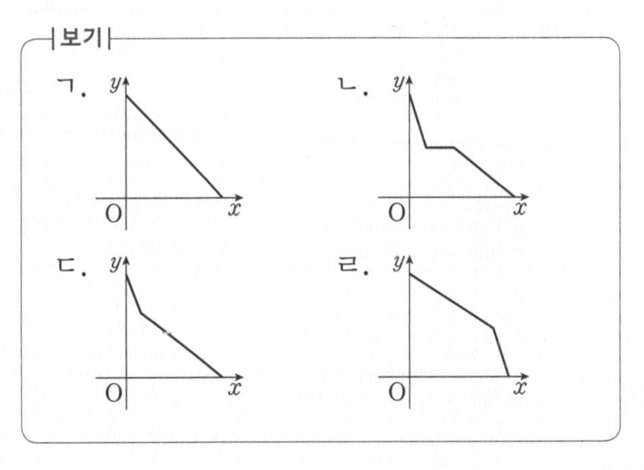

정답과 해설 _ p.48

1. 정비례 관계

(1) 정비례: 두 변수 x, y에 대하여 x의 값이 2배, 3배, 4배, …가 되면 y의 값도 2배, 3배, 4배, …가 되는 관계

(2) x와 y가 정비례하면 x와 y 사이에는

$$y=ax(a\neq0)$$

가 성립한다.

또, x와 y 사이에 $y=ax(a\neq0)$가 성립하면 x와 y는 정비례한다.

x	1	2	3	…
y	2	4	6	…

×2 ×3 ×2 ×3 ×2

y의 값이 x의 값의 2배

$y=2x$

y가 x에 정비례할 때, $\frac{y}{x}$의 값은 항상 일정해.

01 y가 x에 정비례할 때, 다음 표를 완성하시오.

(1)

x	1	2	3	4	5	…
y	2	4			10	…

(2)

x	1	2	3	4	5	…
y	3	6				…

(3)

x	1	2	3	4	5	…
y	-2			-8		…

(4)

x	1	2	3	4	5	…
y		1	$\frac{3}{2}$			…

(5)

x	1	2	3	4	5	…
y			-15		-25	…

02 다음 중 y가 x에 정비례하는 것에는 ○표, 정비례하지 않는 것에는 ×표를 하시오.

(1) $y=-x$ ( )

(2) $y=3x+1$ ( )

(3) $xy=2$ ( )

(4) $y=\frac{x}{5}$ ( )

(5) $y=\frac{5}{x}$ ( )

(6) $4y=x$ ( )

03 다음에서 x와 y 사이의 관계식을 구하시오.

(1) 한 개에 x원 하는 사탕 7개의 가격은 y원이다.

(2) 한 변의 길이가 x cm인 정삼각형의 둘레의 길이는 y cm이다.

(3) 1시간에 60 km를 가는 자동차를 타고 x시간 동안 간 거리는 y km이다.

04 다음에서 x와 y 사이의 관계식을 구하시오.

(1) y가 x에 정비례하고, $x=2$일 때 $y=6$이다.

(2) y가 x에 정비례하고, $x=-1$일 때 $y=5$이다.

(3) y가 x에 정비례하고, $x=4$일 때 $y=-2$이다.

2. 정비례 관계의 그래프 up+

x의 값의 범위에 따라 정비례 관계 $y=x$의 그래프를 그리면 다음과 같다.

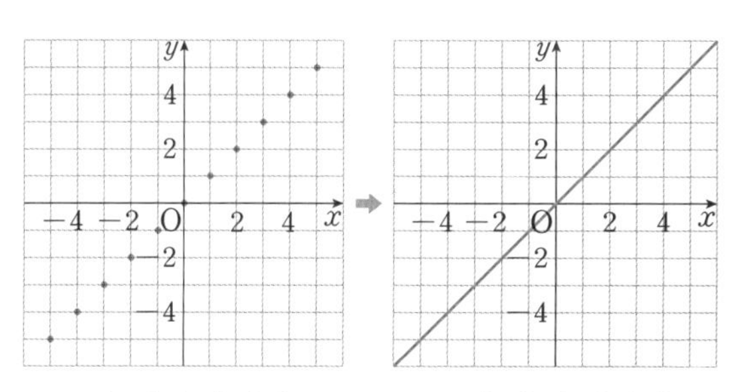

x의 값의 범위가 정수일 때 / x의 값의 범위가 수 전체일 때

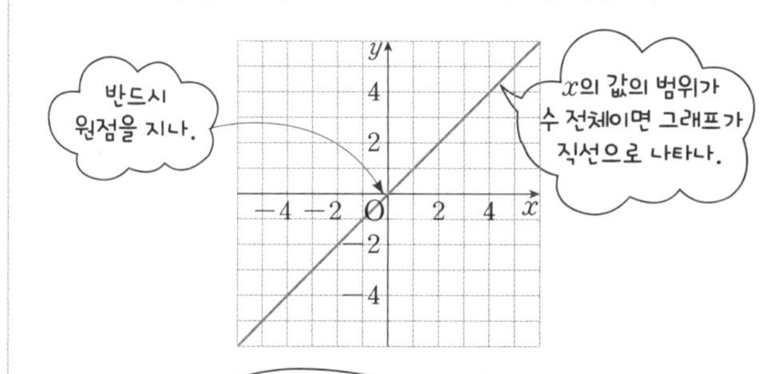

두 점을 지나는 직선은 오직 하나뿐이니까 정비례 관계의 그래프는 원점과 그래프가 지나는 다른 한 점을 찾아 직선으로 이으면 쉽게 그릴 수 있어.

05 정비례 관계 $y=2x$에 대하여 x의 값이 -2, -1, 0, 1, 2일 때, 표를 완성하고 그래프를 좌표평면 위에 그리시오.

x	-2	-1	0	1	2
y					

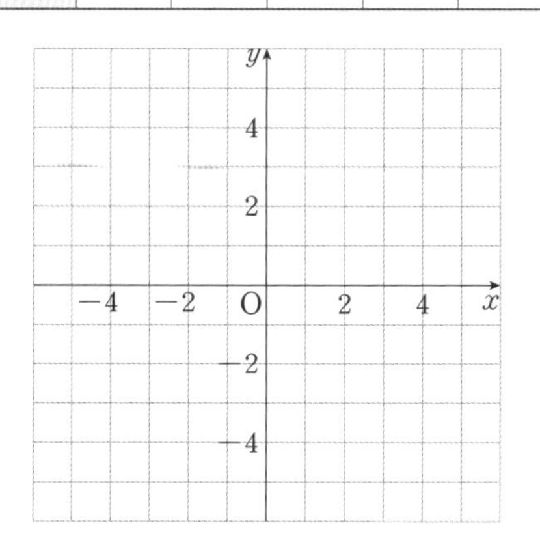

06 다음 정비례 관계의 그래프를 좌표평면 위에 그리시오.

(1) $y=3x$

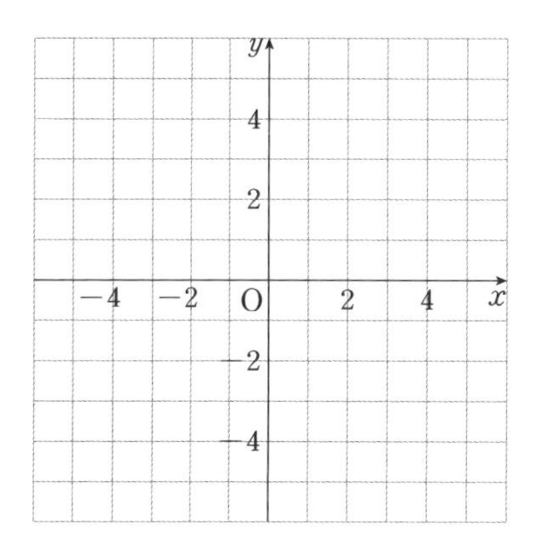

(2) $y=\frac{1}{2}x$

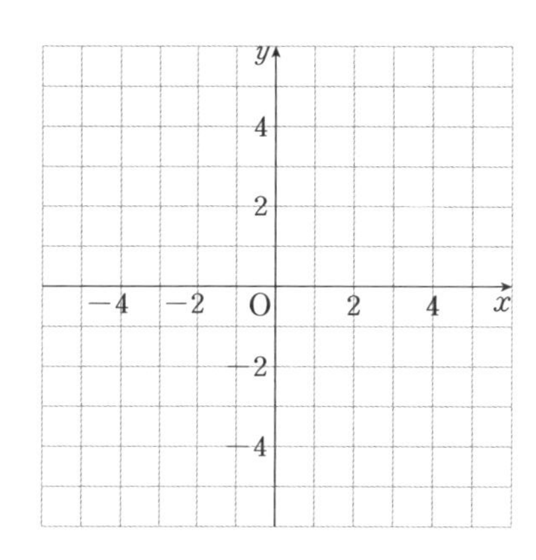

(3) $y=-4x$

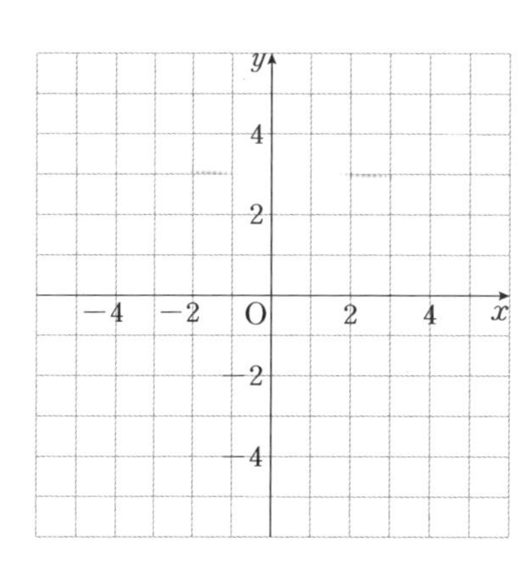

개념 Tip 정비례 관계의 그래프는 원점 O와 그래프를 지나는 다른 한 점을 구해 직선으로 이으면 쉽게 그릴 수 있다.

정답과 해설 _ p.49

01 오른쪽 표를 보고 물음에 답하시오.

x	1	2	3	4	$\cdots$
y	4	8	12	16	$\cdots$

(1) x와 y는 정비례하는지 말하시오.

(2) x와 y의 관계를 식으로 나타내시오.

x의 값이 2배, 3배, 4배, …가 되면 y의 값도 2배, 3배, 4배, …가 되는 관계가 있으면 x와 y는 정비례한다.

02 다음 중 y가 x에 정비례하는 것을 모두 고르면? (정답 2개)

① $y=3x-5$　② $\frac{y}{x}=2$　③ $y=\frac{4}{x}$

④ $xy=3$　⑤ $3y=2x$

03 다음에서 x와 y 사이의 관계식을 구하시오.

(1) 가로의 길이가 7 cm, 세로의 길이가 x cm인 직사각형의 넓이 $y\text{ cm}^2$

(2) 시속 x km로 5시간 동안 간 거리 y km

04 y가 x에 정비례하고 $x=-3$일 때 $y=-18$이다. 이때 x와 y 사이의 관계식을 구하시오.

y가 x에 정비례하면 $y=ax(a\neq0)$로 놓는다.

05 다음 정비례 관계의 그래프를 좌표평면 위에 그리시오.

(1) 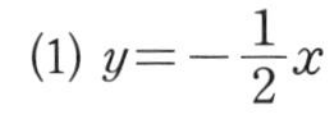 $y=-\frac{1}{2}x$　(2) 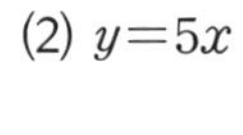 $y=5x$

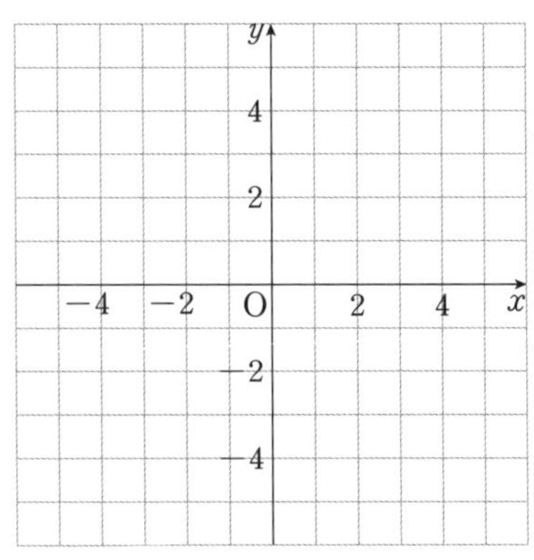

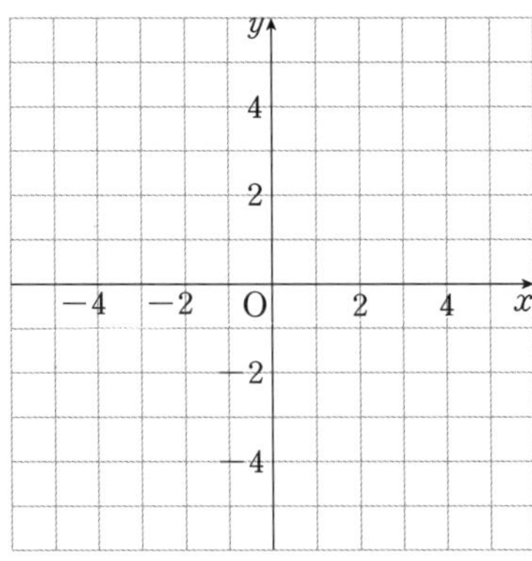

그래프가 지나는 점을 찾아 그래프를 그릴 때, x좌표와 y좌표가 모두 정수인 점을 찾으면 편리하다.

35강 정비례 관계의 그래프의 성질

정답과 해설 _ p.49

1. 정비례 관계의 그래프의 성질 up+

정비례 관계 $y=ax(a\neq0)$의 그래프는 원점을 지나는 직선이다.

$a>0$일 때	$a<0$일 때
• 오른쪽 위로 향하는 직선이다. • 제1사분면과 제3사분면을 지난다. • x의 값이 증가하면 y의 값도 증가한다.	• 오른쪽 아래로 향하는 직선이다. • 제2사분면과 제4사분면을 지난다. • x의 값이 증가하면 y의 값은 감소한다.

참고 a의 절댓값이 클수록 y축에 가까워진다.

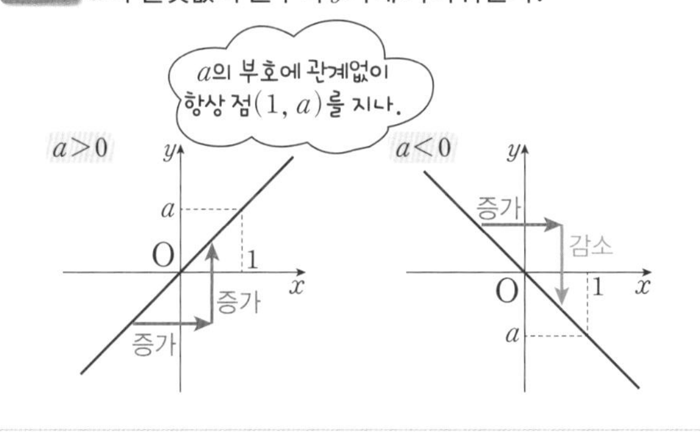

01 다음 정비례 관계의 그래프를 모두 그리고, 물음에 답하시오.

㉠ $y=x$　　㉡ $y=\frac{1}{2}x$　　㉢ $y=2x$

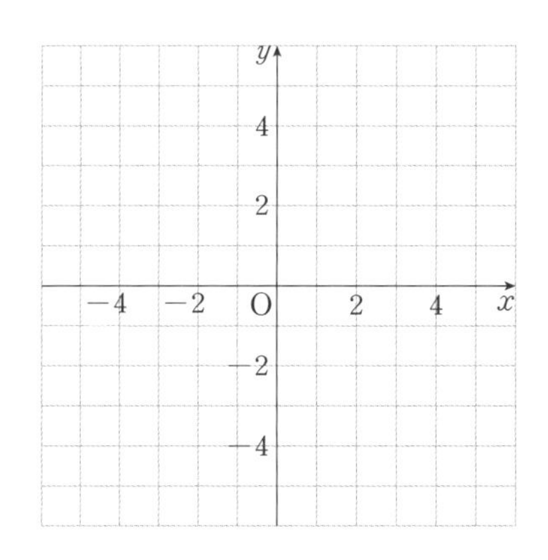

(1) 그래프는 제몇 사분면 위에 그려지는지 모두 구하시오.

(2) y축에 가장 가까운 그래프의 식을 고르시오.

02 다음 보기의 정비례 관계의 그래프에 대하여 다음을 구하시오.

보기
ㄱ. $y=-2x$　　ㄴ. $y=5x$
ㄷ. $y=\frac{1}{5}x$　　ㄹ. $y=-4x$

(1) 그래프가 y축에 가까운 순서대로 기호를 쓰시오.

(2) x의 값이 증가할 때, y의 값도 증가하는 그래프

(3) x의 값이 증가할 때, y의 값은 감소하는 그래프

(4) 제1사분면을 지나는 그래프

03 다음 보기의 정비례 관계의 그래프에 대하여 다음을 구하시오.

보기
ㄱ. $y=-\frac{4}{5}x$　　ㄴ. $y=7x$
ㄷ. $y=-3x$　　ㄹ. $y=\frac{2}{3}x$

(1) 그래프가 y축에 가까운 순서대로 기호를 쓰시오.

(2) x의 값이 증가할 때, y의 값도 증가하는 그래프

(3) x의 값이 증가할 때, y의 값은 감소하는 그래프

(4) 제2사분면을 지나는 그래프

04 다음 중 정비례 관계 $y=-\frac{5}{2}x$의 그래프에 대한 설명으로 옳은 것에는 ○표, 옳지 않은 것에는 ×표를 하시오.

(1) 원점을 지나지 않는다. ( )

(2) 제2사분면을 지난다. ( )

(3) 정비례 관계 $y=-\frac{3}{2}x$의 그래프보다 y축에 더 가깝다. ( )

(4) x의 값이 증가하면 y의 값도 증가한다. ( )

(5) 점 $(2, -5)$를 지난다. ( )

05 다음 그래프가 나타내는 정비례 관계의 식을 아래 보기에서 찾으시오.

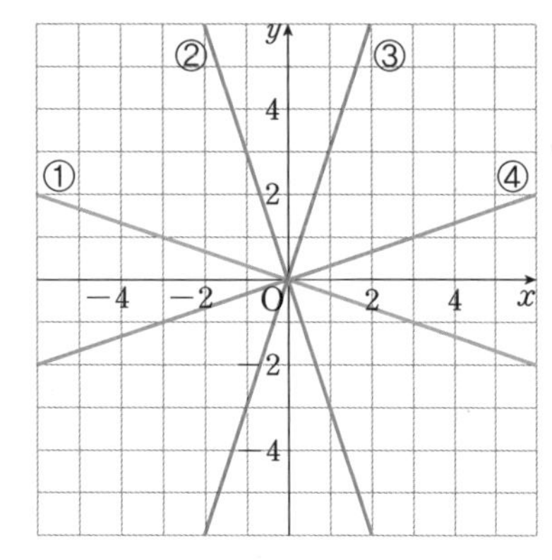

| 보기 |

ㄱ. $y=\frac{1}{3}x$ ㄴ. $y=-\frac{1}{3}x$

ㄷ. $y=3x$ ㄹ. $y=-3x$

① ________ ② ________

③ ________ ④ ________

2. 정비례 관계의 그래프에서 관계의 식 구하기

$y=ax(a\neq0)$로 놓고 그래프가 지나는 점의 좌표를 이용하여 상수 a의 값을 구한다.

그래프가 점 (●, ▲)를 지난다.

➡ x=●, y=▲를 $y=ax$에 대입한다.

➡ ▲ = a × ● ∴ a = ▲/●

06 정비례 관계 $y=ax$의 그래프가 다음 점을 지날 때, 상수 a의 값을 구하시오.

(1) $(1, 2)$

(2) $(-2, 6)$

(3) $\left(\frac{1}{3}, 5\right)$

(4) $(-2, 8)$

(5) $(2, -2)$

(6) $(1, -5)$

(7) $(8, 3)$

(8) $\left(\frac{1}{4}, \frac{1}{2}\right)$

07 다음 그래프는 $y=ax(a\neq0)$의 꼴이다. a의 값을 구하고 그래프가 나타내는 식을 구하시오.

(1)

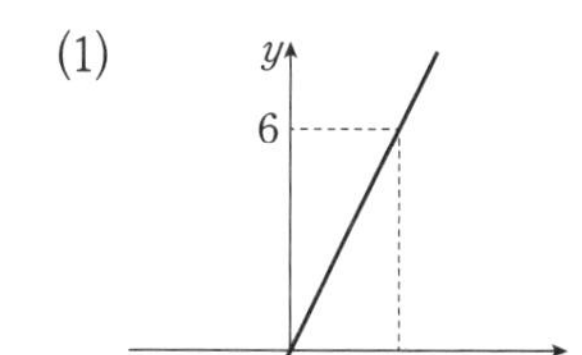

$a=$ □

(2)

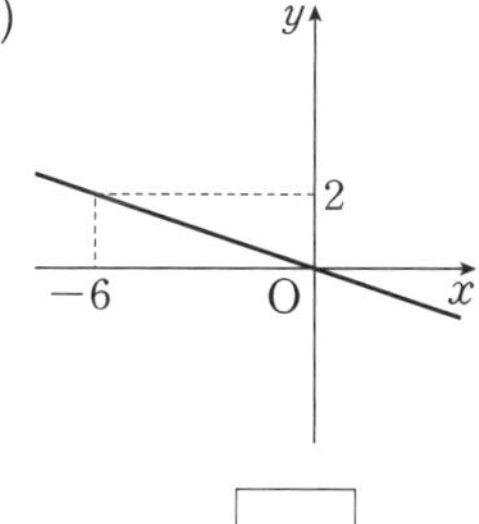

$a=$ □

(3)

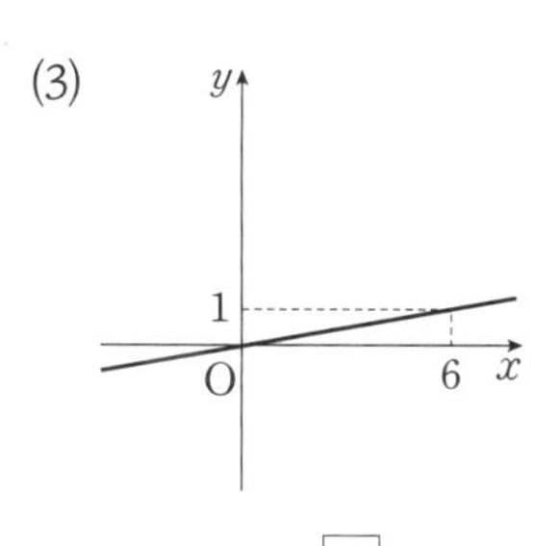

$a=$ □

(4)

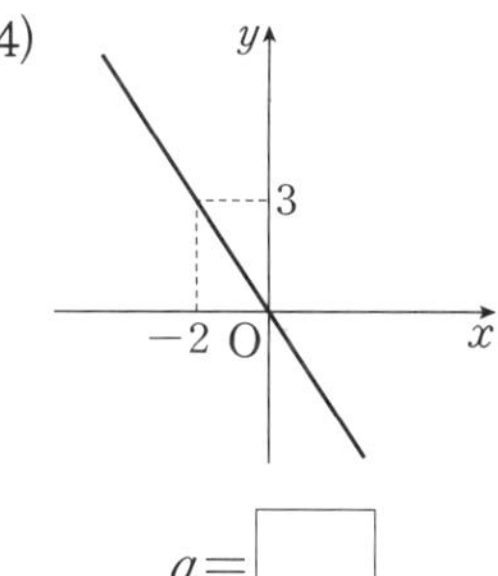

$a=$ □

08 y가 x에 정비례하고, 주어진 점을 지나는 그래프가 나타내는 식을 구하시오.

(1) 점 $(-2, 10)$

(2) 점 $(3, 5)$

(3) 점 $(2, -8)$

(4) 점 $(5, -35)$

(5) 점 $(-3, 12)$

09 다음을 구하시오.

(1) 정비례 관계 $y=ax$의 그래프가 두 점 $(2, 2)$, $(b, 3)$을 지날 때, b의 값 (단, a는 상수)

(2) 정비례 관계 $y=ax$의 그래프가 두 점 $(3, 6)$, $(-8, b)$를 지날 때, b의 값 (단, a는 상수)

(3) 정비례 관계 $y=ax$의 그래프가 두 점 $(-2, 6)$, $\left(b, \frac{1}{2}\right)$을 지날 때, b의 값 (단, a는 상수)

(4) 정비례 관계 $y=ax$의 그래프가 두 점 $(5, -3)$, $\left(b, \frac{12}{5}\right)$를 지날 때, b의 값 (단, a는 상수)

(5) 원점을 지나는 직선이 두 점 $(3, -1)$, $(1, b)$를 지날 때, b의 값

(6) 원점을 지나는 직선이 두 점 $(-4, 12)$, $(b, 5)$를 지날 때, b의 값

(7) 원점을 지나는 직선이 두 점 $(3, 9)$, $(-b, -6)$을 지날 때, b의 값

(8) 원점을 지나는 직선이 두 점 $(6, -36)$, $(-2, b)$를 지날 때, b의 값

원점을 지나는 직선을 나타내는 그래프의 식은 $y=ax(a\neq0)$의 꼴이다.

정답과 해설 _ p.51

01 정비례 관계 $y=ax(a\neq0)$의 그래프에 대한 설명 중 옳지 않은 것은?

① 원점을 지나는 직선이다.
② 점 $(1, a)$를 지난다.
③ 항상 오른쪽 위로 향하는 직선이다.
④ $a>0$일 때, 제1사분면과 제3사분면을 지난다.
⑤ $a<0$일 때, 제2사분면과 제4사분면을 지난다.

02 y가 x에 정비례하고, 점 $(-5, 20)$을 지나는 그래프가 나타내는 식을 구하시오.

$y=ax(a\neq0)$의 그래프가 점 (p, q)를 지나면 $y=ax$에 $x=p$, $y=q$를 대입한다

03 다음 정비례 관계의 그래프 중 정비례 관계 $y=-3x$보다 y축에 더 가까운 것은?

① $y=-x$ ② $y=-2x$ ③ $y=-\frac{1}{3}x$
④ $y=-\frac{5}{3}x$ ⑤ $y=-5x$

$y=ax(a\neq0)$의 그래프에서 a의 절댓값이 클수록 y축에 가까워진다.

04 오른쪽 그래프가 나타내는 식과 k의 값을 각각 구하시오.

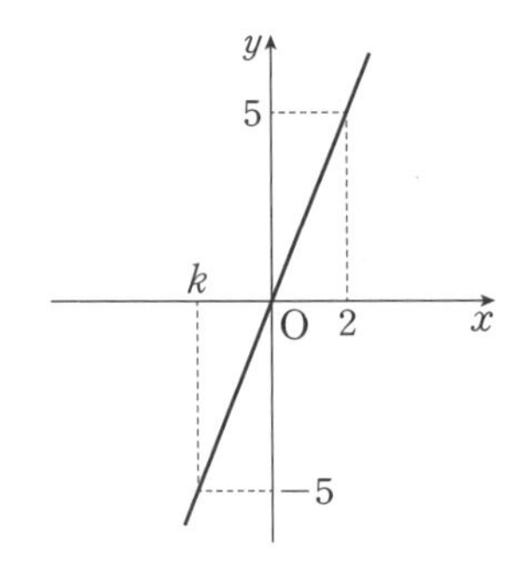

05 원점을 지나는 직선이 두 점 $(3, 9)$, $(b, -30)$을 지날 때, b의 값을 구하시오.

그래프의 관계식을 먼저 구한 후 b의 값을 구한다.

36강 반비례와 그 그래프

정답과 해설 _ p.51

1. 반비례 관계

(1) 반비례: 두 변수 x, y에 대하여 x의 값이 2배, 3배, 4배, …가 되면 y의 값은 $\frac{1}{2}$배, $\frac{1}{3}$배, $\frac{1}{4}$배, …가 되는 관계

(2) x와 y가 반비례하면 x와 y 사이에는

$$y=\frac{a}{x}(a\neq0)$$

가 성립한다.

참고 y가 x에 반비례할 때, xy의 값은 항상 일정하다.
즉, $y=\frac{a}{x}$에서 $xy=a$(일정)

x	1	2	3	…
y	12	6	4	…

(x: ×2, ×3 / y: $\times\frac{1}{2}$, $\times\frac{1}{3}$)

$x \times y$ → 12

$y=\frac{12}{x}$

y가 x에 반비례할 때, xy의 값은 항상 일정해.

01 y가 x에 반비례할 때, 다음 표를 완성하시오.

(1)

x	1	2	3	4	5	…
y	12	6			$\frac{12}{5}$	…

(2)

x	1	2	3	4	5	…
y	-8	-4	$-\frac{8}{3}$			…

(3)

x	1	2	3	4	5	…
y	-24		-8			…

(4)

x	1	2	3	4	5	…
y	6			$\frac{3}{2}$		…

02 다음 중 y가 x에 반비례하는 것에는 ○표, 아닌 것에는 ×표를 하시오.

(1) $y=4x$ ( )

(2) $y=\frac{1}{x}$ ( )

(3) $xy=-2$ ( )

(4) $y=\frac{x}{3}$ ( )

(5) $x=\frac{5}{y}$ ( )

(6) $7xy=1$ ( )

03 다음에서 x와 y 사이의 관계식을 구하시오.

(1) 무게가 1kg인 수박을 x조각으로 똑같이 나눌 때, 한 조각의 무게는 y kg이다.

(2) 5 km의 거리를 시속 x km로 달렸을 때 걸린 시간은 y시간이다.

(3) 가로의 길이가 x cm, 세로의 길이가 y cm인 직사각형의 넓이는 40 cm^2이다.

04 다음에서 x와 y 사이의 관계식을 구하시오.

(1) y가 x에 반비례하고, $x=2$일 때 $y=4$이다.

(2) y가 x에 반비례하고, $x=-2$일 때 $y=5$이다.

(3) y가 x에 반비례하고, $x=7$일 때 $y=-2$이다.

개념 Tip y가 x에 반비례하면 관계식을 $y=\frac{a}{x}(a\neq0)$로 놓는다.

2. 반비례 관계의 그래프 up+

x의 값의 범위에 따라 반비례 관계 $y=\frac{6}{x}$의 그래프를 그리면 다음과 같다.

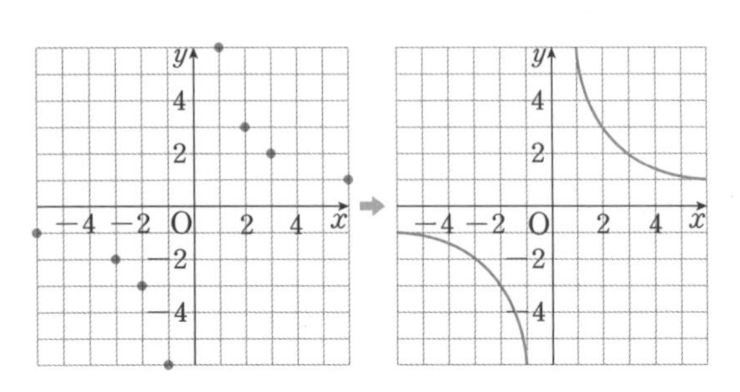

x의 값의 범위가 정수일 때 | x의 값의 범위가 수 전체일 때

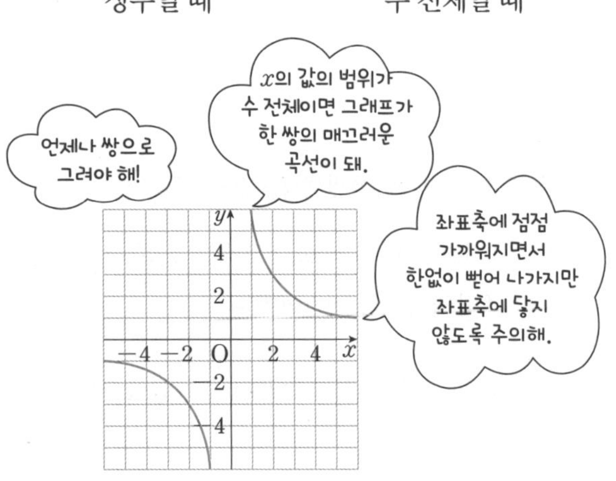

05 반비례 관계 $y=\frac{4}{x}$에 대하여 x의 값이 -4, -2, -1, 1, 2, 4일 때, 표를 완성하고 그래프를 좌표평면 위에 그리시오.

x	-4	-2	-1	1	2	4
y						

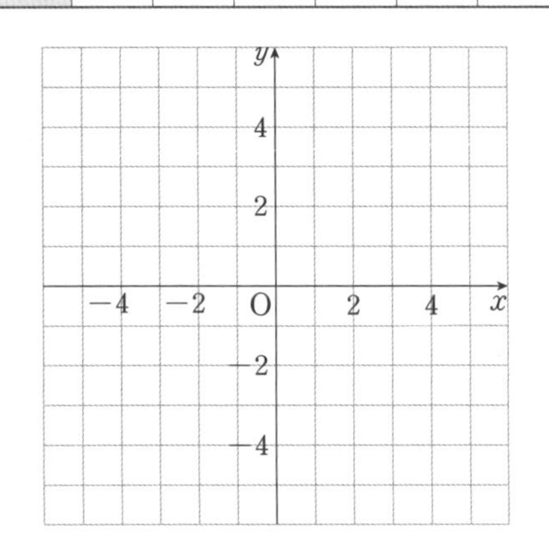

06 다음 반비례 관계의 그래프를 좌표평면 위에 그리시오.

(1) $y=\frac{5}{x}$

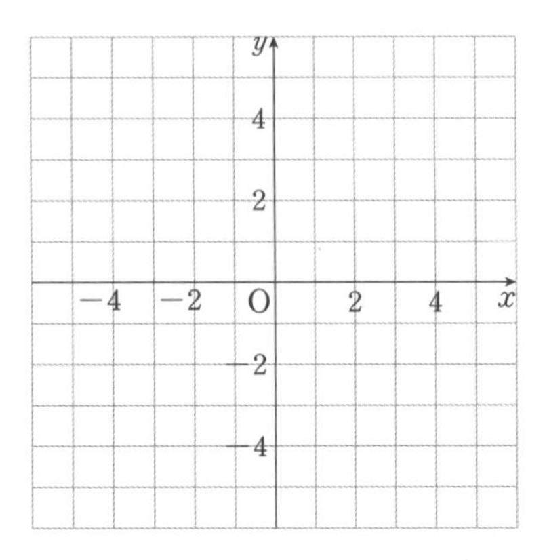

(2) $y=-\frac{12}{x}$

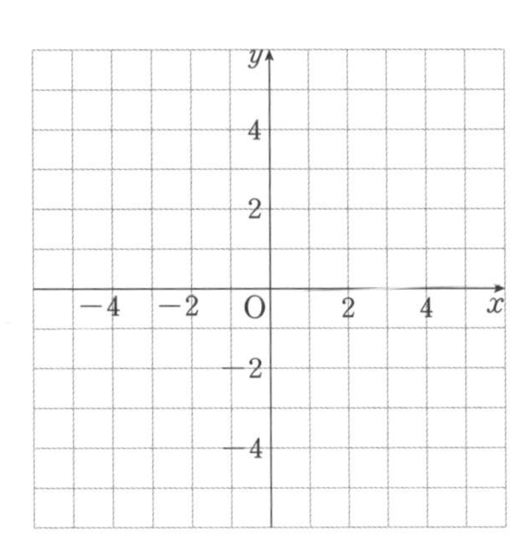

(3) $y=-\frac{8}{x}$

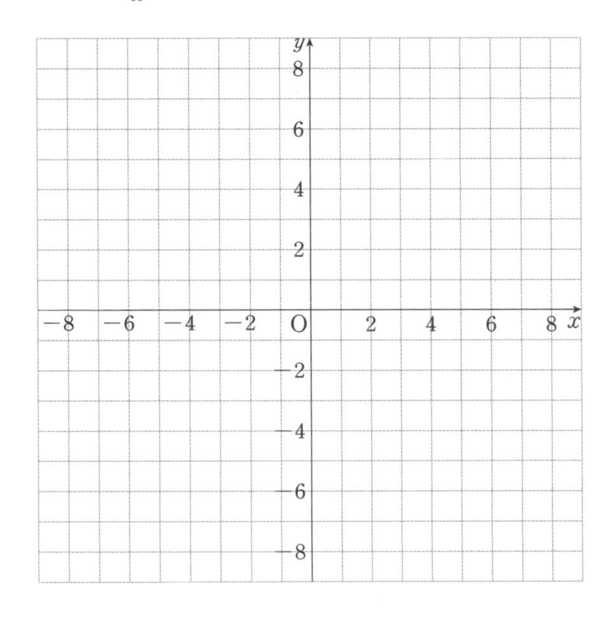

정답과 해설 _ p.52

01 오른쪽 표를 보고 물음에 답하시오.

x	1	2	3	4	…
y	24	12	8	6	…

(1) x와 y는 반비례하는지 말하시오.

(2) x와 y의 관계를 식으로 나타내시오.

x의 값이 2배, 3배, 4배, …가 되면 y의 값은 $\frac{1}{2}$배, $\frac{1}{3}$배, $\frac{1}{4}$배, …가 되는 관계가 있으면 x와 y는 반비례한다.

02 다음에서 x와 y 사이의 관계식을 구하시오.

(1) 구슬 100개를 x개의 상자에 똑같이 나누어 담을 때, 한 상자에 담기는 구슬의 개수 y개

(2) 넓이가 20 cm^2인 삼각형의 밑변의 길이 x cm와 높이 y cm

(삼각형의 넓이)
$=\frac{1}{2}\times$(밑변의 길이)$\times$(높이)

03 y가 x에 반비례하고 $x=-4$일 때 $y=8$이다. 이때 x와 y 사이의 관계식을 구하시오.

y가 x에 반비례하면
$y=\frac{a}{x}(a\neq0)$로 놓는다.

04 다음 반비례 관계의 그래프를 좌표평면 위에 그리시오.

(1) $y=\frac{3}{x}$

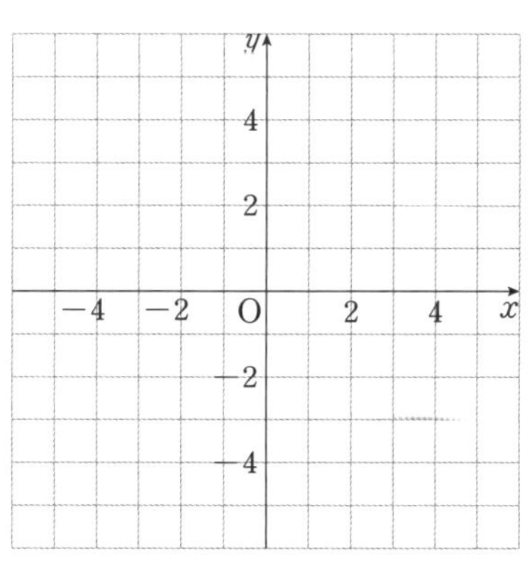

(2) $y=-\frac{10}{x}$

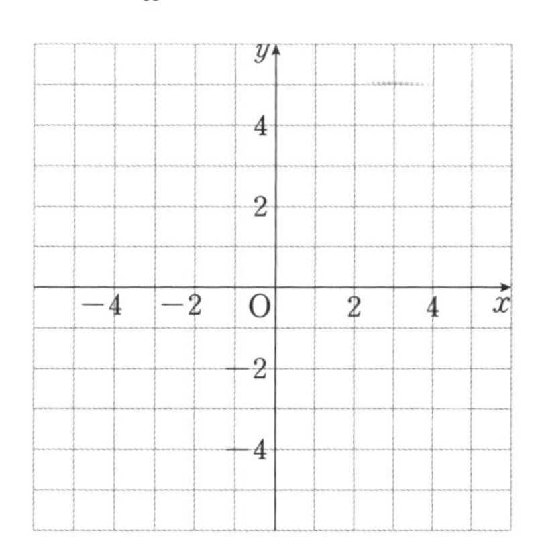

정답과 해설 _ p.53

1. 반비례 관계의 그래프의 성질

반비례 관계 $y=\frac{a}{x}\,(a\neq0)$의 그래프는 두 좌표축에 점점 가까워지면서 한없이 뻗어나가는 한 쌍의 매끄러운 곡선이다.

$a>0$일 때	$a<0$일 때
• 제1사분면과 제3사분면을 지난다. • 각 사분면에서 x의 값이 증가하면 y의 값은 감소한다.	• 제2사분면과 제4사분면을 지난다. • 각 사분면에서 x의 값이 증가하면 y의 값도 증가한다.

참고 a의 절댓값이 클수록 원점에서 멀어진다.

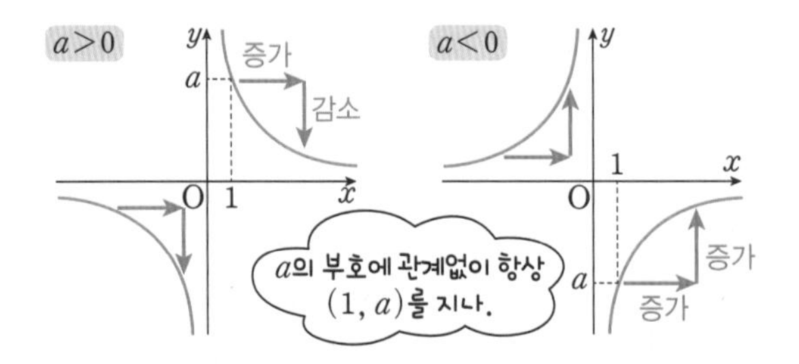

01 다음 반비례 관계의 그래프를 모두 그리고, 물음에 답하시오.

㉠ $y=\frac{5}{x}$ ㉡ $y=\frac{10}{x}$ ㉢ $y=\frac{15}{x}$

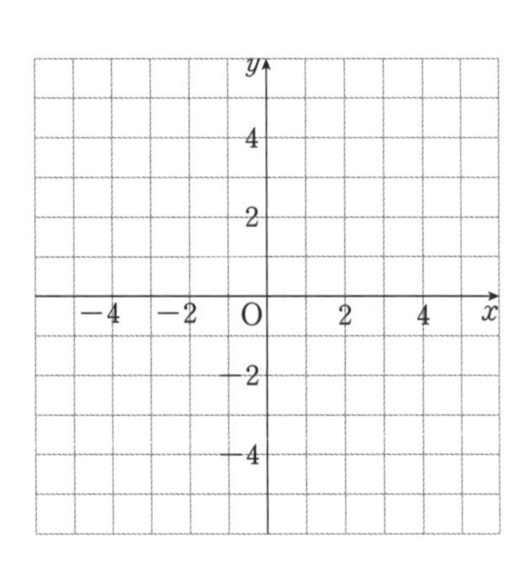

(1) 그래프는 제몇 사분면 위에 그려지는지 모두 구하시오.

(2) 원점에서 가장 먼 그래프의 식을 구하시오.

02 다음 보기의 반비례 관계의 그래프에 대하여 다음을 구하시오.

보기

ㄱ. $y=\frac{8}{x}$ ㄴ. $y=-\frac{6}{x}$

ㄷ. $y=\frac{24}{x}$ ㄹ. $y=-\frac{20}{x}$

(1) $x>0$에서 x의 값이 증가할 때, y의 값도 증가하는 그래프

(2) $x>0$에서 x의 값이 증가할 때, y의 값은 감소하는 그래프

(3) 제3사분면을 지나는 그래프

03 다음 보기의 반비례 관계의 그래프에 대하여 다음을 구하시오.

보기

ㄱ. $y=-\frac{4}{x}$ ㄴ. $y=-\frac{12}{x}$

ㄷ. $y=\frac{18}{x}$ ㄹ. $y=\frac{9}{x}$

(1) $x<0$에서 x의 값이 증가할 때, y의 값도 증가하는 그래프

(2) $x<0$에서 x의 값이 증가할 때, y의 값은 감소하는 그래프

(3) 제4사분면을 지나는 그래프

04 다음 중 반비례 관계 $y=-\frac{16}{x}$의 그래프에 대한 설명으로 옳은 것에는 ○표, 옳지 않은 것에는 ×표를 하시오.

(1) 원점을 지나지 않는다. ( )

(2) 제3사분면을 지난다. ( )

(3) 반비례 관계 $y=-\frac{15}{x}$보다 원점에서 더 멀리 떨어져 있다. ( )

(4) $x>0$에서 x의 값이 증가하면 y의 값도 증가한다. ( )

(5) 점 $(8, 2)$를 지난다. ( )

05 다음 그래프가 나타내는 반비례 관계의 식을 아래 보기에서 찾으시오.

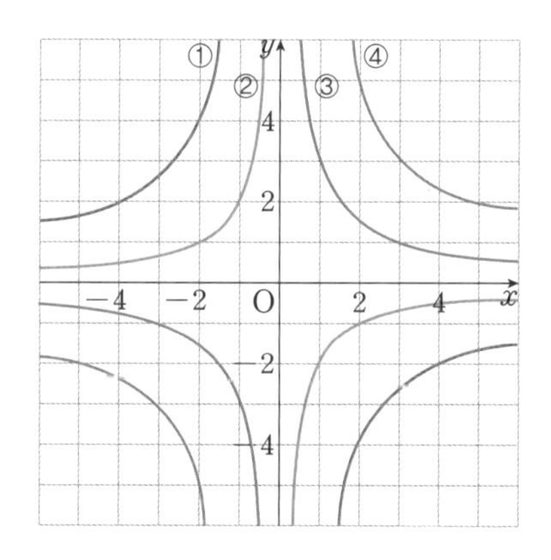

보기

ㄱ. $y=\frac{10}{x}$　　ㄴ. $y=\frac{3}{x}$

ㄷ. $y=-\frac{8}{x}$　　ㄹ. $y=-\frac{2}{x}$

① ________　② ________

③ ________　④ ________

2. 반비례 관계의 그래프에서 관계의 식 구하기

$y=\frac{a}{x}(a\neq0)$로 놓고 그래프가 지나는 점의 좌표를 이용하여 상수 a의 값을 구한다.

그래프가 점 (●, ▲)를 지난다.

➡ x=●, y=▲를 $y=\frac{a}{x}$에 대입한다.

➡ ▲ = $\frac{a}{●}$　　∴ a=●×▲

06 반비례 관계 $y=\frac{a}{x}(a\neq0)$의 그래프가 다음 점을 지날 때, 상수 a의 값을 구하시오.

(1) $(-1, 2)$

(2) $(3, 4)$

(3) $(-5, 2)$

(4) $(1, -6)$

(5) $\left(10, \frac{3}{2}\right)$

(6) $(-3, -7)$

(7) $\left(3, -\frac{2}{3}\right)$

07 다음 그래프는 $y=\frac{a}{x}$의 꼴이다. a의 값을 구하고 그래프가 나타내는 식을 구하시오.

(1)

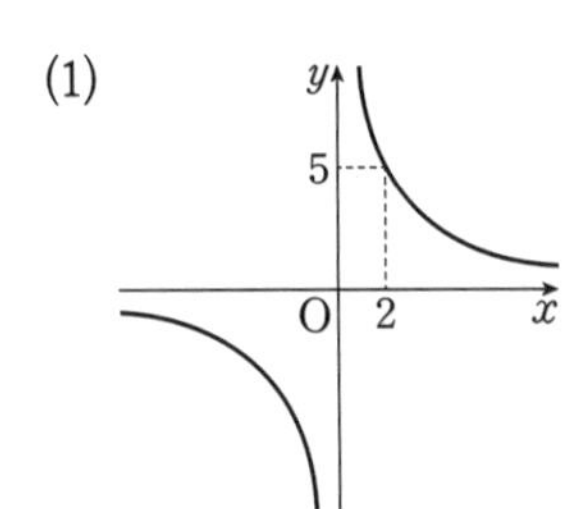

$a=$ ☐

(2)

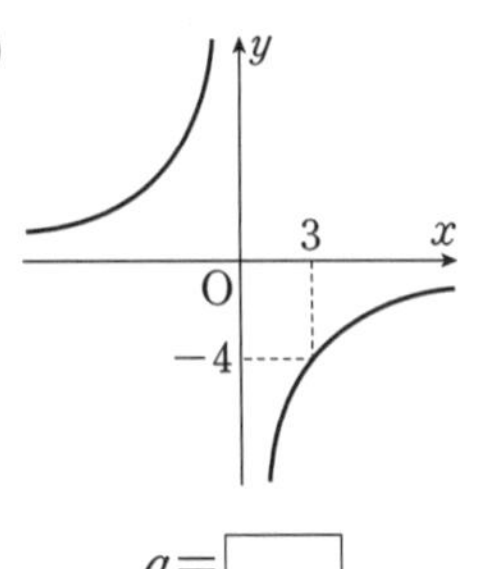

$a=$ ☐

(3)

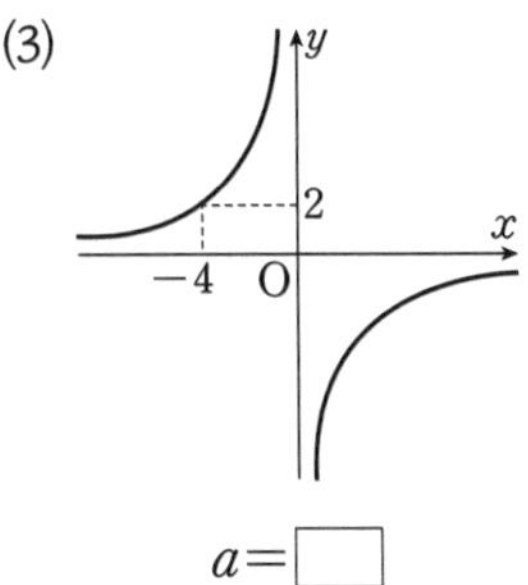

$a=$ ☐

(4)

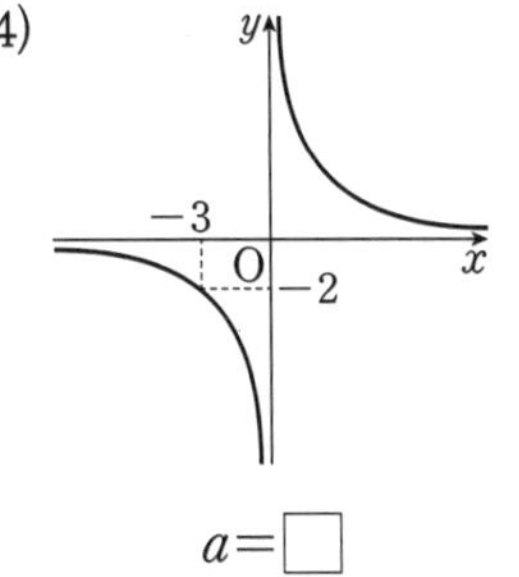

$a=$ ☐

08 y가 x에 반비례하고, 주어진 점을 지나는 그래프가 나타내는 식을 구하시오.

(1) 점 $(3, -6)$

(2) 점 $(4, 6)$

(3) 점 $(-3, 5)$

(4) 점 $(-7, -2)$

(5) 점 $(2, -8)$

09 다음을 구하시오. (단, a는 0이 아닌 상수)

(1) 반비례 관계 $y=\frac{a}{x}$의 그래프가 두 점 $(2, 2)$, $(b, -2)$를 지날 때, b의 값

(2) 반비례 관계 $y=\frac{a}{x}$의 그래프가 두 점 $(-3, 5)$, $(5, b)$를 지날 때, b의 값

(3) 반비례 관계 $y=\frac{a}{x}$의 그래프가 두 점 $(-2, 5)$, $(5, b)$를 지날 때, b의 값

(4) 반비례 관계 $y=\frac{a}{x}$의 그래프가 두 점 $(2, -6)$, $(-3, b)$를 지날 때, b의 값

(5) 반비례 관계 $y=\frac{a}{x}$의 그래프가 두 점 $(-5, 4)$, $(2, b)$를 지날 때, b의 값

(6) 반비례 관계 $y=\frac{a}{x}$의 그래프가 두 점 $(8, 3)$, $(-6, b)$를 지날 때, b의 값

(7) 반비례 관계 $y=\frac{a}{x}$의 그래프가 두 점 $(8, -5)$, $(b, -2)$를 지날 때, b의 값

정답과 해설 _ p.55

01 반비례 관계 $y=\frac{a}{x}(a\neq0)$의 그래프에 대한 다음 설명 중 옳은 것은?

① 원점을 지나는 곡선이다.
② 점 $\left(1, \frac{1}{a}\right)$을 지난다.
③ $a<0$일 때, 오른쪽 위로 향하는 직선이다.
④ $a>0$일 때, 제1사분면과 제3사분면을 지난다.
⑤ $a<0$일 때, 제2사분면과 제3사분면을 지난다.

02 y가 x에 반비례하고, 점 $\left(-6, -\frac{2}{3}\right)$를 지나는 그래프가 나타내는 식을 구하시오.

$y=\frac{a}{x}(a\neq0)$의 그래프가 점 (p, q)를 지나면 $y=\frac{a}{x}$에 $x=p$, $y=q$를 대입한다.

03 다음 반비례 관계의 그래프 중 반비례 관계 $y=-\frac{5}{x}$보다 원점에서 더 먼 것은?

① $y=-\frac{1}{x}$ ② $y=-\frac{2}{x}$ ③ $y=-\frac{3}{x}$
④ $y=-\frac{7}{x}$ ⑤ $y=-\frac{4}{x}$

$y=\frac{a}{x}(a\neq0)$의 그래프에서 a의 절댓값이 클수록 원점에서 멀어진다.

04 오른쪽 그래프가 나타내는 식과 k의 값을 각각 구하시오.

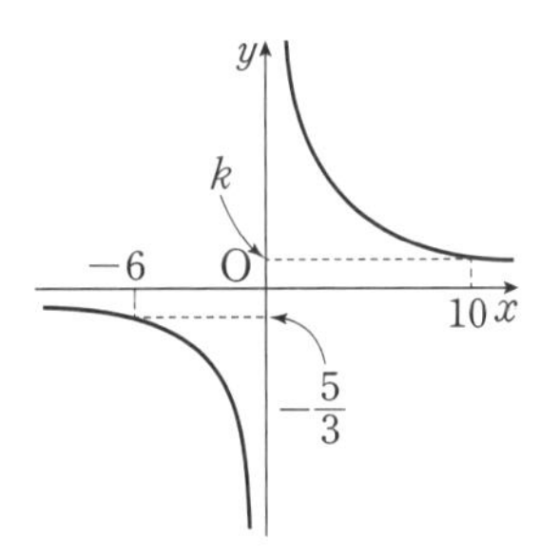

05 반비례 관계 $y=\frac{a}{x}(a\neq0)$의 그래프가 두 점 $(2, -16)$, $(b, -8)$을 지날 때, b의 값을 구하시오.

그래프의 관계식을 먼저 구한 후 b의 값을 구한다.

38강 정비례와 반비례의 활용

정답과 해설 _ p.55

1. 정비례 관계의 활용 up+

❶ 변화하는 두 양을 x와 y로 놓는다.

❷ 두 변수 x와 y가 정비례 관계인지 확인한다.

❸ 정비례 관계이면 $y=ax$로 놓고 a의 값을 찾은 후, 문제의 조건에 맞는 답을 구한다.

❹ 구한 답이 문제의 뜻에 맞는지 확인한다.

정비례 관계인 경우

- x의 값이 2배, 3배, 4배, …가 되면 y의 값도 2배, 3배, 4배, …가 될 때
- $y=ax(a\neq0)$의 꼴로 나타날 때
- $\frac{y}{x}$의 값이 일정하게 나타날 때

x와 y 사이의 비 $x:y$가 일정한 경우도 포함돼.

01 용량이 80 L인 빈 물통에 매분 4 L씩 물을 넣으려고 한다. x분 후 물통 안에 있는 물의 양을 y L라고 할 때, 물음에 답하시오.

(1) 표의 빈칸을 채우시오.

x	1	2	3	4	…	20
y	4				…	

(2) x와 y 사이의 관계식을 구하시오.

(3) 물을 넣기 시작한 지 15분 후 물통 안에 있는 물의 양의 구하시오.

02 어떤 자동차가 휘발유 1 L로 12 km를 갈 수 있다고 한다. 이 자동차가 x L의 휘발유로 갈 수 있는 거리를 y km라 할 때, 물음에 답하시오.

(1) x와 y 사이의 관계식을 구하시오.

(2) 이 자동차가 8 L의 휘발유로 갈 수 있는 거리를 구하시오.

03 어떤 자동차는 휘발유 1 L로 13 km를 갈 수 있다고 한다. 이 자동차가 x L의 휘발유로 갈 수 있는 거리를 y km라 할 때, 물음에 답하시오.

(1) x와 y 사이의 관계식을 구하시오.

(2) 이 자동차가 91 km를 갈려면 몇 L의 휘발유가 필요한지 구하시오.

04 시속 70 km로 달리는 자동차가 x시간 동안 달린 거리를 y km라 할 때, 물음에 답하시오.

(1) x와 y 사이의 관계식을 구하시오.

(2) 이 자동차로 2시간 동안 간 거리를 구하시오.

05 시속 25 km로 달리는 자동차로 x시간 동안 달린 거리를 y km라 할 때, 물음에 답하시오.

(1) x와 y 사이의 관계식을 구하시오.

(2) 이 자동차로 100 km를 가는 데 걸리는 시간을 구하시오.

2. 반비례 관계의 활용 up+

❶ 변화하는 두 양을 x와 y로 놓는다.

❷ 두 변수 x와 y가 반비례 관계인지 확인한다.

❸ 반비례 관계이면 $y=\frac{a}{x}$로 놓고 a의 값을 찾은 후, 문제의 조건에 맞는 답을 구한다.

❹ 구한 답이 문제의 뜻에 맞는지 확인한다.

반비례 관계인 경우

x의 값이 2배, 3배, 4배, …가 되면 y의 값은 $\frac{1}{2}$배, $\frac{1}{3}$배, $\frac{1}{4}$배, …가 될 때

$y=\frac{a}{x}(a\neq0)$의 꼴로 나타날 때

xy의 값이 일정하게 나타날 때

06 넓이가 16 m^2인 직사각형 모양의 꽃밭을 만들려고 한다. 가로의 길이를 x m, 세로의 길이를 y m라 할 때, 물음에 답하시오.

(1) 아래 표의 빈칸을 채우시오.

x	1	2	4	8	16
y	16				

(2) x와 y 사이의 관계식을 구하시오.

(3) 가로의 길이를 4 m로 할 때, 세로의 길이를 몇 m로 하면 되는지 구하시오.

(4) 세로의 길이를 8 m로 할 때, 가로의 길이를 몇 m로 하면 되는지 구하시오.

07 현주네 가족은 집에서 140 km 떨어진 할머니 댁으로 가려고 한다. 자동차를 타고 시속 x km로 달릴 때, 걸리는 시간을 y 시간이라 하자. 물음에 답하시오.

(1) x와 y 사이의 관계식을 구하시오.

(2) 시속 70 km로 달릴 때, 할머니 댁까지 가는 데 걸리는 시간을 구하시오.

08 서울에서 부산까지 자동차를 타고 가는 데 시속 100 km로 달리면 4시간이 걸린다고 한다. 시속 x km의 속력으로 달릴 때, 걸리는 시간을 y km라 하자. 물음에 답하시오.

(1) 서울에서 부산까지의 거리를 구하시오.

(2) x와 y 사이의 관계식을 구하시오.

(3) 서울에서 부산까지 5시간이 걸렸을 때, 시속 몇 km로 달렸는지 구하시오.

09 온도가 일정할 때, 기체의 부피 y cm^3는 압력 x기압과 반비례 관계이다. 어떤 기체의 부피가 20 cm^3일 때, 이 기체의 압력이 3기압이었다. 물음에 답하시오.

(1) x와 y 사이의 관계식을 구하시오.

(2) 압력이 2기압일 때, 이 기체의 부피를 구하시오.

10 온도가 일정할 때, 기체의 부피 y cm^3는 압력 x기압과 반비례 관계이다. 어떤 기체의 부피가 35 cm^3일 때, 이 기체의 압력이 5기압이었다. 물음에 답하시오.

(1) x와 y 사이의 관계식을 구하시오.

(2) 기체의 부피가 25 cm^3가 되려면 몇 기압의 압력을 가해야 하는지 구하시오.

01 가로의 길이가 8 cm, 세로의 길이가 x cm인 직사각형의 넓이를 y cm^{2}라 할 때, 물음에 답하시오.

(1) x와 y 사이의 관계식을 구하시오.

(2) 직사각형의 넓이가 72 cm^{2}일 때, 세로의 길이를 구하시오.

(직사각형의 넓이)
=(가로의 길이)
×(세로의 길이)

02 용량이 160 L인 빈 물통에 매분 4 L씩 물을 넣으려고 한다. x분 후 물통 안에 있는 물의 양을 y L라고 할 때, 물음에 답하시오.

(1) x와 y 사이의 관계식을 구하시오.

(2) 물통에 채운 물의 양이 56 L가 되는 것은 물을 채우기 시작한 지 몇 분 후인지 구하시오.

03 x %의 소금물 y g에 들어 있는 소금의 양이 36 g일 때, 물음에 답하시오.

(1) x와 y 사이의 관계를 식으로 나타내시오.

(2) 소금물의 농도가 9 %일 때, 소금물의 양을 구하시오.

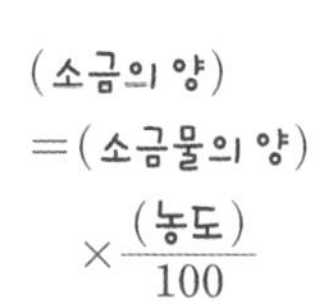

04 자동차를 타고 210 km를 시속 x km의 속력으로 달렸더니 y시간이 걸렸다. 시속 70 km로 달렸을 때 걸리는 시간을 구하시오.

(시간)$=\frac{(거리)}{(속력)}$

05 용량이 500 L인 수조에 매분 x L씩 일정하게 물을 받고 있다. 수조에 물을 가득 채울 때까지 걸리는 시간을 y분이라 하자. 매분 25 L씩 물을 받을 때, 수조에 물이 가득 찰 때까지 걸리는 시간은 몇 분인지 구하시오.

정답과 해설 _ p.56

01 다음 중 y가 x에 정비례하는 것에는 ○표, 정비례하지 않는 것에는 ×표를 ( ) 안에 써넣으시오.

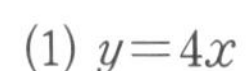

(1) $y=4x$ ( )

(2) $xy=7$ ( )

(3) $y=2-x$ ( )

(4) $y=-\frac{1}{2}x$ ( )

(5) $y=\frac{5}{x}$ ( )

02 다음 좌표평면 위의 그래프 중 주어진 식의 정비례 관계식의 그래프인 것을 찾아 기호를 쓰시오.

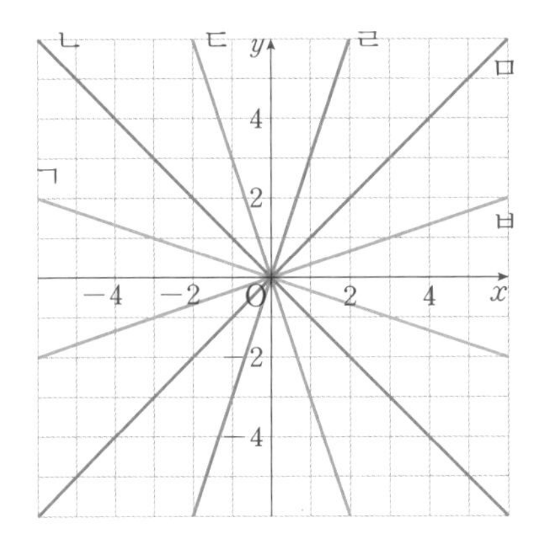

(1) $y=x$

(2) $y=-\frac{1}{3}x$

(3) $y=\frac{1}{3}x$

(4) $y=-3x$

03 정비례 관계 $y=7x$의 그래프가 다음 점을 지날 때, a의 값을 구하시오.

(1) $(3,\ a)$

(2) $(a,\ -14)$

04 다음 그래프가 나타내는 x와 y 사이의 관계식을 구하시오.

(1)

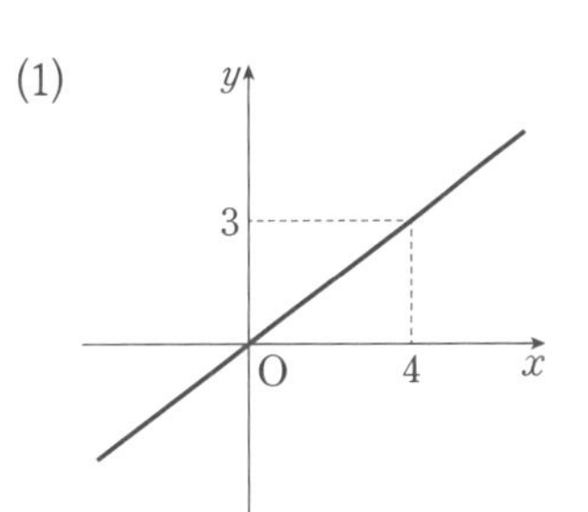

(2)

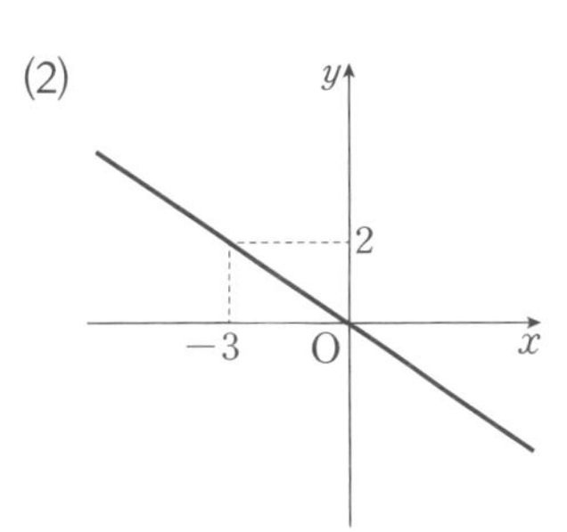

05 다음 중 정비례 관계 $y=5x$의 그래프에 대한 설명으로 옳은 것에는 ○표, 옳지 않은 것에는 ×표를 ( ) 안에 써넣으시오.

(1) x의 값이 커지면 y의 값도 커진다. ( )

(2) 오른쪽 위로 향하는 직선이다. ( )

(3) 제1사분면과 제2사분면을 지난다. ( )

(4) 점 $(-1,\ -5)$를 지난다. ( )

(5) 원점을 지나는 곡선이다. ( )

06 다음 중 y가 x에 반비례하는 것에는 ○표, 반비례하지 않는 것에는 ×표를 ( ) 안에 써넣으시오.

(1) 길이가 30 cm인 끈을 x cm씩 자르면 생기는 도막 수 y개 ( )

(2) 전체가 150쪽인 위인전을 매일 x쪽씩 읽으면 다 읽는 데 걸리는 날수 y일 ( )

(3) 둘레의 길이가 50 cm인 직사각형의 가로의 길이가 x cm일 때, 세로의 길이 y cm ( )

(4) 시속 x km로 y km를 가는 데 걸리는 시간 2시간 ( )

(5) 휘발유 1 L의 가격이 1600원인 주유소에서 휘발유 x L의 가격 y원 ( )

(6) 10 L짜리 물통에 물을 가득 채울 때 매분 x L씩 물을 넣으면 걸리는 시간 y분 ( )

07 다음 중 주어진 반비례 관계식의 그래프로 알맞은 것을 찾아 기호를 쓰시오.

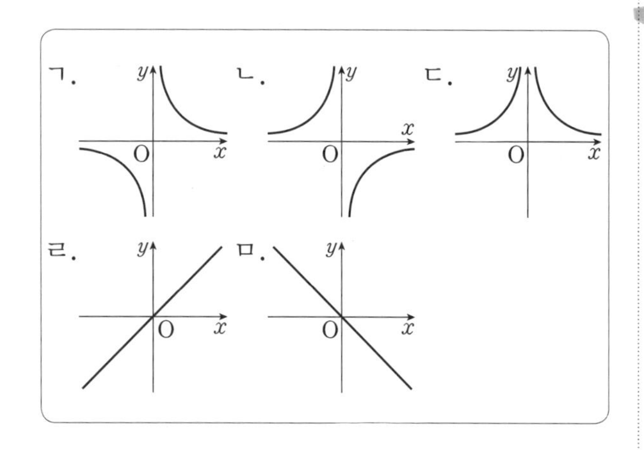

(1) $y=-\frac{3}{x}$

(2) $y=\frac{3}{x}$

08 다음 그래프가 나타내는 x와 y 사이의 관계식을 구하시오.

(1)

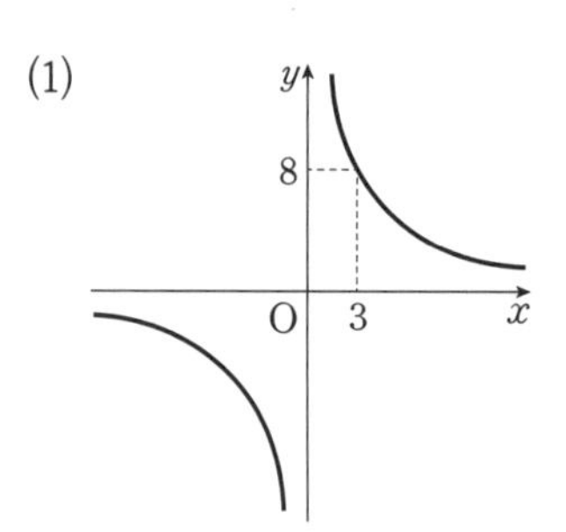

(2)

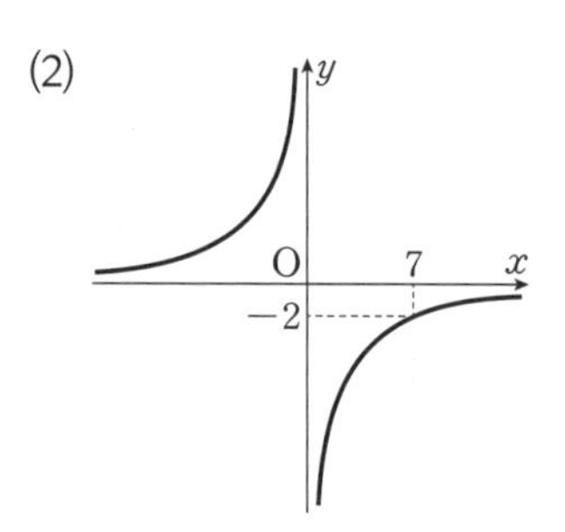

09 다음 중 반비례 관계 $y=-\frac{24}{x}$의 그래프에 대한 설명으로 옳은 것에는 ○표, 옳지 않은 것에는 ×표를 ( ) 안에 써넣으시오.

(1) 좌표축과 만나는 한 쌍의 곡선이다. ( )

(2) 원점을 지난다. ( )

(3) 제1사분면과 제3사분면을 지난다. ( )

(4) 제2사분면과 제4사분면을 지난다. ( )

(5) 점 $(8,\ -3)$을 지난다. ( )

정답과 해설 _ p.57

도전 100점

10 깊이가 90 cm인 직육면체 모양의 빈 물통에 물을 넣을 때, 물의 높이는 매분 3 cm씩 일정하게 증가한다. 물을 넣기 시작한 지 x분 후의 물의 높이를 y cm라 할 때, x와 y 사이의 관계식을 구하고, 물을 넣기 시작한 지 몇 분 후에 물의 높이가 60 cm가 되는지 구하시오. (단, $0 \leq x \leq 30$)

11 넓이가 108cm²인 직사각형의 가로의 길이가 x cm일 때, 세로의 길이는 y cm이다. 물음에 답하시오.

(1) 세로의 길이는 가로의 길이에 반비례하는가?

(2) x와 y 사이의 관계식을 구하시오.

(3) 가로의 길이가 12 cm일 때, 세로의 길이를 구하시오.

12 온도가 일정할 때, 기체의 부피 y cm³는 압력 x기압에 반비례한다. 어떤 기체의 부피가 24 cm³일 때, 이 기체의 압력이 3기압이었다. 물음에 답하시오.

(1) x와 y 사이의 관계식을 구하시오.

(2) 기체의 부피가 18 cm³가 되려면 몇 기압의 압력을 가해야 하는지 구하시오.

13 정비례 관계 $y=ax(a\neq0)$의 그래프가 오른쪽 그림과 같을 때, a의 값과 k의 값을 각각 구하시오. (단, a는 상수)

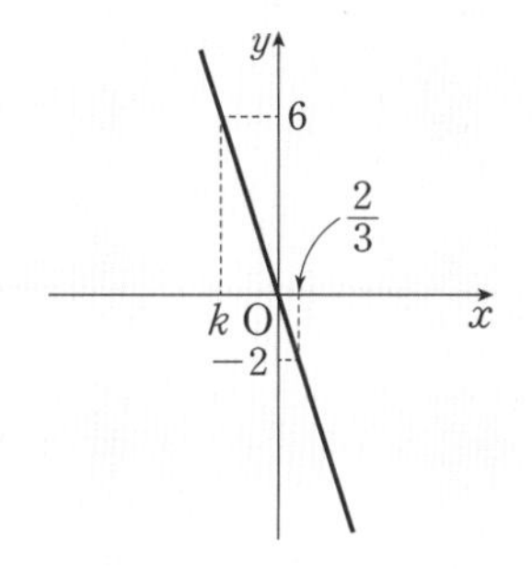

14 반비례 관계 $y=\frac{a}{x}(a\neq0)$의 그래프가 두 점 $(4, -20)$, $(b, -16)$을 지날 때, b의 값을 구하시오. (단, a는 상수)

15 어떤 쇼핑몰에서는 물건의 구매 금액 x원에 정비례하여 포인트 y점을 적립해 준다고 한다. 구매 금액이 6000원일 때, 적립되는 포인트가 300점이라면 구매 금액이 8400원일 때, 적립되는 포인트는 몇 점인지 구하시오.

16 용량이 560 L인 수조에 매분 x L씩 일정하게 물을 받고 있다. 수조에 물을 가득 채울 때까지 걸리는 시간을 y분이라 하자. 매분 35 L씩 물을 받을 때, 수조의 $\frac{1}{2}$만큼 물을 채울 때까지 걸리는 시간을 구하시오.

나만의 비법 노트

힘수 연산으로 **수학** 기초 체력 **UP!**

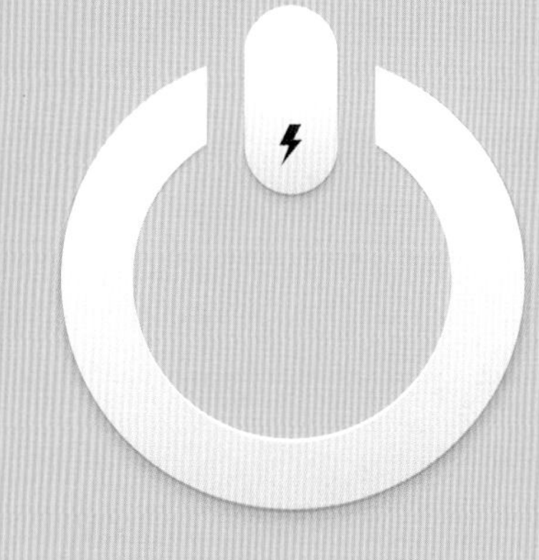

힘이 붙는 수학 연산

정답과 해설

중등 1-1

금성출판사

푸르넷 에듀 소개

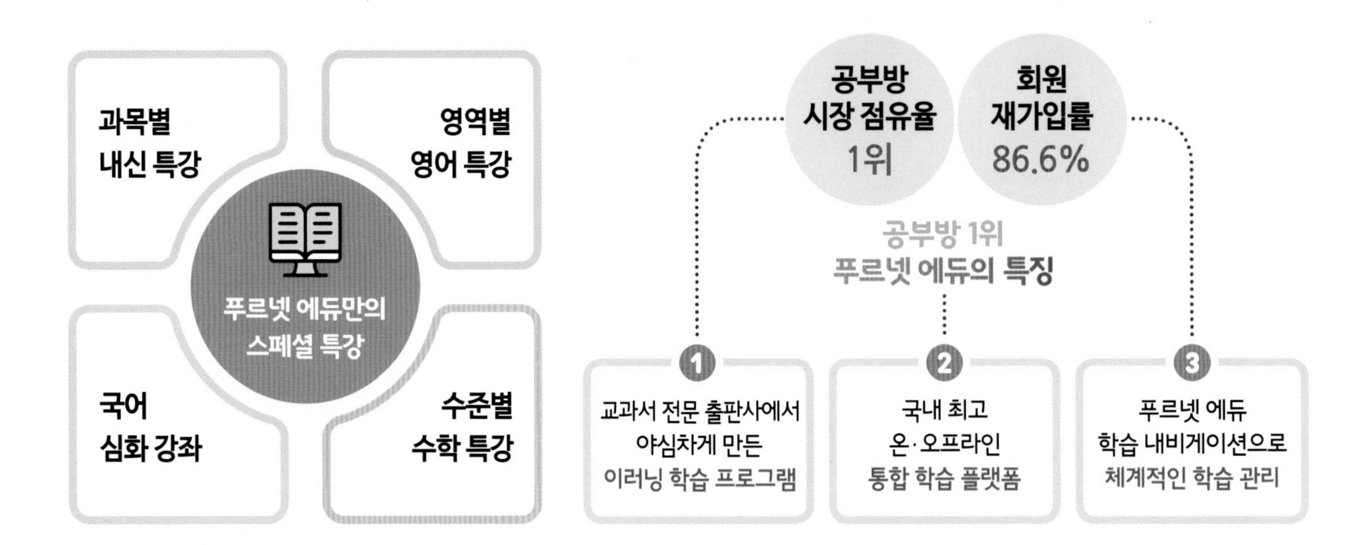

푸르넷 에듀 상품

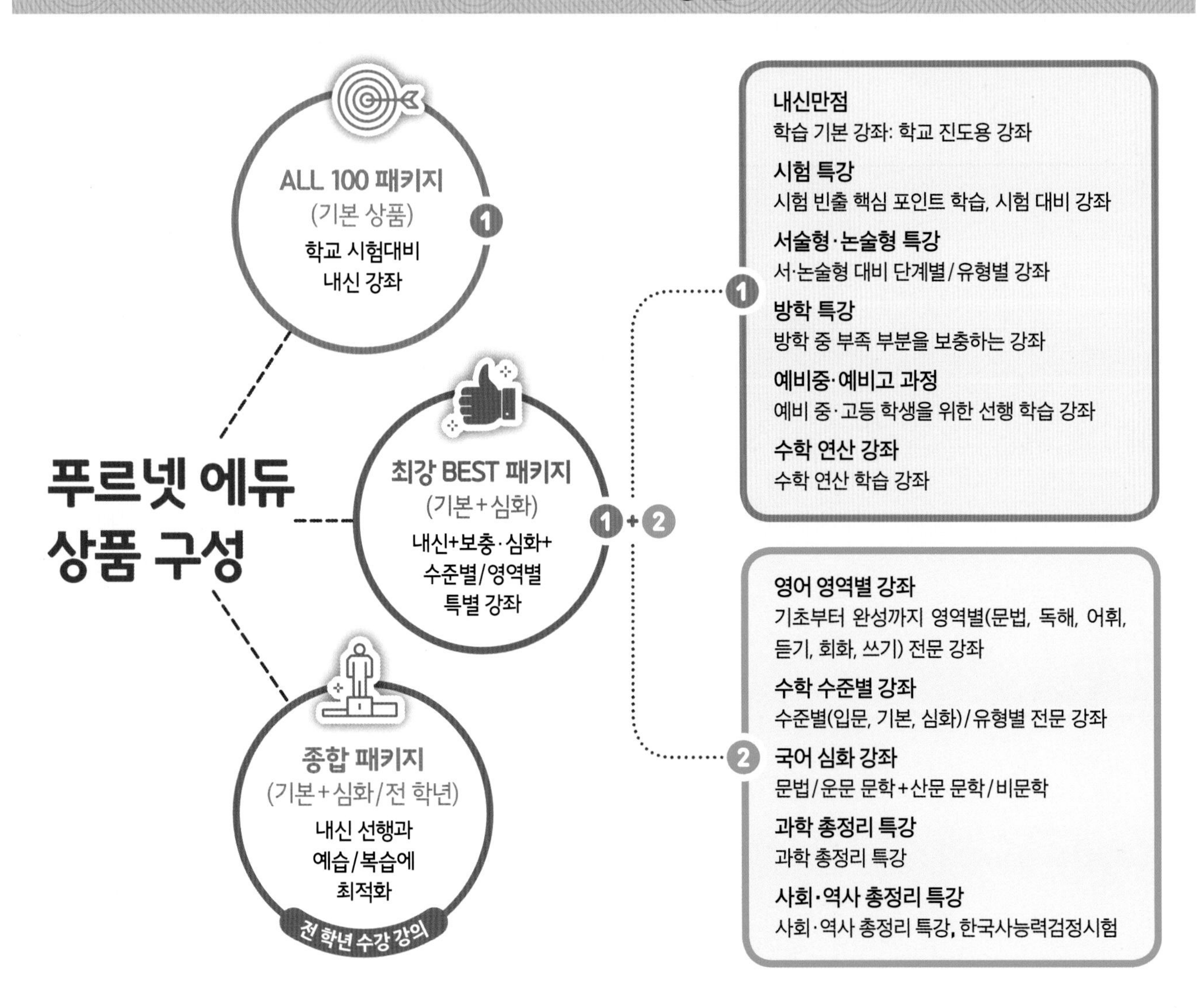

중등 1-1

정답과 해설

I 수와 연산

힘수 점검 7쪽

1. (1) 1, 7 (2) 1, 2, 3, 6 (3) 1, 3, 9
(4) 1, 3, 5, 9, 15, 45

2. (1) 4, 8, 12 (2) 10, 20, 30
(3) 12, 24, 36 (4) 15, 30, 45

3. (1) 4 (2) 6 (3) 13 (4) 8

4. (1) 10 (2) 18 (3) 36 (4) 225

5. (1) $\frac{11}{15}$ (2) $\frac{92}{63}\left(=1\frac{29}{63}\right)$ (3) $\frac{31}{24}\left(=1\frac{7}{24}\right)$
(4) $\frac{88}{21}\left(=4\frac{4}{21}\right)$

6. (1) $\frac{19}{30}$ (2) $\frac{45}{77}$ (3) $\frac{29}{21}\left(=1\frac{8}{21}\right)$ (4) $\frac{13}{40}$

1강 소수와 거듭제곱 8~9쪽

01 (1) 1, 3, 소수 (2) 1, 3, 9, 합성수
(3) 1, 2, 5, 10, 합성수
(4) 1, 2, 13, 26, 합성수 (5) 1, 41, 소수
02 (1) 5, 13, 17 (2) 2, 23 (3) 11, 31 (4) 29, 47, 101
03 2, 3, 5, 7, 11, 13, 17, 19, 23, 29, 31, 37, 41, 43, 47
04 (1) × (2) × (3) ○ (4) ○ (5) × (6) × (7) ○
05 (1) 5, 3 (2) 11, 5 (3) 7, 1 (4) $\frac{1}{7}$, 2
06 (1) 4 (2) 5 (3) 2, 3 (4) 3
07 (1) 3^2 (2) 7^6 (3) $2^3\times13^2$ (4) $\left(\frac{1}{5}\right)^4$ (5) $\left(\frac{1}{2}\right)^2\times\left(\frac{1}{3}\right)^5$
08 (1) 2, 3 (2) 4, 3 (3) 2, 1 (4) 2, 2
09 (1) 2^3 (2) 5^2 (3) 3^4 (4) 10^5

01 (1) 3의 약수는 1, 3이고 약수의 개수가 2개이므로 소수이다.
(2) 9의 약수는 1, 3, 9이고 약수의 개수가 3개이므로 합성수이다.
(3) 10의 약수는 1, 2, 5, 10이고 약수의 개수가 4개이므로 합성수이다.
(4) 26의 약수는 1, 2, 13, 26이고 약수의 개수가 4개이므로 합성수이다.
(5) 41의 약수는 1, 41이고 약수의 개수가 2개이므로 소수이다.

02 (1) 5, 13, 17은 약수가 2개이므로 소수이다.
(2) 2, 23은 약수가 2개이므로 소수이다.
(3) 11, 31은 약수가 2이므로 소수이다.
(4) 29, 47, 101은 약수가 2개이므로 소수이다.

03

~~1~~	②	③	~~4~~	⑤	~~6~~	⑦	~~8~~	~~9~~	~~10~~
⑪	~~12~~	⑬	~~14~~	~~15~~	~~16~~	⑰	~~18~~	⑲	~~20~~
~~21~~	~~22~~	㉓	~~24~~	~~25~~	~~26~~	~~27~~	~~28~~	㉙	~~30~~
㉛	~~32~~	~~33~~	~~34~~	~~35~~	~~36~~	㊲	~~38~~	~~39~~	~~40~~
㊶	~~42~~	㊸	~~44~~	~~45~~	~~46~~	㊼	~~48~~	~~49~~	~~50~~

따라서 구하는 소수는 2, 3, 5, 7, 11, 13, 17, 19, 23, 29, 31, 37, 41, 43, 47이다.

04 (1) 가장 작은 소수는 2이고, 1은 소수도 아니고 합성수도 아니다.
(2) 합성수는 약수가 3개 이상이다.
(5) 자연수는 1과 소수와 합성수로 이루어져 있다.
(6) 9는 홀수이지만 소수가 아니다.
(7) 5의 배수 중 소수는 5로 1개뿐이다.

08 (1) $2\times2\times3\times3\times3=2^2\times3^3$
(2) $5\times5\times5\times5\times7\times7\times7=5^4\times7^3$
(3) $13\times13\times17=13^2\times17$
17은 한 번 곱해져 있으므로 지수가 1이다.
(4) $\frac{1}{7}\times\frac{1}{7}\times\frac{1}{11}\times\frac{1}{11}=\left(\frac{1}{7}\right)^2\times\left(\frac{1}{11}\right)^2$

09 (1) $8=2\times2\times2=2^3$
(2) $25=5\times5=5^2$
(3) $81=3\times3\times3\times3=3^4$
(4) $100000=10\times10\times10\times10\times10=10^5$

힘수 만점 10쪽

01 2 **02** ②, ⑤ **03** ④ **04** ④ **05** 6

01 소수는 3, 29, 41의 3개이므로 $a=3$, 합성수는 4, 15, 39, 70, 81의 5개이므로 $b=5$이다.
따라서 $b-a=5-3=2$

02 ② 10보다 작은 소수는 2, 3, 5, 7의 4개이다.
⑤ 자연수는 1과 소수와 합성수로 이루어져 있다.

03 ① 5의 배수 중 5는 소수이다.
② 3, 5, 7, 11, …은 홀수이지만 소수이다.
③ 2는 짝수이지만 소수이다.
④ 4가 합성수이므로 4의 배수는 모두 합성수이다.
⑤ 약수의 개수가 2개인 자연수는 소수이다.

04 ① $3\times3\times3\times3=3^4$ ② $5^2=5\times5$
③ $7\times7\times7\times7\times7\times7\times7=7^7$
④ $3^5=3\times3\times3\times3\times3=243$
⑤ $\frac{1}{3\times3\times3\times11\times11}=\frac{1}{3^3\times11^2}$

05 $3\times2\times3\times5\times5\times5=2\times3^2\times5^3$이므로 $a=1$, $b=2$, $c=3$이다. 따라서 $a+b+c=1+2+3=6$

2강 + 소인수분해 11~13쪽

01 (1) 2, 2, 3, $2^2\times3\times7$ (2) 2, 2, 2, 3, $2^3\times3^2$
02 (1) $2^2\times3^2$, 소인수: 2, 3 (2) $2\times5\times7$, 소인수: 2, 5, 7
03 해설 참조
04 (1) ○ (2) ○ (3) × (4) ○ (5) × (6) ○
05 (1) 1, 5, 5^2, 5^3, 5^4 (2) 1, 3, 5, 9, 15, 45
(3) 1, 2, 4, 7, 14, 28, 49, 98, 196
(4) 1, 3, 7, 9, 21, 63
(5) 1, 2, 4, 5, 10, 20, 25, 50, 100
06 (1) 5 (2) 20 (3) 12 (4) 8 (5) 12
07 (1) ○ (2) × (3) × (4) ○ (5) × (6) ○
08 (1) 2 (2) 5 (3) 10 **09** (1) 2 (2) 3 (3) 2
10 (1) 7 (2) 10 (3) 5 (4) 14 (5) 7 (6) 22
11 (1) 5 (2) 3 (3) 2 (4) 5 (5) 21
12 (1) 2 (2) 3 (3) 2 (4) 2 (5) 6 (6) 3 (7) 10 (8) 15
13 (1) 3 (2) 7 (3) 10 (4) 7 (5) 3 (6) 29 (7) 10 (8) 15

02 (1)
```
2 ) 36
2 ) 18
3 )  9
     3
```
⇨ $36=2^2\times3^2$

(2)
```
2 ) 70
5 ) 35
     7
```
⇨ $70=2\times5\times7$

03 (1)

×	1	5	5^2
1	$1\times1=1$	$1\times5=5$	$1\times5^2=25$
2	$2\times1=2$	$2\times5=10$	$2\times5^2=50$

⇨ 2×5^2의 약수: 1, 2, 5, 10, 25, 50

(2)

×	1	7	7^2
1	$1\times1=1$	$1\times7=7$	$1\times7^2=49$
3	$3\times1=3$	$3\times7=21$	$3\times7^2=147$

⇨ 3×7^2의 약수: 1, 3, 7, 21, 49, 147

(3)

×	1	3	3^2
1	$1\times1=1$	$1\times3=3$	$1\times3^2=9$
2	$2\times1=2$	$2\times3=6$	$2\times3^2=18$
2^2	$2^2\times1=4$	$2^2\times3=12$	$2^2\times3^2=36$

⇨ $2^2\times3^2$의 약수: 1, 2, 3, 4, 6, 9, 12, 18, 36

04

×	1	7	7^2
1	1×1	1×7	1×7^2
2	2×1	2×7	2×7^2
2^2	$2^2\times1$	$2^2\times7$	$2^2\times7^2$
2^3	$2^3\times1$	$2^3\times7$	$2^3\times7^2$

따라서 7^3, $2^4\times7$은 약수가 아니다.

05 (1) 5^4의 약수는 1, 5, 5^2, 5^3, 5^4

(2)

×	1	5
1	$1\times1=1$	$1\times5=5$
3	$3\times1=3$	$3\times5=15$
3^2	$3^2\times1=9$	$3^2\times5=45$

따라서 $3^2\times5$의 약수는 1, 3, 5, 9, 15, 45

(3)

×	1	7	7^2
1	$1\times1=1$	$1\times7=7$	$1\times7^2=49$
2	$2\times1=2$	$2\times7=14$	$2\times7^2=98$
2^2	$2^2\times1=4$	$2^2\times7=28$	$2^2\times7^2=196$

따라서 $2^2\times7^2$의 약수는 1, 2, 4, 7, 14, 28, 49, 98, 196

(4) $63=3^2\times7$

×	1	7
1	$1\times1=1$	$1\times7=7$
3	$3\times1=3$	$3\times7=21$
3^2	$3^2\times1=9$	$3^2\times7=63$

따라서 63의 약수는 1, 3, 7, 9, 21, 63

(5) $100=2^2\times5^2$

×	1	5	5^2
1	$1\times1=1$	$1\times5=5$	$1\times5^2=25$
2	$2\times1=2$	$2\times5=10$	$2\times5^2=50$
2^2	$2^2\times1=4$	$2^2\times5=20$	$2^2\times5^2=100$

따라서 100의 약수는 1, 2, 4, 5, 10, 20, 25, 50, 100

06 (1) 2^4에서 약수의 개수는 $4+1=5$
(2) $2^4\times5^3$에서 약수의 개수는 $(4+1)\times(3+1)=20$
(3) $2^2\times3\times7$에서 약수의 개수는
$(2+1)\times(1+1)\times(1+1)=12$
(4) $135=3^3\times5$이므로 약수의 개수는
$(3+1)\times(1+1)=8$
(5) $150=2\times3\times5^2$이므로 약수의 개수는
$(1+1)\times(1+1)\times(2+1)=12$

07 어떤 자연수의 제곱이 되는 수는 소인수분해했을 때 모든 소인수의 지수가 짝수이다.

08 (1) 2 ⇨ $2\times2=2^2$
(2) 5^3 ⇨ $5^3\times5=5^4$
(3) 2×5 ⇨ $2\times5\times2\times5=2^2\times5^2$

09 (1) 2^5 ⇨ $2^5\div2=2^4$
(2) $2^4\times3$ ⇨ $2^4\times3\div3=2^4$
(3) 2×3^4 ⇨ $2\times3^4\div2=3^4$

10 (1) $5^2\times7$ ⇨ $5^2\times7\times7=5^2\times7^2$
따라서 곱해야 할 가장 작은 자연수는 7이다.
(2) $2^3\times5$ ⇨ $2^3\times5\times2\times5=2^4\times5^2$
따라서 곱해야 할 가장 작은 자연수는 $2\times5=10$이다.
(3) $2^2\times5^3$ ⇨ $2^2\times5^3\times5=2^2\times5^4$
따라서 곱해야 할 가장 작은 자연수는 5이다.
(4) $2\times3^2\times7$ ⇨ $2\times3^2\times7\times2\times7=2^2\times3^2\times7^2$
따라서 곱해야 할 가장 작은 자연수는 $2\times7=14$이다.
(5) $2^6\times7^3$ ⇨ $2^6\times7^3\times7=2^6\times7^4$
따라서 곱해야 할 가장 작은 자연수는 7이다.
(6) $2\times5^2\times11$ ⇨ $2\times5^2\times11\times2\times11$
$=2^2\times5^2\times11^2$
따라서 곱해야 할 가장 작은 자연수는 $2\times11=22$이다.

11 (1) 5^7 ⇨ $\frac{5^7}{5}=5^6$
따라서 나누어야 할 가장 작은 자연수는 5이다.
(2) 3×5^2 ⇨ $\frac{3\times5^2}{3}=5^2$
따라서 나누어야 할 가장 작은 자연수는 3이다.
(3) $2^3\times11^2$ ⇨ $\frac{2^3\times11^2}{2}=2^2\times11^2$
따라서 나누어야 할 가장 작은 자연수는 2이다.
(4) $2^2\times3^2\times5$ ⇨ $\frac{2^2\times3^2\times5}{5}=2^2\times3^2$
따라서 나누어야 할 가장 작은 자연수는 5이다.
(5) $3^3\times5^2\times7$ ⇨ $\frac{3^3\times5^2\times7}{3\times7}=3^2\times5^2$
따라서 나누어야 할 가장 작은 자연수는 $3\times7=21$이다.

12 (1) $8=2^3$이므로 $2^3\times2=2^4$
따라서 곱해야 할 가장 작은 자연수는 2이다.
(2) $12=2^2\times3$이므로 $2^2\times3\times3=2^2\times3^2$
따라서 곱해야 할 가장 작은 자연수는 3이다.
(3) $18=2\times3^2$이므로 $2\times3^2\times2=2^2\times3^2$
따라서 곱해야 할 가장 작은 자연수는 2이다.
(4) $32=2^5$이므로 $2^5\times2=2^6$
따라서 곱해야 할 가장 작은 자연수는 2이다.
(5) $54=2\times3^3$이므로 $2\times3^3\times2\times3=2^2\times3^4$
따라서 곱해야 할 가장 작은 자연수는 $2\times3=6$이다.
(6) $75=3\times5^2$이므로 $3\times5^2\times3=3^2\times5^2$
따라서 곱해야 할 가장 작은 자연수는 3이다.
(7) $90=2\times3^2\times5$이므로 $2\times3^2\times5\times2\times5=2^2\times3^2\times5^2$
따라서 곱해야 할 가장 작은 자연수는 $2\times5=10$이다.
(8) $135=3^3\times5$이므로 $3^3\times5\times3\times5=3^4\times5^2$
따라서 곱해야 할 가장 작은 자연수는 $3\times5=15$이다.

13 (1) $27=3^3$이므로 $\frac{3^3}{3}=3^2$
따라서 나누어야 할 가장 작은 자연수는 3이다.
(2) $28=2^2\times7$이므로 $\frac{2^2\times7}{7}=2^2$
따라서 나누어야 할 가장 작은 자연수는 7이다.
(3) $40=2^3\times5$이므로 $\frac{2^3\times5}{2\times5}=2^2$
따라서 나누어야 할 가장 작은 자연수는 $2\times5=10$이다.
(4) $63=3^2\times7$이므로 $\frac{3^2\times7}{7}=3^2$
따라서 나누어야 할 가장 작은 자연수는 7이다.
(5) $75=3\times5^2$이므로 $\frac{3\times5^2}{3}=5^2$
따라서 나누어야 할 가장 작은 자연수는 3이다.
(6) $116=2^2\times29$이므로 $\frac{2^2\times29}{29}=2^2$
따라서 나누어야 할 가장 작은 자연수는 29이다.
(7) $360=2^3\times3^2\times5$이므로 $\frac{2^3\times3^2\times5}{2\times5}=2^2\times3^2$
따라서 나누어야 할 가장 작은 자연수는 $2\times5=10$이다.
(8) $540=2^2\times3^3\times5$이므로 $\frac{2^2\times3^3\times5}{3\times5}=2^2\times3^2$
따라서 나누어야 할 가장 작은 자연수는 $3\times5=15$이다.

힘수 만점 

14쪽

01 ④ **02** ④ **03** ② **04** 3 **05** (1) 5 (2) 15

01 ① $36=2^2\times3^2$
② $56=2^3\times7$
③ $84=2^2\times3\times7$
⑤ $560=2^4\times5\times7$

02 $48=2^4\times3$이므로 48의 소인수는 2, 3이다.

① $30=2\times3\times5$ ⇨ 소인수: 2, 3, 5

② $34=2\times17$ ⇨ 소인수: 2, 17

③ $42=2\times3\times7$ ⇨ 소인수: 2, 3, 7

④ $144=2^4\times3^2$ ⇨ 소인수: 2, 3

⑤ $240=2^4\times3\times5$ ⇨ 소인수: 2, 3, 5

따라서 48과 소인수가 같은 것은 ④ 144이다.

03 ① $(2+1)\times(2+1)=9$

② $(3+1)\times(4+1)=20$

③ $(1+1)\times(2+1)\times(1+1)=12$

④ $(3+1)\times(1+1)=8$

⑤ $(3+1)\times(1+1)\times(1+1)=16$

따라서 약수의 개수가 가장 많은 것은 ② $3^3\times5^4$이다.

04 $2^2\times5^{\square}$의 약수의 개수가 12개이므로

$(2+1)\times(\square+1)=12$에서

$3\times(\square+1)=3\times4$, $\square+1=4$, $\square=3$

05 (1) $45=3^2\times5$이므로 곱해야 하는 자연수 중 가장 작은 수는 5이다.

(2) $45\times5=225=15^2$이므로 자연수 15의 제곱이 된다.

3강 최대공약수 15~16쪽

01 (1) 1, 2, 5, 10 / 1, 3, 5, 15 / 1, 5 / 5
(2) 1, 2, 3, 6, 9, 18 / 1, 2, 3, 4, 6, 8, 12, 24 / 1, 2, 3, 6 / 6
(3) 1, 3, 9, 27 / 1, 3, 5, 9, 15, 45 / 1, 3, 9 / 9

02 (1) 1, 7 (2) 1, 2, 3, 4, 6, 12
(3) 1, 5, 25 (4) 1, 2, 4, 8, 16, 32

03 (1) 4 (2) 3 (3) 8 (4) 6

04 (1) ○ (2) ○ (3) × (4) × (5) ○ (6) ×

05 (1) 2 (2) 14 (3) 10 (4) 12

06 (1) 2 (2) 20 (3) 14

07 (1) 3×5^2 (2) $2^2\times3$ (3) 2×5

08 (1) 2^2 (2) 2×3 (3) 2^3 (4) $2^2\times3$

02 두 수의 공약수는 두 수의 최대공약수의 약수와 같다.

03 두 수의 공약수의 개수는 두 수의 최대공약수의 약수의 개수와 같다.

(1) 35의 약수: 1, 5, 7, 35 ⇨ 4

(2) 49의 약수: 1, 7, 49 ⇨ 3

(3) 54의 약수: 1, 2, 3, 6, 9, 18, 27, 54 ⇨ 8

(4) 68의 약수: 1, 2, 4, 17, 34, 68 ⇨ 6

04 (1) 1과 4의 최대공약수는 1이므로 두 수는 서로소이다.

(2) 3과 5의 최대공약수는 1이므로 두 수는 서로소이다.

(3) 10과 16의 최대공약수는 2이므로 두 수는 서로소가 아니다.

(4) 24와 30의 최대공약수는 6이므로 두 수는 서로소가 아니다.

(5) 21과 43의 최대공약수는 1이므로 두 수는 서로소이다.

(6) 34와 51의 최대공약수는 17이므로 두 수는 서로소가 아니다.

05 (1)
$$\begin{array}{r|rr} 2 & 16 & 18 \\ \hline & 8 & 9 \end{array}$$
⇨ (최대공약수)$=2$

(2)
$$\begin{array}{r|rr} 2 & 28 & 42 \\ 7 & 14 & 21 \\ \hline & 2 & 3 \end{array}$$
⇨ (최대공약수)$=2\times7=14$

(3)
$$\begin{array}{r|rr} 2 & 30 & 50 \\ 5 & 15 & 25 \\ \hline & 3 & 5 \end{array}$$
⇨ (최대공약수)$=2\times5=10$

(4)
$$\begin{array}{r|rr} 2 & 24 & 36 \\ 2 & 12 & 18 \\ 3 & 6 & 9 \\ \hline & 2 & 3 \end{array}$$
⇨ (최대공약수)$=2\times2\times3=12$

06 (1)
$$\begin{array}{r|rrr} 2 & 8 & 10 & 30 \\ \hline & 4 & 5 & 15 \end{array}$$
⇨ (최대공약수)$=2$

(2)
$$\begin{array}{r|rrr} 2 & 20 & 40 & 60 \\ 2 & 10 & 20 & 30 \\ 5 & 5 & 10 & 15 \\ \hline & 1 & 2 & 3 \end{array}$$
⇨ (최대공약수)$=2\times2\times5=20$

(3)
$$\begin{array}{r|rrr} 2 & 28 & 70 & 84 \\ 7 & 14 & 35 & 42 \\ \hline & 2 & 5 & 6 \end{array}$$
⇨ (최대공약수)$=2\times7=14$

07 (1)
$$\begin{array}{rl} & 3^2\times5^3 \\ & 3\ \times5^2 \\ \hline \text{최대공약수:} & 3\ \times5^2 \end{array}$$

(2)
$$\begin{array}{rl} & 2^3\times3^2 \\ & 2^2\times3\ \times7 \\ \hline \text{최대공약수:} & 2^2\times3 \end{array}$$

(3)
$$\begin{array}{rl} & 2^2\times3\times5 \\ & 2\qquad\times5\times7 \\ \hline \text{최대공약수:} & 2\qquad\times5 \end{array}$$

08 공통인 소인수의 거듭제곱에서 지수가 같으면 그대로, 다르면 작은 것을 택하여 곱한다.

힘수 만점 17쪽

01 ③, ⑤ **02** $2^2\times3$ **03** ③ **04** ③ **05** 3

01 두 자연수의 최대공약수를 구하면 다음과 같다.
①7 ②3 ③1 ④3 ⑤1
따라서 서로소인 두 자연수로 짝 지어진 것은 ③, ⑤이다.

02 $252=2^2\times3^2\times7$이므로 세 수 $2^3\times3$, $2^2\times3^2$, $2^2\times3^2\times7$의 최대공약수는 $2^2\times3$이다.

03 두 수의 공약수는 최대공약수의 약수이므로 공약수는 12의 약수인 1, 2, 3, 4, 6, 12이다.

04 두 수 $2^3\times3\times7^2$, $2^2\times3\times7$의 최대공약수는 $2^2\times3\times7$이다.
③ $2^3\times3\times7$은 2의 지수가 최대공약수보다 크므로 공약수가 아니다.

05 $2^a\times3\times5^2$, $2^3\times3^2\times5^b$의 최대공약수가
$60=2^2\times3\times5$이므로 두 수의 공통인 소인수 2의 지수 a, 3 중 작은 것이 2이다.
⇨ $a=2$
또 두 수의 공통인 소인수 5의 지수 2, b 중 작은 것이 1이다.
⇨ $b=1$
따라서 $a+b=2+1=3$

4강 최소공배수 18~19쪽

01 (1) 4, 8, 12, 16, 20, 24, ⋯ / 6, 12, 18, 24, ⋯ / 12, 24, ⋯ / 12
(2) 8, 16, 24, 32, 40, 48, ⋯ / 12, 24, 36, 48, ⋯ / 24, 48, ⋯/ 24
(3) 16, 32, 48, 64, 80, 96, ⋯ / 24, 48, 72, 96, ⋯ / 48, 96, ⋯/ 48
(4) 6, 12, 18, 24, 30, 36, ⋯ / 9, 18, 27, 36, ⋯ / 12, 24, 36, 48, ⋯ / 36, 72, ⋯ / 36
(5) 10, 20, 30, 40, 50, 60, ⋯ / 30, 60, 90, 120, ⋯ / 20, 40, 60, 80, ⋯ / 60, 120, ⋯ / 60
02 (1) 8, 16, 24 (2) 10, 20, 30 (3) 24, 48, 72 (4) 32, 64, 96 (5) 40, 80, 120
03 (1) 42 (2) 60 (3) 108
04 (1) 120 (2) 120 (3) 175
05 (1) $2^3\times5^3$ (2) $2^2\times3^2\times5$ (3) $2^4\times3^2\times5\times7$
06 (1) $2^3\times3$ (2) $2^2\times3^2$ (3) $2^2\times3^2\times5\times7$ (4) $2^2\times3^3\times5^2$

02 두 수의 공배수는 두 수의 최소공배수의 배수와 같다.

03 (1)
```
7) 14 21
    2  3
```
⇨ (최소공배수)$=7\times2\times3=42$

(2)
```
2) 12 30
3)  6 15
    2  5
```
⇨ (최소공배수)$=2\times3\times2\times5=60$

(3)
```
3) 27 36
3)  9 12
    3  4
```
⇨ (최소공배수)$=3\times3\times3\times4=108$

04 (1)
```
2)  8 12 20
2)  4  6 10
    2  3  5
```
⇨ (최소공배수)$=2\times2\times2\times3\times5=120$

(2)
```
2) 12 24 30
3)  6 12 15
2)  2  4  5
    1  2  5
```
⇨ (최소공배수)$=2\times3\times2\times1\times2\times5=120$

(3)
```
5)  7 25 35
7)  7  5  7
    1  5  1
```
⇨ (최소공배수)$=5\times7\times1\times5\times1=175$

05 (1)
$2^3\times5^2$
2×5^3
최소공배수: $2^3\times5^3$

(2)
$2^2\times3\times5$
$2^2\times3^2$
최소공배수: $2^2\times3^2\times5$

(3)
$2^2\times3^2\times5$
$2^4\times5\times7$
최소공배수: $2^4\times3^2\times5\times7$

06 공통인 소인수의 거듭제곱에서 지수가 같으면 그대로, 다르면 큰 것을 택하여 곱한 것에 공통이 아닌 것을 모두 곱한다.
(4)
2×3^2
$2^2\times3^2\times5$
$3^3\times5^2$
최소공배수: $2^2\times3^3\times5^2$

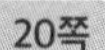

힘수 만점 20쪽

01 $2^2\times3^2\times5\times7$ **02** 105 **03** ① **04** 4 **05** ③

01 $9=3^2$이므로 세 수 3^2, $2^2\times5$, $2\times3^2\times7$의 최소공배수는 $2^2\times3^2\times5\times7$이다.

02 두 수의 공배수는 최소공배수인 15의 배수이므로
15, 30, 45, 60, 75, 90, 105, ⋯
따라서 두 수의 공배수 중 100에 가장 가까운 수는 105이다.

03 두 수 $3^2\times5$, $2\times3\times5^2$의 최소공배수는 $2\times3^2\times5^2$이다.
① $2\times3^2\times5$는 5의 지수가 최소공배수보다 작으므로 공배수가 아니다.

04
$$\begin{array}{r|lll} a & 5\times a & 6\times a & 9\times a \\ \hline 3 & 5 & 6 & 9 \\ \hline & 5 & 2 & 3 \end{array}$$
(최소공배수)$=a\times3\times5\times2\times3=a\times90$
즉, $a\times90=360$이므로 $a=4$

05
$$\begin{array}{ll} & 2\times3^a\times5 \\ & 2^3\times3^3\times5^b \\ \hline \text{최대공약수:} & 2\times3^2\times5 \\ \text{최소공배수:} & 2^3\times3^3\times5^3 \end{array}$$
$\downarrow$ $\downarrow$
$a=2$ $b=3$
따라서 $a+b=2+3=5$

5강 최대공약수와 최소공배수의 활용 21~23쪽

01 (1) 4, 5, 10, 20 (2) 3, 4, 6, 8, 12, 24 (3) 4
02 10명
03 (1) 100, 140, 20 (2) 20, 5, 20, 7, 35
04 (1) 9 cm (2) 105장 **05** 140개
06 (1) 3 (2) 2 (3) 84, 120, 12
07 18 **08** 16, 16, 최대공약수, 4
09 1, 2, 3, 6
10 (1) 6, 12, 18, 24 (2) 8, 16, 24, 32 (3) 24, 9, 24
11 오후 6시
12 (1) 12, 10, 6, 60 (2) 60, 5, 60, 6, 60, 10, 300
13 (1) 210 cm (2) 10장 **14** 96개
15 (1) 1, 1, 1, 1 (2) 36, 37 **16** 123
17 (1) 공약수 (2) 공배수 (3) $\frac{50}{9}$ **18** $\frac{35}{18}$

01 20과 24의 공약수는 1, 2, 4이고, 이 중 가장 큰 수는 4이므로 최대공약수는 4이다.

02 사과와 귤을 되도록 많은 학생이 남김없이 똑같이 나누어 먹어야 하므로 50과 30의 최대공약수를 구한다.
$$\begin{array}{r|ll} 2 & 50 & 30 \\ \hline 5 & 25 & 15 \\ \hline & 5 & 3 \end{array}$$
⇨ (최대공약수)$=2\times5=10$
따라서 10명의 학생이 나누어 먹을 수 있다.

03 (1) 타일의 한 변의 길이는 100과 140의 최대공약수인 $2\times2\times5=20$(cm)이다.
$$\begin{array}{r|ll} 2 & 100 & 140 \\ \hline 2 & 50 & 70 \\ \hline 5 & 25 & 35 \\ \hline & 5 & 7 \end{array}$$
(2) 필요한 타일의 수는
가로로 $100\div20=5$(장),
세로로 $140\div20=7$(장)이므로 모두 $5\times7=35$(장)이다.

04 (1) 빈틈없이 가능한 한 큰 정사각형 모양의 사진을 붙여야 하므로 사진의 한 변의 길이는 63과 135의 최대공약수인 $3\times3=9$(cm)이다.
$$\begin{array}{r|ll} 3 & 63 & 135 \\ \hline 3 & 21 & 45 \\ \hline & 7 & 15 \end{array}$$
(2) 필요한 사진의 수는 가로로 $63\div9=7$(장), 세로로 $135\div9=15$(장)이므로 모두 $7\times15=105$(장)이다.

05 정육면체 모양의 나무 블록의 크기를 최대로 해야 하므로 나무 블록의 한 모서리의 길이는 40, 70, 50의 최대공약수인 $2\times5=10$(cm)이다.
$$\begin{array}{r|lll} 2 & 40 & 70 & 50 \\ \hline 5 & 20 & 35 & 25 \\ \hline & 4 & 7 & 5 \end{array}$$
필요한 나무 블록의 개수는
가로로 $40\div10=4$(개), 세로로 $70\div10=7$(개),
높이로 $50\div10=5$(개)이므로
모두 $4\times7\times5=140$(개)이다.

06 어떤 자연수로 $(87-3)$을 나누면 나누어떨어지므로 어떤 자연수는 84의 약수이다. 또 어떤 자연수로 $(122-2)$를 나누면 나누어떨어지므로 어떤 자연수는 120의 약수이다.
$$\begin{array}{r|ll} 2 & 84 & 120 \\ \hline 2 & 42 & 60 \\ \hline 3 & 21 & 30 \\ \hline & 7 & 10 \end{array}$$
따라서 이러한 자연수 중 가장 큰 수는 84, 120의 최대공약수인 $2\times2\times3=12$이다.

07 어떤 자연수로 $(56-2)$를 나누면 나누어떨어진다.
⇨ 어떤 자연수는 54의 약수이다.
어떤 자연수로 $(95-5)$를 나누면 나누어떨어진다.
⇨ 어떤 자연수는 90의 약수이다.
따라서 이러한 자연수 중 가장 큰 수는 54, 90의 최대공약수인 $2\times3\times3=18$이다.
$$\begin{array}{r|ll} 2 & 54 & 90 \\ \hline 3 & 27 & 45 \\ \hline 3 & 9 & 15 \\ \hline & 3 & 5 \end{array}$$

09 n의 값은 18과 24의 공약수이고 18과 24의 최대공약수는 6이므로 n의 값은 6의 약수인 1, 2, 3, 6이다.

11 세 기차가 처음으로 다시 동시에 출발할 때까지 걸리는 시간은 9, 12, 30의 최소공배수이므로 $2\times3\times3\times2\times5=180$(분)

2)	9	12	30
3)	9	6	15
	3	2	5

이다. 따라서 세 기차가 처음으로 동시에 출발하는 시각은 오후 3시에서 180분(=3시간) 후인 오후 6시이다.

13 (1) 색종이를 붙여서 만들 수 있는 정사각형의 한 변의 길이는 42와 105의 최소공배수인 $3\times7\times2\times5=210$(cm)이다.

3)	42	105
7)	14	35
	2	5

(2) 필요한 색종이의 수는 가로로 $210\div42=5$(장), 세로로 $210\div105=2$(장)이므로 모두 $5\times2=10$(장)이다.

14 정육면체의 한 모서리의 길이는 24, 18, 9의 최소공배수인 $2\times3\times3\times4\times1\times1=72$(cm)이다.

2)	24	18	9
3)	12	9	9
3)	4	3	3
	4	1	1

따라서 필요한 상자의 개수는
가로로 $72\div24=3$(개), 세로로 $72\div18=4$(개),
높이로 $72\div9=8$(개)이므로 모두 $3\times4\times8=96$(개)이다.

16 8로 나눈 나머지가 3인 수: (8의 배수)+3
12로 나눈 나머지가 3인 수: (12의 배수)+3
20으로 나눈 나머지가 3인 수: (20의 배수)+3
⇨ (8, 12, 20의 공배수)+3

2)	8	12	20
2)	4	6	10
	2	3	5

따라서 8, 12, 20의 최소공배수는 $2\times2\times2\times3\times5=120$이므로 구하는 세 자리의 자연수 중 가장 작은 수는 $120+3=123$이다.

17 (3) A는 9와 18의 공약수 중 가장 큰 수
⇨ A=(9, 18의 최대공약수)=9
B는 10과 25의 공배수 중 가장 작은 수
⇨ B=(10, 25의 최소공배수)=50
따라서 $\frac{B}{A}$로 나타낼 수 있는 분수 중 가장 작은 기약분수는 $\frac{50}{9}$이다.

18 (35, 5의 최소공배수)
$=5\times7\times1=35$

5)	35	5
	7	1

(54, 36의 최대공약수)
$=2\times3\times3=18$

2)	54	36
3)	27	18
3)	9	6
	3	2

따라서 가장 작은 기약분수는
$\frac{(35,5의\ 최소공배수)}{(54,36의\ 최대공약수)}=\frac{35}{18}$

힘수 만점 24쪽

01 4명 **02** ② **03** 6 **04** 오전 8시 30분
05 144개

01 장미는 2송이, 국화는 1송이가 남으므로
장미는 $22-2=20$(송이), 국화는 $37-1=36$(송이)이면 학생들에게 똑같이 나누어 줄 수 있다.
따라서 구하는 학생 수는 20과 36의 최대공약수인 4명이다.

02 남는 부분 없이 가능한 한 큰 정사각형 모양의 색종이를 붙여야 하므로 색종이의 한 변의 길이는 56과 32의 최대공약수인 $2\times2\times2=8$(cm)이다.

2)	56	32
2)	28	16
2)	14	8
	7	4

필요한 색종이의 수는 가로로 $56\div8=7$(장),
세로로 $32\div8=4$(장)이므로 모두 $7\times4=28$(장)이다.

03 $\frac{12}{n}$, $\frac{18}{n}$을 동시에 자연수로 만드는 n의 값은 12와 18의 공약수이고, 이 중 가장 큰 수는 12와 18의 최대공약수이므로 구하는 n의 값 중 가장 큰 수는 $2\times3=6$이다.

2)	12	18
3)	6	9
	2	3

04 두 열차가 오전 7시 이후에 처음으로 다시 동시에 출발하는 시각은 30과 45의 최소공배수인 $3\times5\times2\times3=90$(분) 후이다.

3)	30	45
5)	10	15
	2	3

따라서 오전 7시 이후에 처음으로 다시 동시에 출발하는 시각은 오전 7시에서 90분(=1시간 30분) 후인 오전 8시 30분이다.

05 벽돌을 쌓아 만들 수 있는 정육면체의 한 모서리의 길이는 24, 32, 8의 최소공배수인 $2\times2\times2\times3\times4\times1=96$(cm)이다. 필요한 벽돌의 개수는

2)	24	32	8
2)	12	16	4
2)	6	8	2
	3	4	1

가로로 $96\div24=4$(개), 세로로 $96\div32=3$(개), 높이로 $96\div8=12$(개)이므로 모두 $4\times3\times12=144$(개)이다.

6강 중단원 연산 마무리 25~27쪽

01 (1) 3, 11, 53 (2) 2, 23, 61, 79 (3) 5, 7, 31, 59
02 (1) × (2) ○ (3) × (4) ○ (5) ○
03 (1) 5^3 (2) $3^3\times5\times7^2$ (3) $\left(\frac{3}{10}\right)^4$ (4) $\left(\frac{1}{3}\right)^2\times\left(\frac{2}{5}\right)^3$
04 (1) 2^6 (2) 5^3 (3) 10^7
05 (1) $2^2\times3$, 소인수: 2, 3 (2) 2×3^3, 소인수: 2, 3
(3) 3×5^2, 소인수: 3, 5 (4) $2^2\times3\times7$, 소인수: 2, 3, 7
06 (1) ○ (2) ○ (3) ○ (4) × (5) ○

07 (1) 6 (2) 36 (3) 18 (4) 15

08 (1) 7, 14 (2) 5, 20 (3) 15, 30 (4) 10, 40

09 (1) × (2) ○ (3) × (4) ○

10 (1) 최대공약수: 9, 최소공배수: 54
(2) 최대공약수: 18, 최소공배수: 180
(3) 최대공약수: 12, 최소공배수: 144

11 (1) 최대공약수: $3^2\times5$, 최소공배수: $2\times3^3\times5^2$
(2) 최대공약수: 2×3^2, 최소공배수: $2^3\times3^3\times5\times7$
(3) 최대공약수: 2×3^2, 최소공배수: $2^2\times3^3\times5\times11$

12 6 **13** 12 **14** 오전 8시 **15** 60 **16** 400개

17 11, 13, 17, 19, 23, 25, 29 **18** 4 **19** 8바퀴

01 (1) 3, 11, 53은 약수가 2개이므로 소수이다.
(2) 2, 23, 61, 79는 약수가 2개이므로 소수이다.
(3) 5, 7, 31, 59는 약수가 2개이므로 소수이다.

02 (1) 51의 약수는 1, 3, 17, 51이므로 51은 합성수이다.
(3) 합성수는 약수가 3개 이상인 수이다.
(5) 소수 중 짝수는 2뿐이므로 1개이다.

03 같은 수를 거듭제곱으로 나타낸다.

04 (1) $64=2\times2\times2\times2\times2\times2=2^6$
(2) $125=5\times5\times5=5^3$
(3) $10000000=10\times10\times10\times10\times10\times10\times10=10^7$

07 (1) $2^2\times3$에서 약수의 개수는 $3\times2=6$
(2) $3^3\times5^2\times7^2$에서 약수의 개수는 $4\times3\times3=36$
(3) $180=2^2\times3^2\times5$에서 약수의 개수는 $3\times3\times2=18$
(4) $400=2^4\times5^2$에서 약수의 개수는 $5\times3=15$

08 (1) $28=2^2\times7$이므로 $28\times7=196=14^2$
따라서 7을 곱하면 14의 제곱이 된다.
(2) $80=2^4\times5$이므로 $80\times5=400=20^2$
따라서 5를 곱하면 20의 제곱이 된다.
(3) $60=2^2\times3\times5$이므로 $60\times3\times5=900=30^2$
따라서 $3\times5=15$를 곱하면 30의 제곱이 된다.
(4) $160=2^5\times5$이므로 $160\times2\times5=1600=40^2$
따라서 $2\times5=10$을 곱하면 40의 제곱이 된다.

09 (1) 4와 32의 최대공약수는 4이므로 두 수는 서로소가 아니다.
(2) 14와 25의 최대공약수는 1이므로 두 수는 서로소이다.
(3) 12와 21의 최대공약수는 3이므로 두 수는 서로소가 아니다.
(4) 35와 36의 최대공약수는 1이므로 두 수는 서로소이다.

10 (1)
$$\begin{array}{r|rr} 3 & 18 & 27 \\ \hline 3 & 6 & 9 \\ \hline & 2 & 3 \end{array}$$
⇨ 최대공약수: $3\times3=9$,
최소공배수: $3\times3\times2\times3=54$

(2)
$$\begin{array}{r|rr} 2 & 36 & 90 \\ \hline 3 & 18 & 45 \\ \hline 3 & 6 & 15 \\ \hline & 2 & 5 \end{array}$$
⇨ 최대공약수: $2\times3\times3=18$,
최소공배수: $2\times3\times3\times2\times5=180$

(3)
$$\begin{array}{r|rrr} 2 & 12 & 48 & 72 \\ \hline 2 & 6 & 24 & 36 \\ \hline 3 & 3 & 12 & 18 \\ \hline & 1 & 4 & 6 \end{array}$$
⇨ 최대공약수: $2\times2\times3=12$

$$\begin{array}{r|rrr} 2 & 12 & 48 & 72 \\ \hline 2 & 6 & 24 & 36 \\ \hline 3 & 3 & 12 & 18 \\ \hline 2 & 1 & 4 & 6 \\ \hline & 1 & 2 & 3 \end{array}$$
⇨ 최소공배수: $2\times2\times3\times2\times1\times2\times3=144$

13 어떤 자연수로 $(50-2)$를 나누면 나누어떨어진다.
⇨ 어떤 자연수는 48의 약수이다.
어떤 자연수로 $(138-6)$을 나누면 나누어떨어진다.
⇨ 어떤 자연수는 132의 약수이다.
$$\begin{array}{r|rr} 2 & 48 & 132 \\ \hline 2 & 24 & 66 \\ \hline 3 & 12 & 33 \\ \hline & 4 & 11 \end{array}$$
따라서 이러한 자연수 중 가장 큰 수는 48, 132의 최대공약수인 $2\times2\times3=12$이다.

14 세 열차가 처음으로 다시 동시에 출발할 때까지 걸리는 시간은 15, 24, 10의 최소공배수이므로
$$\begin{array}{r|rrr} 2 & 15 & 24 & 10 \\ \hline 3 & 15 & 12 & 5 \\ \hline 5 & 5 & 4 & 5 \\ \hline & 1 & 4 & 1 \end{array}$$
$2\times3\times5\times1\times4\times1=120$(분)이다.
따라서 세 열차가 처음으로 다시 동시에 출발하는 시각은 오전 6시에서 120분(=2시간) 후인 오전 8시이다.

15 분수 $\frac{1}{5}$, $\frac{1}{12}$, $\frac{1}{20}$ 중 어느 것에 곱하여도 자연수가 되게 하는 가장 작은 자연수는 세 수 5, 12, 20의 최소공배수이다.
$$\begin{array}{r|rrr} 2 & 5 & 12 & 20 \\ \hline 2 & 5 & 6 & 10 \\ \hline 5 & 5 & 3 & 5 \\ \hline & 1 & 3 & 1 \end{array}$$
⇨ 최소공배수: $2\times2\times5\times1\times3\times1=60$

16 벽돌을 쌓아 만들 수 있는 정육면체의 한 모서리의 길이는 15, 24, 12의 최소공배수인 $2\times2\times3\times5\times2\times1=120$(cm)이다. 필요한 벽돌의 개수는
$$\begin{array}{r|rrr} 2 & 15 & 24 & 12 \\ \hline 2 & 15 & 12 & 6 \\ \hline 3 & 15 & 6 & 3 \\ \hline & 5 & 2 & 1 \end{array}$$
가로로 $120\div15=8$(개), 세로로 $120\div24=5$(개), 높이로 $120\div12=10$(개)이므로 모두 $8\times5\times10=400$(개)이다.

17 $24=2^3\times3$이므로 24와 서로소인 수는 2 또는 3을 소인수로 갖지 않는 수이다.
따라서 10보다 크고 30보다 작은 자연수 중 2의 배수와 3의 배수를 지우고 남은 수가 24와 서로소인 수이다.

11 ~~12~~ 13 ~~14~~ ~~15~~ ~~16~~ 17 ~~18~~ 19 ~~20~~
~~21~~ ~~22~~ 23 ~~24~~ 25 ~~26~~ ~~27~~ ~~28~~ 29

즉, 11, 13, 17, 19, 23, 25, 29이다.

18
$$\begin{array}{r|ccc} a & 4\times a & 6\times a & 10\times a \\ \hline 2 & 4 & 6 & 10 \\ \hline & 2 & 3 & 5 \end{array}$$
(최소공배수)$=a\times2\times2\times3\times5=a\times60$
즉, $a\times60=120$이므로 $a=2$
따라서 최대공약수는 $2\times2=4$

19 두 톱니바퀴 A, B가 같은 톱니에서 처음으로 다시 맞물릴 때까지 돌아가는 톱니의 수는 15, 24의 최소공배수인 $3\times5\times8=120$(개)이다.
$$\begin{array}{r|cc} 3 & 15 & 24 \\ \hline & 5 & 8 \end{array}$$
따라서 톱니바퀴 A가 $120\div15=8$(바퀴) 회전한 후이다.

7강 정수와 유리수 28~29쪽

01 (1) $+1200$ m (2) -700원 (3) $+15$ kg (4) $+3$시간 (5) -15 %
02 (1) $+5$, 양 (2) -7, 음 (3) $-\frac{3}{2}$, 음 **03** 해설 참조
04 (1) $0,\ 9,\ -\frac{9}{3},\ +17,\ -50$ (2) $9,\ +17,\ \frac{2}{4}$
(3) $-\frac{1}{2},\ -\frac{9}{3},\ -3.5,\ -50$
(4) $-\frac{1}{2},\ -3.5,\ \frac{2}{4}$
05 (1) $-4,\ 13,\ -\frac{10}{5},\ +88$ (2) $+\frac{2}{3},\ 13,\ \frac{7}{6},\ +88$
(3) $-4,\ -2.7,\ -\frac{10}{5},\ -\frac{3}{21}$
(4) $+\frac{2}{3},\ -2.7,\ \frac{7}{6},\ -\frac{3}{21}$
06 (1) $+1,\ -5,\ 10,\ \frac{12}{3},\ +\frac{16}{8}$
(2) $+1,\ 3.14,\ 10,\ \frac{12}{3},\ +\frac{16}{8}$
(3) $-5,\ -\frac{3}{5},\ -0.1$ (4) $-\frac{3}{5},\ 3.14,\ -0.1$
07 (1) 4개 (2) 3개
08 (1) ○ (2) × (3) ○ (4) ○ (5) ○ (6) × (7) ×

01 서로 반대되는 양을 부호 $+$, $-$를 사용하여 나타낼 수 있다.
(1) 해저 ⇨ $-$, 해발 ⇨ $+$
(2) 수익 ⇨ $+$, 지출 ⇨ $-$
(3) 감소 ⇨ $-$, 증가 ⇨ $+$
(4) 전 ⇨ $-$, 후 ⇨ $+$
(5) 인상 ⇨ $+$, 인하 ⇨ $-$

02 0보다 큰 수는 양수, 0보다 작은 수는 음수이다.

03

수의 분류 \ 수	4	-8	0	$+3.6$	$-\frac{2}{5}$
정수	○	○	○	×	×
유리수	○	○	○	○	○
양수	○	×	×	○	×
음수	×	○	×	×	○

07 (1) 정수는 $-100,\ \frac{35}{7}=5,\ 0,\ -\frac{8}{2}=-4$의 4개이다.
(2) 정수는 $-1,\ 17,\ -\frac{27}{3}=-9$의 3개이다.

08 (2) 정수는 양의 정수, 음의 정수, 0으로 이루어져 있다.
(6) 0은 정수이면서 유리수이다.
(7) 정수는 모두 유리수이다.

힘수 만점 30쪽

01 ③ **02** (1) $+\frac{7}{3}$, 양수 (2) -10, 음수 **03** ②, ③
04 1 **05** ㄱ, ㄷ

01 ③ 현주의 생일은 5일 전이었다.: -5일

02 (1) 0보다 $\frac{7}{3}$만큼 큰 수는 $+\frac{7}{3}$이므로 양수이다.
(2) 0보다 10만큼 작은 수는 -10이므로 음수이다.

03 ① 3.2, ④ $1\frac{1}{2}$은 정수가 아닌 유리수이고,
② 0, ③ -5는 자연수가 아닌 정수이고,
⑤ 7은 자연수이면서 정수이다.

04 양의 정수는 $7,\ \frac{18}{6}=3,\ 90$의 3개이므로 $a=3$
음의 정수는 $-4,\ -\frac{10}{2}=-5$의 2개이므로 $b=2$
⇨ $a-b=3-2=1$

05 ㄴ. 0.1, 0.01 등은 1보다 작은 양의 유리수이다.
ㄹ. 양의 정수가 아닌 정수는 0과 음의 정수이다.

8강 수직선과 절댓값 31~32쪽

01 (1) A: -2, B: 3 (2) A: -1, B: 4 (3) A: -4, B: 0

(4) A: -3, B: $\frac{3}{2}$ (5) A: $-\frac{1}{2}$, B: 2

(6) A: $-\frac{5}{2}$, B: $\frac{2}{3}$ (7) A: $-\frac{7}{2}$, B: $\frac{4}{3}$

02 해설 참조

03 (1) 4, 4, 4, 4 (2) $\frac{3}{4}$, $\frac{3}{4}$, $\frac{3}{4}$, $\frac{3}{4}$

04 (1) 6 (2) 0 (3) 9 (4) 15

05 (1) 7 (2) 13 (3) 23 (4) 9 (5) 1.5

06 (1) 7, -7 (2) 11, -11 (3) $+8.1$

(4) -2.4 (5) 3, -3 (6) $+\frac{1}{3}$, $-\frac{1}{3}$

07 (1) ○ (2) × (3) × (4) ○

02 (1)

-3 -2 -1 0 1 2

(2)

-3 -2 -1 0 1 2

(3) $-\frac{5}{2}$는 -3과 -2 사이를 2등분한 점이다.

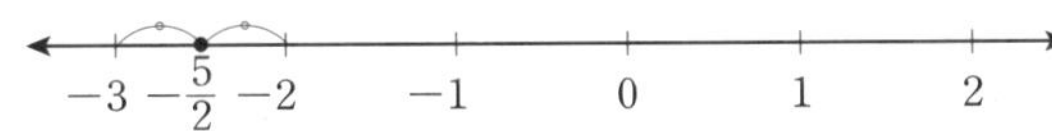

(4) $+0.5$는 0와 1 사이를 2등분한 점이다.

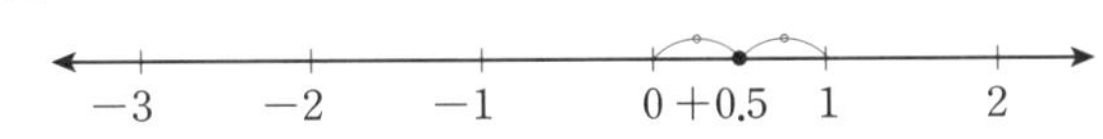

(5) -1.5는 -2와 -1 사이를 2등분한 점이다.

-3 -2 -1.5 -1 0 1 2

(6) $+\frac{11}{2}$은 5와 6 사이를 2등분한 점이다.

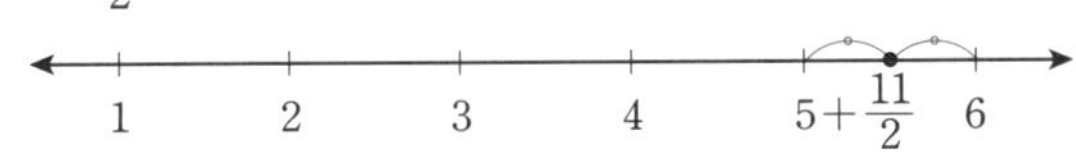

(7) $+\frac{1}{3}$은 0과 1 사이를 3등분한 점 중 0에 가까운 점이다.

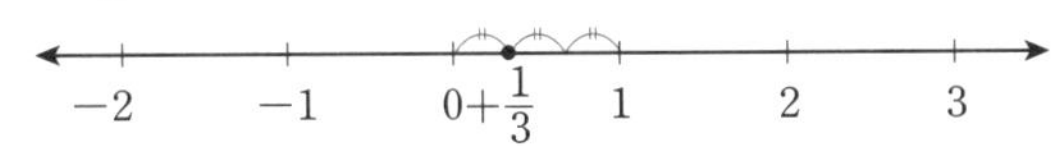

(8) $-\frac{4}{3}$는 -2와 -1 사이를 3등분한 점 중 -1에 가까운 점이다.

(9) $+\frac{7}{4}$은 1과 2 사이를 4등분한 점 중 2에 가장 가까운 점이다.

07 (2) 절댓값은 항상 0 또는 양수이다.

(3) 절댓값이 0인 수는 0으로 1개이다.

힘수 만점 33쪽

01 ① **02** ④ **03** -6, 6

04 -4, -3, -2, -1, 0, 1, 2, 3, 4

05 $-\frac{15}{2}$, $+7$, -5, $\frac{5}{4}$, -1, 0

01 점 A는 -4와 -3 사이를 3등분했을 때 -3에 가까운 점이므로 점 A에 대응하는 수는 $-3\frac{1}{3}=-\frac{10}{3}$이다.

03 원점으로부터의 거리가 6인 점에 대응하는 수는 -6과 6이다.

04 수직선 위에 절댓값이 4인 두 수 -4, 4에 대응하는 점을 나타내면 다음 그림과 같다.

-5 -4 -3 -2 -1 0 1 2 3 4 5

따라서 절댓값이 4 이하인 정수는 -4, -3, -2, -1, 0, 1, 2, 3, 4이다.

05 주어진 수의 절댓값을 각각 구하면 다음과 같다.

수	-5	-1	$+7$	$-\frac{15}{2}$	$\frac{5}{4}$	0
절댓값	5	1	7	$\frac{15}{2}(=7.5)$	$\frac{5}{4}(=1.25)$	0

따라서 절댓값이 큰 수부터 차례로 나열하면

$-\frac{15}{2}$, $+7$, -5, $\frac{5}{4}$, -1, 0

9강 수의 대소 관계 34~35쪽

01 (1) $>$ (2) $<$ (3) $<$ (4) $>$ (5) $<$ (6) $>$ (7) $<$

02 (1) $-5<6$ (2) $-\frac{5}{4}>-1.5$ (3) $0>-2$ (4) $\frac{2}{7}>-\frac{2}{7}$

03 (1) -7, 0, 3 (2) -9, -6, 2, $+3$

(3) $-\frac{3}{4}$, $-\frac{2}{3}$, 0, $\frac{5}{2}$ (4) -7, $-\frac{7}{3}$, 0, $+0.5$, 9

(5) -2, $-\frac{8}{7}$, 0, $+4$, $\frac{26}{5}$

(6) -3, $-\frac{9}{4}$, 1, $\frac{14}{3}$, $+5$

04 (1) $>$ (2) $<$ (3) $\leq$ (4) $\leq$ (5) $<$, $\leq$ (6) $\leq$, $<$

05 (1) $x>3$ (2) $x\geq-6$ (3) $x\geq-1$

(4) $x<\frac{2}{3}$ (5) $-\frac{23}{3}<x<3.2$ (6) $-5<x\leq\frac{4}{5}$

06 (1) -2, -1, 0, 1, 2 (2) -5, -4, -3, -2, -1, 0

(3) -1, 0, 1, 2, 3 (4) -3, -2, -1, 0, 1

(5) 4, 5, 6, 7, 8 (6) -5, -4, -3, -2, -1

02 (1) 음수는 양수보다 작으므로 $-5<6$

(2) 두 음수에서는 절댓값이 큰 수가 더 작다.

$\left|-\frac{5}{4}\right|=\frac{5}{4}=1.25$, $|-1.5|=1.5$이므로

$-\frac{5}{4}>-1.5$

(3) 0은 음수보다 크므로 $0>-2$

(4) 양수는 음수보다 크므로 $\frac{2}{7}>-\frac{2}{7}$

03 (1) $-7<0<3$

(2) $-9<-6<2<+3$

(3) $-\frac{3}{4}=-\frac{9}{12}$, $-\frac{2}{3}=-\frac{8}{12}$이므로

$-\frac{3}{4}<-\frac{2}{3}<0<\frac{5}{2}$

(4) $-\frac{7}{3}=-2\frac{1}{3}$이므로

$-7<-\frac{7}{3}<0<+0.5<9$

(5) $-\frac{8}{7}=-1\frac{1}{7}$, $\frac{26}{5}=5\frac{1}{5}$이므로

$-2<-\frac{8}{7}<0<+4<\frac{26}{5}$

(6) $-\frac{9}{4}=-2\frac{1}{4}$, $\frac{14}{3}=4\frac{2}{3}$이므로

$-3<-\frac{9}{4}<1<\frac{14}{3}<+5$

04 (1) x는 -1보다 크다. ⇨ $x>-1$

(2) x는 -6 미만이다. ⇨ $x<-6$

(3) x는 4보다 크지 않다. ⇨ $x\le 4$

(4) x는 -3보다 작거나 같다. ⇨ $x\le -3$

(5) x는 -5 초과이고 6 이하이다.

⇨ $-5<x\le 6$

(6) x는 2보다 크거나 같고 10보다 작다.

⇨ $2\le x<10$

05 (1) x는 3 초과이다. ⇨ $x>3$

(2) x는 -6보다 작지 않다. ⇨ $x\ge -6$

(3) x는 -1보다 크거나 같다. ⇨ $x\ge -1$

(4) x는 $\frac{2}{3}$보다 작다. ⇨ $x<\frac{2}{3}$

(5) x는 $-\frac{23}{3}$ 초과이고 3.2 미만이다.

⇨ $-\frac{23}{3}<x<3.2$

(6) x는 -5보다 크고 $\frac{4}{5}$ 이하이다.

⇨ $-5<x\le\frac{4}{5}$

06 (1) $-3<a\le 2$를 만족하는 정수는 $-2, -1, 0, 1, 2$이다.

(2) $-5\le a<1$을 만족하는 정수는 $-5, -4, -3, -2, -1, 0$이다.

(3) $-\frac{3}{2}=-1\frac{1}{2}$이므로 $-\frac{3}{2}\le a\le 3$을 만족하는 정수는 $-1, 0, 1, 2, 3$이다.

(4) $\frac{5}{4}=1\frac{1}{4}$이므로 $-3\le a<\frac{5}{4}$를 만족하는 정수는 $-3, -2, -1, 0, 1$이다.

(5) $\frac{25}{3}=8\frac{1}{3}$이므로 $3.5<a<\frac{25}{3}$를 만족하는 정수는 $4, 5, 6, 7, 8$이다.

(6) $-\frac{17}{3}=-5\frac{2}{3}$이므로 $-\frac{17}{3}<a\le -1$을 만족하는 정수는 $-5, -4, -3, -2, -1$이다.

힘수 만점 36쪽

01 ④, ⑤ **02** $-9, -\frac{5}{3}, 0, +1.7, 4$

03 $-4\le x<10$ **04** $-2, -1, 0, 1, 2, 3$

05 ①

01 ④ $-3\left(=-\frac{9}{3}\right)>-\frac{10}{3}$ ⑤ $11>-11$

따라서 옳지 않은 것은 ④, ⑤이다.

02 (음수)$<0<$(양수)이므로 우선 음수와 양수를 구분하여 각각의 대소를 비교해 보면 다음과 같다.

(i) 음수: $-9, -\frac{5}{3}$

두 음수에서는 절댓값이 큰 수가 작으므로

(-9의 절댓값)$=9=\frac{27}{3}$, $\left(-\frac{5}{3}\text{의 절댓값}\right)=\frac{5}{3}$에서

$-9<-\frac{5}{3}$

(ii) 양수: $4, +1.7$

두 양수에서는 절댓값이 큰 수가 크므로 (4의 절댓값)$=4$,

($+1.7$의 절댓값)$=1.7$에서 $4>+1.7$

따라서 (음수)$<0<$(양수)이고, (i), (ii)에 의해

$-9<-\frac{5}{3}<0<+1.7<4$

03 x는 $\underset{-4\le x}{\underline{-4\text{보다 작지 않고}}}$ $\underset{<10}{\underline{10\text{ 미만}}}$이다.

04 $-\frac{11}{4}$과 3에 대응하는 점을 각각 수직선 위에 나타내면 다음 그림과 같다.

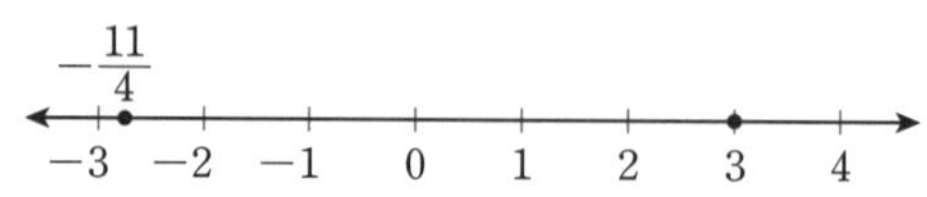

따라서 $-\frac{11}{4}$보다 크고 3보다 작거나 같은 정수는 $-2, -1, 0, 1, 2, 3$이다.

05 $-\frac{17}{4}$과 4에 대응하는 점을 각각 수직선 위에 나타내면 다음 그림과 같다.

$-\frac{17}{4}$

−5 −4 −3 −2 −1 0 1 2 3 4 5

따라서 $-\frac{17}{4}$보다 크거나 같고 4 미만인 정수는 -4, -3, -2, -1, 0, 1, 2, 3의 8개이다.

10강+ 유리수의 덧셈 37~39쪽

01 (1) $+3$, $+5$ (2) -3, -4
02 (1) $+9$ (2) $+11$ (3) $+15$
03 (1) $+\frac{3}{4}$ (2) $+\frac{8}{3}$ (3) $+\frac{20}{21}$ (4) $+\frac{17}{12}$
04 (1) -16 (2) -14 (3) -14 (4) -27
05 (1) $-\frac{6}{7}$ (2) $-\frac{14}{15}$ (3) $-\frac{5}{6}$ (4) $-\frac{53}{20}$
06 (1) $+2$, $+2$ (2) -3, -3
07 (1) $+6$ (2) $+1$ (3) -4 (4) -4
08 (1) $-\frac{1}{3}$ (2) $-\frac{4}{7}$ (3) $-\frac{1}{24}$ (4) $+\frac{13}{18}$ (5) $-\frac{9}{20}$ (6) $-\frac{7}{4}$
09 (1) $+2$ (2) $+5$ (3) $+2$ (4) -4 (5) -5 (6) -5
10 (1) $+5$ (2) -4
11 (1) -6, -6, -9, -2,
㉠: 덧셈의 교환법칙, ㉡: 덧셈의 결합법칙
(2) $-\frac{1}{2}$, $-\frac{1}{2}$, $+2$, $+4$
㉠: 덧셈의 교환법칙, ㉡: 덧셈의 결합법칙
12 (1) $+1$ (2) $+9$ (3) -11 (4) $-\frac{7}{6}$ (5) -7.6 (6) $+1$ (7) -10 (8) 0 (9) $+50$ (10) $-\frac{3}{5}$

02 (1) $(+8)+(+1)=+(8+1)=+9$
(2) $(+3)+(+8)=+(3+8)=+11$
(3) $(+6)+(+9)=+(6+9)=+15$

03 (1) $\left(+\frac{1}{2}\right)+\left(+\frac{1}{4}\right)=\left(+\frac{2}{4}\right)+\left(+\frac{1}{4}\right)=+\left(\frac{2}{4}+\frac{1}{4}\right)$
$=+\frac{3}{4}$
(2) $\left(+\frac{1}{3}\right)+\left(+\frac{7}{3}\right)=+\left(\frac{1}{3}+\frac{7}{3}\right)=+\frac{8}{3}$
(3) $\left(+\frac{4}{7}\right)+\left(+\frac{8}{21}\right)=\left(+\frac{12}{21}\right)+\left(+\frac{8}{21}\right)=+\frac{20}{21}$
(4) $\left(+\frac{3}{4}\right)+\left(+\frac{2}{3}\right)=\left(+\frac{9}{12}\right)+\left(+\frac{8}{12}\right)$
$=+\left(\frac{9}{12}+\frac{8}{12}\right)=+\frac{17}{12}$

04 (1) $(-7)+(-9)=-(7+9)=-16$
(2) $(-3)+(-11)=-(3+11)=-14$
(3) $(-9)+(-5)=-(9+5)=-14$
(4) $(-15)+(-12)=-(15+12)=-27$

05 (1) $\left(-\frac{2}{7}\right)+\left(-\frac{4}{7}\right)=-\left(\frac{2}{7}+\frac{4}{7}\right)=-\frac{6}{7}$
(2) $\left(-\frac{1}{5}\right)+\left(-\frac{11}{15}\right)=\left(-\frac{3}{15}\right)+\left(-\frac{11}{15}\right)$
$=-\left(\frac{3}{15}+\frac{11}{15}\right)=-\frac{14}{15}$
(3) $\left(-\frac{1}{4}\right)+\left(-\frac{7}{12}\right)=\left(-\frac{3}{12}\right)+\left(-\frac{7}{12}\right)$
$=-\left(\frac{3}{12}+\frac{7}{12}\right)=-\frac{10}{12}=-\frac{5}{6}$
(4) $\left(-\frac{7}{5}\right)+\left(-\frac{5}{4}\right)=\left(-\frac{28}{20}\right)+\left(-\frac{25}{20}\right)$
$=-\left(\frac{28}{20}+\frac{25}{20}\right)=-\frac{53}{20}$

07 (1) $(-2)+(+8)=+6$
(2) $(+3)+(-2)=+1$
(3) $(-5)+(+1)=-4$
(4) $(+6)+(-10)=-4$

08 (1) $\left(-\frac{2}{3}\right)+\left(+\frac{1}{3}\right)=-\frac{1}{3}$
(2) $\left(-\frac{9}{7}\right)+\left(+\frac{5}{7}\right)=-\frac{4}{7}$
(3) $\left(+\frac{5}{12}\right)+\left(-\frac{11}{24}\right)=\left(+\frac{10}{24}\right)+\left(-\frac{11}{24}\right)=-\frac{1}{24}$
(4) $\left(+\frac{5}{6}\right)+\left(-\frac{1}{9}\right)=\left(+\frac{15}{18}\right)+\left(-\frac{2}{18}\right)=+\frac{13}{18}$
(5) $\left(-\frac{3}{4}\right)+\left(+\frac{3}{10}\right)=\left(-\frac{15}{20}\right)+\left(+\frac{6}{20}\right)=-\frac{9}{20}$
(6) $(-2.5)+\left(+\frac{3}{4}\right)=\left(-\frac{25}{10}\right)+\left(+\frac{3}{4}\right)$
$=\left(-\frac{50}{20}\right)+\left(+\frac{15}{20}\right)=-\frac{35}{20}=-\frac{7}{4}$

09 (1) $(-7)+(+9)=+2$
(2) $(+8)+(-3)=+5$
(3) $(-2)+(+4)=+2$
(4) $(-6)+(+2)=-4$
(5) $(-12)+(+7)=-5$
(6) $(+15)+(-20)=-5$

12 (1) $(+2)+(-4)+(+3)=(+2)+(+3)+(-4)$
$=\{(+2)+(+3)\}+(-4)$
$=(+5)+(-4)=+1$
(2) $(-7)+(+13)+(+3)=(-7)+\{(+13)+(+3)\}$
$=(-7)+(+16)=+9$

(3) $(+9)+(-15)+(-13)+(+8)$
$=\{(+9)+(+8)\}+\{(-15)+(-13)\}$
$=(+17)+(-28)$
$=-11$

(4) $\left(+\frac{1}{2}\right)+(-2)+\left(+\frac{1}{3}\right)=\left(+\frac{1}{2}\right)+\left(+\frac{1}{3}\right)+(-2)$
$=\left(+\frac{3}{6}\right)+\left(+\frac{2}{6}\right)+(-2)$
$=\left\{\left(+\frac{3}{6}\right)+\left(+\frac{2}{6}\right)\right\}+(-2)$
$=\left(+\frac{5}{6}\right)+(-2)$
$=\left(+\frac{5}{6}\right)+\left(-\frac{12}{6}\right)$
$=-\frac{7}{6}$

(5) $(-3.5)+(+1.2)+(-5.3)$
$=(-3.5)+(-5.3)+(+1.2)$
$=\{(-3.5)+(-5.3)\}+(+1.2)$
$=(-8.8)+(+1.2)$
$=-7.6$

(6) $\left(+\frac{5}{6}\right)+\left(-\frac{1}{3}\right)+\left(+\frac{1}{2}\right)=\left(+\frac{5}{6}\right)+\left(+\frac{1}{2}\right)+\left(-\frac{1}{3}\right)$
$=\left\{\left(+\frac{5}{6}\right)+\left(+\frac{1}{2}\right)\right\}+\left(-\frac{1}{3}\right)$
$=\left\{\left(+\frac{5}{6}\right)+\left(+\frac{3}{6}\right)\right\}+\left(-\frac{1}{3}\right)$
$=\left(+\frac{8}{6}\right)+\left(-\frac{1}{3}\right)$
$=\left(+\frac{8}{6}\right)+\left(-\frac{2}{6}\right)$
$=+\frac{6}{6}=+1$

(7) $(-24)+(+15)+(-9)+(+8)$
$=(-24)+(-9)+(+15)+(+8)$
$=\{(-24)+(-9)\}+\{(+15)+(+8)\}$
$=(-33)+(+23)$
$=-10$

(8) $\left(-\frac{2}{3}\right)+\left(+\frac{3}{4}\right)+\left(+\frac{1}{6}\right)+\left(-\frac{1}{4}\right)$
$=\left(-\frac{2}{3}\right)+\left(-\frac{1}{4}\right)+\left(+\frac{3}{4}\right)+\left(+\frac{1}{6}\right)$
$=\left\{\left(-\frac{2}{3}\right)+\left(-\frac{1}{4}\right)\right\}+\left\{\left(+\frac{3}{4}\right)+\left(+\frac{1}{6}\right)\right\}$
$=\left\{\left(-\frac{8}{12}\right)+\left(-\frac{3}{12}\right)\right\}+\left\{\left(+\frac{9}{12}\right)+\left(+\frac{2}{12}\right)\right\}$
$=\left(-\frac{11}{12}\right)+\left(+\frac{11}{12}\right)=0$

(9) $(+36)+(-32)+(-18)+(+64)$
$=(+36)+(+64)+(-32)+(-18)$
$=\{(+36)+(+64)\}+\{(-32)+(-18)\}$
$=(+100)+(-50)$
$=+50$

(10) $\left(+\frac{1}{2}\right)+\left(-\frac{3}{5}\right)+\left(+\frac{1}{5}\right)+\left(-\frac{7}{10}\right)$
$=\left(+\frac{1}{2}\right)+\left(+\frac{1}{5}\right)+\left(-\frac{3}{5}\right)+\left(-\frac{7}{10}\right)$
$=\left\{\left(+\frac{1}{2}\right)+\left(+\frac{1}{5}\right)\right\}+\left\{\left(-\frac{3}{5}\right)+\left(-\frac{7}{10}\right)\right\}$
$=\left\{\left(+\frac{5}{10}\right)+\left(+\frac{2}{10}\right)\right\}+\left\{\left(-\frac{6}{10}\right)+\left(-\frac{7}{10}\right)\right\}$
$=\left(+\frac{7}{10}\right)+\left(-\frac{13}{10}\right)$
$=-\frac{6}{10}=-\frac{3}{5}$

힘수 만점 40쪽

01 ④ **02** ③
03 ㉠: 덧셈의 교환법칙, ㉡: 덧셈의 결합법칙
04 -10 **05** 5

01 ① $(-7)+(-8)=-15$
② $(-9)+(+3)=-6$
③ $(-11)+(-4)=-15$
④ $\left(+\frac{2}{5}\right)+\left(+\frac{5}{2}\right)=\left(+\frac{4}{10}\right)+\left(+\frac{25}{10}\right)=+\frac{29}{10}$
⑤ $(+3.5)+(-1.2)=+2.3$
따라서 옳은 것은 ④이다.

02 ① $(+6)+(+4)=+10$
② $(+12)+(-2)=+10$
③ $(-5)+(-5)=-10$
④ $(-1)+(+11)=+10$
⑤ $(+8)+(+2)=+10$

04 $(+2.5)+(-5)+(+1.5)+(-9)$
$=(+2.5)+(+1.5)+(-5)+(-9)$
$=\{(+2.5)+(+1.5)\}+\{(-5)+(-9)\}$
$=(+4)+(-14)=-10$

05 $\left(+\frac{1}{2}\right)+\left(-\frac{9}{4}\right)+(+4)+\left(-\frac{5}{6}\right)$
$=\left(+\frac{1}{2}\right)+(+4)+\left(-\frac{9}{4}\right)+\left(-\frac{5}{6}\right)$
$=\left\{\left(+\frac{1}{2}\right)+(+4)\right\}+\left\{\left(-\frac{9}{4}\right)+\left(-\frac{5}{6}\right)\right\}$
$=\left\{\left(+\frac{1}{2}\right)+\left(+\frac{8}{2}\right)\right\}+\left\{\left(-\frac{27}{12}\right)+\left(-\frac{10}{12}\right)\right\}$
$=\left(+\frac{9}{2}\right)+\left(-\frac{37}{12}\right)=\left(+\frac{54}{12}\right)+\left(-\frac{37}{12}\right)$
$=+\frac{17}{12}$
따라서 $a=12$, $b=17$이므로 $b-a=17-12=5$

11강 유리수의 뺄셈 41~42쪽

01 (1) -5, $+3$ (2) -3, -10 (3) $+4$, $+16$ (4) $+3$, -3
(5) -4, $+9$ (6) $+9$, $+2$ (7) $+5$, $+20$

02 (1) -4 (2) $+9$ (3) $-\frac{3}{14}$ (4) $+\frac{11}{12}$

03 (1) -17 (2) -9 (3) $-\frac{7}{6}$ (4) $-\frac{43}{20}$

04 (1) $+16$ (2) $+2$ (3) $+2.6$ (4) $-\frac{1}{10}$

05 (1) -3 (2) -10 (3) $+16$ (4) -2

06 (1) -10 (2) $+12$ (3) $+1$ (4) $+\frac{5}{4}$ (5) $+8$ (6) $+\frac{4}{3}$

07 (1) $+4$ (2) -12 (3) -10 (4) 0 (5) -7

08 (1) -0.5 (2) $+0.6$ (3) $-\frac{1}{2}$ (4) $+\frac{3}{4}$ (5) $+4$

02 (1) $(+3)-(+7)=(+3)+(-7)=-(7-3)=-4$

(2) $(+14)-(+5)=(+14)+(-5)=+(14-5)=+9$

(3) $\left(+\frac{1}{7}\right)-\left(+\frac{5}{14}\right)=\left(+\frac{1}{7}\right)+\left(-\frac{5}{14}\right)$
$=\left(+\frac{2}{14}\right)+\left(-\frac{5}{14}\right)$
$=-\left(\frac{5}{14}-\frac{2}{14}\right)=-\frac{3}{14}$

(4) $\left(+\frac{7}{4}\right)-\left(+\frac{5}{6}\right)=\left(+\frac{7}{4}\right)+\left(-\frac{5}{6}\right)$
$=\left(+\frac{21}{12}\right)+\left(-\frac{10}{12}\right)$
$=+\left(\frac{21}{12}-\frac{10}{12}\right)=+\frac{11}{12}$

03 (1) $(-9)-(+8)=(-9)+(-8)=-(9+8)=-17$

(2) $(-7)-(+2)=(-7)+(-2)=-(7+2)=-9$

(3) $\left(-\frac{2}{3}\right)-\left(+\frac{1}{2}\right)=\left(-\frac{2}{3}\right)+\left(-\frac{1}{2}\right)$
$=\left(-\frac{4}{6}\right)+\left(-\frac{3}{6}\right)$
$=-\left(\frac{4}{6}+\frac{3}{6}\right)=-\frac{7}{6}$

(4) $\left(-\frac{5}{4}\right)-\left(+\frac{9}{10}\right)=\left(-\frac{5}{4}\right)+\left(-\frac{9}{10}\right)$
$=\left(-\frac{25}{20}\right)+\left(-\frac{18}{20}\right)$
$=-\left(\frac{25}{20}+\frac{18}{20}\right)=-\frac{43}{20}$

04 (1) $(+7)-(-9)=(+7)+(+9)$
$=+(7+9)=+16$

(2) $\left(+\frac{3}{4}\right)-\left(-\frac{5}{4}\right)=\left(+\frac{3}{4}\right)+\left(+\frac{5}{4}\right)$
$=+\left(\frac{3}{4}+\frac{5}{4}\right)=+\frac{8}{4}=+2$

(3) $(-2.7)-(-5.3)=(-2.7)+(+5.3)$
$=+(5.3-2.7)=+2.6$

(4) $\left(-\frac{7}{2}\right)-(-3.4)=\left(-\frac{7}{2}\right)+(+3.4)$
$=\left(-\frac{7}{2}\right)+\left(+\frac{34}{10}\right)$
$=\left(-\frac{35}{10}\right)+\left(+\frac{34}{10}\right)$
$=-\left(\frac{35}{10}-\frac{34}{10}\right)$
$=-\frac{1}{10}$

05 (1) $(+6)-(+9)=(+6)+(-9)$
$=-(9-6)=-3$

(2) $(-3)-(+7)=(-3)+(-7)$
$=-(3+7)=-10$

(3) $(+5)-(-11)=(+5)+(+11)$
$=+(5+11)=+16$

(4) $(-8)-(-6)=(-8)+(+6)$
$=-(8-6)=-2$

06 (1) $(-12)+(+7)-(+5)$
$=(-12)+(+7)+(-5)$
$=(-12)+(-5)+(+7)$
$=\{(-12)+(-5)\}+(+7)$
$=(-17)+(+7)$
$=-(17-7)=-10$

(2) $(-7)+(+13)-(-6)$
$=(-7)+(+13)+(+6)$
$=(-7)+\{(+13)+(+6)\}$
$=(-7)+(+19)$
$=+(19-7)=+12$

(3) $(+2.5)-(+0.2)+(-3.2)-(-1.9)$
$=(+2.5)+(-0.2)+(-3.2)+(+1.9)$
$=(+2.5)+(+1.9)+(-0.2)+(-3.2)$
$=\{(+2.5)+(+1.9)\}+\{(-0.2)+(-3.2)\}$
$=(+4.4)+(-3.4)=+1$

(4) $\left(+\frac{3}{4}\right)+\left(-\frac{1}{2}\right)-(-1)$
$=\left(+\frac{3}{4}\right)+\left(-\frac{1}{2}\right)+(+1)$
$=\left(+\frac{3}{4}\right)+(+1)+\left(-\frac{1}{2}\right)$
$=\left\{\left(+\frac{3}{4}\right)+(+1)\right\}+\left(-\frac{1}{2}\right)$
$=\left\{\left(+\frac{3}{4}\right)+\left(+\frac{4}{4}\right)\right\}+\left(-\frac{1}{2}\right)$
$=\left(+\frac{7}{4}\right)+\left(-\frac{1}{2}\right)$
$=\left(+\frac{7}{4}\right)+\left(-\frac{2}{4}\right)$
$=+\frac{5}{4}$

(5) $(+4)-(+8)-(-17)+(-5)$
$=(+4)+(-8)+(+17)+(-5)$
$=(+4)+(+17)+(-8)+(-5)$
$=\{(+4)+(+17)\}+\{(-8)+(-5)\}$
$=(+21)+(-13)$
$=+(21-13)=+8$

(6) $\left(-\frac{1}{3}\right)-\left(+\frac{1}{2}\right)+\left(+\frac{3}{2}\right)-\left(-\frac{2}{3}\right)$
$=\left(-\frac{1}{3}\right)+\left(-\frac{1}{2}\right)+\left(+\frac{3}{2}\right)+\left(+\frac{2}{3}\right)$
$=\left\{\left(-\frac{1}{3}\right)+\left(-\frac{1}{2}\right)\right\}+\left\{\left(+\frac{3}{2}\right)+\left(+\frac{2}{3}\right)\right\}$
$=\left\{\left(-\frac{2}{6}\right)+\left(-\frac{3}{6}\right)\right\}+\left\{\left(+\frac{9}{6}\right)+\left(+\frac{4}{6}\right)\right\}$
$=\left(-\frac{5}{6}\right)+\left(+\frac{13}{6}\right)$
$=+\left(\frac{13}{6}-\frac{5}{6}\right)$
$=+\frac{8}{6}=+\frac{4}{3}$

07 (1) $-3+7=(-3)+(+7)=+(7-3)=+4$

(2) $-4-8=(-4)+(-8)=-12$

(3) $-1-4-5=(-1)+(-4)+(-5)$
$=-(1+4+5)=-10$

(4) $9-12+3=(+9)+(-12)+(+3)$
$=(+9)+(+3)+(-12)$
$=\{(+9)+(+3)\}+(-12)$
$=(+12)+(-12)=0$

(5) $-8+3-11+9$
$=(-8)+(+3)+(-11)+(+9)$
$=(-8)+(-11)+(+3)+(+9)$
$=\{(-8)+(-11)\}+\{(+3)+(+9)\}$
$=(-19)+(+12)$
$=-(19-12)=-7$

08 (1) $0.5-0.7-0.3=(+0.5)+(-0.7)+(-0.3)$
$=(+0.5)+\{(-0.7)+(-0.3)\}$
$=(+0.5)+(-1)$
$=-(1-0.5)=-0.5$

(2) $-1.3+2.4-0.5=(-1.3)+(+2.4)+(-0.5)$
$=(-1.3)+(-0.5)+(+2.4)$
$=\{(-1.3)+(-0.5)\}+(+2.4)$
$=(-1.8)+(+2.4)$
$=+(2.4-1.8)=+0.6$

(3) $\frac{2}{3}-\frac{1}{3}-\frac{5}{6}=\left(+\frac{2}{3}\right)+\left(-\frac{1}{3}\right)+\left(-\frac{5}{6}\right)$
$=\left(+\frac{2}{3}\right)+\left\{\left(-\frac{1}{3}\right)+\left(-\frac{5}{6}\right)\right\}$
$=\left(+\frac{2}{3}\right)+\left\{\left(-\frac{2}{6}\right)+\left(-\frac{5}{6}\right)\right\}$
$=\left(+\frac{2}{3}\right)+\left(-\frac{7}{6}\right)$
$=\left(+\frac{4}{6}\right)+\left(-\frac{7}{6}\right)$
$=-\left(\frac{7}{6}-\frac{4}{6}\right)=-\frac{3}{6}=-\frac{1}{2}$

(4) $1-\frac{3}{4}+\frac{7}{6}-\frac{2}{3}$
$=(+1)+\left(-\frac{3}{4}\right)+\left(+\frac{7}{6}\right)+\left(-\frac{2}{3}\right)$
$=(+1)+\left(+\frac{7}{6}\right)+\left(-\frac{3}{4}\right)+\left(-\frac{2}{3}\right)$
$=\left\{(+1)+\left(+\frac{7}{6}\right)\right\}+\left\{\left(-\frac{3}{4}\right)+\left(-\frac{2}{3}\right)\right\}$
$=\left\{\left(+\frac{6}{6}\right)+\left(+\frac{7}{6}\right)\right\}+\left\{\left(-\frac{9}{12}\right)+\left(-\frac{8}{12}\right)\right\}$
$=\left(+\frac{13}{6}\right)+\left(-\frac{17}{12}\right)$
$=\left(+\frac{26}{12}\right)+\left(-\frac{17}{12}\right)$
$=+\left(\frac{26}{12}-\frac{17}{12}\right)=+\frac{9}{12}=+\frac{3}{4}$

(5) $-2.5+\frac{10}{3}-\frac{5}{6}+4$
$=(-2.5)+\left(+\frac{10}{3}\right)+\left(-\frac{5}{6}\right)+(+4)$
$=(-2.5)+\left(-\frac{5}{6}\right)+\left(+\frac{10}{3}\right)+(+4)$
$=\left(-\frac{15}{6}\right)+\left(-\frac{5}{6}\right)+\left(+\frac{10}{3}\right)+\left(+\frac{12}{3}\right)$
$=\left\{\left(-\frac{15}{6}\right)+\left(-\frac{5}{6}\right)\right\}+\left\{\left(+\frac{10}{3}\right)+\left(+\frac{12}{3}\right)\right\}$
$=\left(-\frac{20}{6}\right)+\left(+\frac{22}{3}\right)$
$=\left(-\frac{20}{6}\right)+\left(+\frac{44}{6}\right)$
$=+\left(\frac{44}{6}-\frac{20}{6}\right)=+\frac{24}{6}=+4$

힘수 만점 43쪽

01 ④ **02** ③ **03** $+\frac{11}{12}$ **04** $+\frac{17}{20}$ **05** -11

01 ① $(+2)-(-4)=(+2)+(+4)=+6$
② $0-(-5)=0+(+5)=+5$
③ $(-4)-(+7)=(-4)+(-7)=-11$
④ $\left(+\frac{4}{3}\right)-\left(+\frac{5}{3}\right)=\left(+\frac{4}{3}\right)+\left(-\frac{5}{3}\right)$
$=-\left(\frac{5}{3}-\frac{4}{3}\right)=-\frac{1}{3}$
⑤ $\left(-\frac{1}{4}\right)-\left(-\frac{7}{6}\right)=\left(-\frac{1}{4}\right)+\left(+\frac{7}{6}\right)$
$=\left(-\frac{3}{12}\right)+\left(+\frac{14}{12}\right)$
$=+\left(\frac{14}{12}-\frac{3}{12}\right)=+\frac{11}{12}$

02 수직선 위에 나타낼 때, 가장 큰 수가 가장 오른쪽에 있다.

① $(-4)-(+2)=(-4)+(-2)=-6$

② $(+5.2)-(+6.3)=(+5.2)+(-6.3)$
$=-(6.3-5.2)=-1.1$

③ $\left(-\frac{3}{4}\right)-(-3)=\left(-\frac{3}{4}\right)+(+3)$
$=\left(-\frac{3}{4}\right)+\left(+\frac{12}{4}\right)$
$=+\left(\frac{12}{4}-\frac{3}{4}\right)=+\frac{9}{4}$

④ $\left(+\frac{1}{3}\right)-\left(-\frac{1}{2}\right)=\left(+\frac{1}{3}\right)+\left(+\frac{1}{2}\right)$
$=\left(+\frac{2}{6}\right)+\left(+\frac{3}{6}\right)=+\frac{5}{6}$

⑤ $\left(-\frac{4}{5}\right)-\left(-\frac{3}{4}\right)=\left(-\frac{4}{5}\right)+\left(+\frac{3}{4}\right)$
$=\left(-\frac{16}{20}\right)+\left(+\frac{15}{20}\right)$
$=-\left(\frac{16}{20}-\frac{15}{20}\right)=-\frac{1}{20}$

$-6<-1.1<-\frac{1}{20}<+\frac{5}{6}<+\frac{9}{4}$이므로 가장 오른쪽에 있는 것은 ③이다.

03 $4-\frac{7}{3}+\frac{1}{2}-\left|-\frac{5}{4}\right|$
$=(+4)+\left(-\frac{7}{3}\right)+\left(+\frac{1}{2}\right)-\left(+\frac{5}{4}\right)$
$=(+4)+\left(-\frac{7}{3}\right)+\left(+\frac{1}{2}\right)+\left(-\frac{5}{4}\right)$
$=(+4)+\left(+\frac{1}{2}\right)+\left(-\frac{7}{3}\right)+\left(-\frac{5}{4}\right)$
$=\left(+\frac{8}{2}\right)+\left(+\frac{1}{2}\right)+\left(-\frac{28}{12}\right)+\left(-\frac{15}{12}\right)$
$=\left\{\left(+\frac{8}{2}\right)+\left(+\frac{1}{2}\right)\right\}+\left\{\left(-\frac{28}{12}\right)+\left(-\frac{15}{12}\right)\right\}$
$=\left(+\frac{9}{2}\right)+\left(-\frac{43}{12}\right)$
$=\left(+\frac{54}{12}\right)+\left(-\frac{43}{12}\right)$
$=+\left(\frac{54}{12}-\frac{43}{12}\right)$
$=+\frac{11}{12}$

04 $A=3-\frac{1}{4}-2=(+3)+\left(-\frac{1}{4}\right)+(-2)$
$=(+3)+\left\{\left(-\frac{1}{4}\right)+(-2)\right\}$
$=(+3)+\left\{\left(-\frac{1}{4}\right)+\left(-\frac{8}{4}\right)\right\}$
$=(+3)+\left(-\frac{9}{4}\right)$
$=\left(+\frac{12}{4}\right)+\left(-\frac{9}{4}\right)$
$=+\left(\frac{12}{4}-\frac{9}{4}\right)=+\frac{3}{4}$

$B=\frac{4}{5}-0.2+\frac{1}{2}-1=\left(+\frac{4}{5}\right)+(-0.2)+\left(+\frac{1}{2}\right)+(-1)$
$=\left(+\frac{4}{5}\right)+\left(+\frac{1}{2}\right)+(-0.2)+(-1)$
$=\left(+\frac{8}{10}\right)+\left(+\frac{5}{10}\right)+(-0.2)+(-1)$
$=\left\{\left(+\frac{8}{10}\right)+\left(+\frac{5}{10}\right)\right\}+\{(-0.2)+(-1)\}$
$=\left(+\frac{13}{10}\right)+(-1.2)$
$=\left(+\frac{13}{10}\right)+\left(-\frac{12}{10}\right)$
$=+\left(\frac{13}{10}-\frac{12}{10}\right)=+\frac{1}{10}$

$A+B=\left(+\frac{3}{4}\right)+\left(+\frac{1}{10}\right)$
$=\left(+\frac{15}{20}\right)+\left(+\frac{2}{20}\right)=+\frac{17}{20}$

05 어떤 수를 □라 하면 □$+8=-3$이므로
□는 -3보다 8만큼 작은 수이다.
⇨ □$=-3-8=-3+(-8)=-11$
따라서 어떤 수는 -11이다.

12강 유리수의 곱셈 44~45쪽

01 (1) $+14$ (2) $+24$ (3) $+56$ (4) $+27$ (5) $+48$ (6) $+60$ (7) $+100$ (8) $+84$ (9) $+135$

02 (1) $+2$ (2) $+\frac{1}{3}$ (3) $+\frac{3}{7}$ (4) $+8$ (5) $+\frac{4}{5}$ (6) $+\frac{4}{3}$

03 (1) -30 (2) -63 (3) -24 (4) -88 (5) -45 (6) -42 (7) -68 (8) -200 (9) 0

04 (1) $-\frac{1}{12}$ (2) $-\frac{1}{6}$ (3) -10

05 (1) -3, -3, -3, -30,
㉠: 곱셈의 교환법칙, ㉡: 곱셈의 결합법칙
(2) -4, -4, -100, $+700$,
㉠: 곱셈의 교환법칙, ㉡: 곱셈의 결합법칙

06 (1) $+80$ (2) $+30$ (3) -1300 (4) -63 (5) -1500 (6) $+900$ (7) $+60$ (8) $+2$ (9) $+54$ (10) $+30$

01 (1) $(+7)\times(+2)=+(7\times2)=+14$
(2) $(+4)\times(+6)=+(4\times6)=+24$
(3) $(-8)\times(-7)=+(8\times7)=+56$
(4) $(-9)\times(-3)=+(9\times3)=+27$
(5) $(+12)\times(+4)=+(12\times4)=+48$
(6) $(-5)\times(-12)=+(5\times12)=+60$
(7) $(-25)\times(-4)=+(25\times4)=+100$
(8) $(-7)\times(-12)=+(7\times12)=+84$
(9) $(+9)\times(+15)=+(9\times15)=+135$

02 (1) $\left(+\frac{1}{3}\right)\times(+6)=+\left(\frac{1}{3}\times6\right)=+2$

(2) $\left(+\frac{2}{5}\right)\times\left(+\frac{5}{6}\right)=+\left(\frac{2}{5}\times\frac{5}{6}\right)=+\frac{1}{3}$

(3) $\left(-\frac{1}{4}\right)\times\left(-\frac{12}{7}\right)=+\left(\frac{1}{4}\times\frac{12}{7}\right)=+\frac{3}{7}$

(4) $(-24)\times\left(-\frac{1}{3}\right)=+\left(24\times\frac{1}{3}\right)=+8$

(5) $\left(-\frac{2}{3}\right)\times\left(-\frac{6}{5}\right)=+\left(\frac{2}{3}\times\frac{6}{5}\right)=+\frac{4}{5}$

(6) $\left(+\frac{5}{4}\right)\times\left(+\frac{16}{15}\right)=+\left(\frac{5}{4}\times\frac{16}{15}\right)=+\frac{4}{3}$

03 (1) $(+10)\times(-3)=-(10\times3)=-30$

(2) $(+7)\times(-9)=-(7\times9)=-63$

(3) $(-6)\times(+4)=-(6\times4)=-24$

(4) $(-8)\times(+11)=-(8\times11)=-88$

(5) $(+9)\times(-5)=-(9\times5)=-45$

(6) $(-3)\times(+14)=-(3\times14)=-42$

(7) $(+17)\times(-4)=-(17\times4)=-68$

(8) $(-20)\times(+10)=-(20\times10)=-200$

(9) $(+7)\times0=0$

04 (1) $\left(-\frac{4}{9}\right)\times\left(+\frac{3}{16}\right)=-\left(\frac{4}{9}\times\frac{3}{16}\right)=-\frac{1}{12}$

(2) $\left(-\frac{7}{15}\right)\times\left(+\frac{5}{14}\right)=-\left(\frac{7}{15}\times\frac{5}{14}\right)=-\frac{1}{6}$

(3) $\left(-\frac{2}{9}\right)\times(+45)=-\left(\frac{2}{9}\times45\right)=-10$

06 (1) $(-2)\times(-8)\times(+5)=(-2)\times(+5)\times(-8)$
$=\{(-2)\times(+5)\}\times(-8)$
$=(-10)\times(-8)=+80$

(2) $(-2)\times(-3)\times(+5)=(-2)\times(+5)\times(-3)$
$=\{(-2)\times(+5)\}\times(-3)$
$=(-10)\times(-3)=+30$

(3) $(+50)\times(-13)\times(+2)$
$=(+50)\times(+2)\times(-13)$
$=\{(+50)\times(+2)\}\times(-13)$
$=(+100)\times(-13)=-1300$

(4) $\left(-\frac{9}{2}\right)\times(-7)\times(-2)=\left(-\frac{9}{2}\right)\times(-2)\times(-7)$
$=\left\{\left(-\frac{9}{2}\right)\times(-2)\right\}\times(-7)$
$=(+9)\times(-7)=-63$

(5) $(-5)\times(-15)\times(-20)=(-5)\times(-20)\times(-15)$
$=\{(-5)\times(-20)\}\times(-15)$
$=(+100)\times(-15)=-1500$

(6) $(-25)\times(-9)\times(+4)=(-25)\times(+4)\times(-9)$
$=\{(-25)\times(+4)\}\times(-9)$
$=(-100)\times(-9)=+900$

(7) $(-5)\times\left(-\frac{3}{4}\right)\times(+16)$
$=(-5)\times\left\{\left(-\frac{3}{4}\right)\times(+16)\right\}$
$=(-5)\times(-12)=+60$

(8) $(-100)\times\left(+\frac{1}{17}\right)\times\left(-\frac{17}{50}\right)$
$=(-100)\times\left\{\left(+\frac{1}{17}\right)\times\left(-\frac{17}{50}\right)\right\}$
$=(-100)\times\left(-\frac{1}{50}\right)=+2$

(9) $\left(-\frac{9}{14}\right)\times(-3)\times(+28)$
$=\left(-\frac{9}{14}\right)\times(+28)\times(-3)$
$=\left\{\left(-\frac{9}{14}\right)\times(+28)\right\}\times(-3)$
$=(-18)\times(-3)=+54$

(10) $\left(-\frac{5}{8}\right)\times\left(+\frac{1}{18}\right)\times(-16)\times(+54)$
$=\left(-\frac{5}{8}\right)\times(-16)\times\left(+\frac{1}{18}\right)\times(+54)$
$=\left\{\left(-\frac{5}{8}\right)\times(-16)\right\}\times\left\{\left(+\frac{1}{18}\right)\times(+54)\right\}$
$=(+10)\times(+3)=+30$

힘수 만점 46쪽

01 ② **02** ③
03 ㉠: 곱셈의 교환법칙, ㉡: 곱셈의 결합법칙
04 -30 **05** $\frac{5}{2}$

01 (양수)×(음수) 또는 (음수)×(양수)의 값은 음수이므로 계산 결과가 음수인 것은 ②이다.

02 ① $(+3)\times(+2)=+6$
② $(-10)\times(+2)=-20$
③ $(+7)\times(-3)=-21$
④ $\left(+\frac{3}{4}\right)\times(-12)=-9$
⑤ $\left(-\frac{5}{3}\right)\times\left(-\frac{6}{5}\right)=+2$
$-21<-20<-9<+2<+6$이므로 가장 작은 것은 ③이다.

04 $\left(-\frac{5}{4}\right)\times(-3)\times(-8)=\left(-\frac{5}{4}\right)\times(-8)\times(-3)$
$=\left\{\left(-\frac{5}{4}\right)\times(-8)\right\}\times(-3)$
$=(+10)\times(-3)=-30$

05 $(+1.2)\times(-5)=-6$이므로 $a=-6$,
$\left(-\frac{1}{6}\right)\times\left(+\frac{5}{2}\right)=-\frac{5}{12}$이므로 $b=-\frac{5}{12}$
$a\times b=(-6)\times\left(-\frac{5}{12}\right)=\frac{5}{2}$

13강+ 복잡한 식의 계산 47~48쪽

01 (1) $-$, -42 (2) $+$, $+60$ (3) $-$, -60 (4) $-$, -48 (5) $+$, $+24$ (6) $-$, -60

02 (1) $+30$ (2) -56 (3) $+56$ (4) -90 (5) $+150$ (6) -18 (7) -48

03 (1) $+75$ (2) $-\frac{24}{5}$ (3) $-\frac{25}{18}$ (4) $+\frac{3}{10}$ (5) $-\frac{4}{5}$ (6) $+\frac{7}{12}$ (7) $+12$ (8) $+\frac{4}{5}$

04 (1) $(-5)^2$ (2) $(+2)^4$ (3) $(-1)^3$ (4) $(-4)^5$ (5) $\left(+\frac{1}{5}\right)^3$ (6) $\left(-\frac{1}{3}\right)^4$ (7) $\left(-\frac{3}{4}\right)^3$

05 (1) × (2) ○ (3) ○ (4) ○ (5) × (6) ×

06 (1) -16 (2) $+72$ (3) $+32$ (4) $-\frac{9}{16}$ (5) $-\frac{3}{20}$ (6) $+\frac{1}{10}$ (7) $+\frac{1}{81}$

01 (1) 음수가 1개로 홀수 개이므로 결과는 음수
(2) 음수가 2개로 짝수 개이므로 결과는 양수
(3) 음수가 3개로 홀수 개이므로 결과는 음수
(4) 음수가 1개로 홀수 개이므로 결과는 음수
(5) 음수가 2개로 짝수 개이므로 결과는 양수
(6) 음수가 3개로 홀수 개이므로 결과는 음수

02 (1) $(-3)\times(-2)\times(+5)=+(3\times2\times5)=+30$
(2) $(-4)\times(-2)\times(-7)=-(4\times2\times7)=-56$
(3) $(+2)\times(-7)\times(-4)=+(2\times7\times4)=+56$
(4) $(+5)\times(+2)\times(-9)=-(5\times2\times9)=-90$
(5) $(+5)\times(-3)\times(-10)=+(5\times3\times10)=+150$
(6) $(-1)\times(+9)\times(+2)=-(1\times9\times2)=-18$
(7) $(-4)\times(-2)\times(-6)=-(4\times2\times6)=-48$

03 (1) $(-6)\times\left(-\frac{5}{4}\right)\times(+10)=+\left(6\times\frac{5}{4}\times10\right)=+75$
(2) $(-4)\times\left(-\frac{4}{5}\right)\times\left(-\frac{3}{2}\right)=-\left(4\times\frac{4}{5}\times\frac{3}{2}\right)=-\frac{24}{5}$
(3) $(+5)\times\left(-\frac{5}{6}\right)\times\left(+\frac{1}{3}\right)=-\left(5\times\frac{5}{6}\times\frac{1}{3}\right)=-\frac{25}{18}$
(4) $(-1)\times\left(-\frac{3}{4}\right)\times\left(+\frac{2}{5}\right)=+\left(1\times\frac{3}{4}\times\frac{2}{5}\right)=+\frac{3}{10}$
(5) $(+4)\times\left(+\frac{1}{3}\right)\times\left(-\frac{3}{5}\right)=-\left(4\times\frac{1}{3}\times\frac{3}{5}\right)=-\frac{4}{5}$
(6) $\left(+\frac{5}{6}\right)\times\left(-\frac{7}{15}\right)\times\left(-\frac{3}{2}\right)=+\left(\frac{5}{6}\times\frac{7}{15}\times\frac{3}{2}\right)=+\frac{7}{12}$
(7) $\left(-\frac{3}{4}\right)\times(-8)\times(+2)=+\left(\frac{3}{4}\times8\times2\right)=+12$
(8) $\left(-\frac{6}{5}\right)\times\left(+\frac{8}{3}\right)\times\left(-\frac{1}{4}\right)=+\left(\frac{6}{5}\times\frac{8}{3}\times\frac{1}{4}\right)=+\frac{4}{5}$

04 (1) $(-5)\times(-5)=(-5)^2$
(2) $(+2)\times(+2)\times(+2)\times(+2)=(+2)^4$
(3) $(-1)\times(-1)\times(-1)=(-1)^3$
(4) $(-4)\times(-4)\times(-4)\times(-4)\times(-4)=(-4)^5$
(5) $\left(+\frac{1}{5}\right)\times\left(+\frac{1}{5}\right)\times\left(+\frac{1}{5}\right)=\left(+\frac{1}{5}\right)^3$
(6) $\left(-\frac{1}{3}\right)\times\left(-\frac{1}{3}\right)\times\left(-\frac{1}{3}\right)\times\left(-\frac{1}{3}\right)=\left(-\frac{1}{3}\right)^4$
(7) $\left(-\frac{3}{4}\right)\times\left(-\frac{3}{4}\right)\times\left(-\frac{3}{4}\right)=\left(-\frac{3}{4}\right)^3$

05 (1) $(-3)^2=(-3)\times(-3)=+9$
(2) $(-2)^2=(-2)\times(-2)=+4$
(3) $-1^4=-(1\times1\times1\times1)=-1$
(4) $(-2)^3=(-2)\times(-2)\times(-2)=-8$
(5) $\left(-\frac{3}{5}\right)^2=\left(-\frac{3}{5}\right)\times\left(-\frac{3}{5}\right)=+\frac{9}{25}$
(6) $\left(-\frac{1}{3}\right)^4=\left(-\frac{1}{3}\right)\times\left(-\frac{1}{3}\right)\times\left(-\frac{1}{3}\right)\times\left(-\frac{1}{3}\right)=+\frac{1}{81}$

06 (1) $(-2)^2\times(-2^2)=+4\times(-4)=-16$
(2) $(-3^2)\times(-2)^3=(-9)\times(-8)=+72$
(3) $(-2^2)\times(-2)^3=(-4)\times(-8)=+32$
(4) $\left(-\frac{1}{4}\right)\times\left(-\frac{3}{2}\right)^2=\left(-\frac{1}{4}\right)\times\left(+\frac{9}{4}\right)=-\frac{9}{16}$
(5) $\left(-\frac{3}{5}\right)\times\left(-\frac{1}{2}\right)^2=\left(-\frac{3}{5}\right)\times\left(+\frac{1}{4}\right)=-\frac{3}{20}$
(6) $\left(+\frac{2}{5}\right)^3\times\left(-\frac{5}{4}\right)^2=\left(+\frac{8}{125}\right)\times\left(+\frac{25}{16}\right)=+\frac{1}{10}$
(7) $\left(-\frac{1}{4}\right)^2\times\left(+\frac{2}{3}\right)^4=\left(+\frac{1}{16}\right)\times\left(+\frac{16}{81}\right)=+\frac{1}{81}$

힘수 만점 49쪽

01 (1) -45 (2) $+42$ (3) $-\frac{2}{5}$ **02** 34 **03** ②, ⑤ **04** -2^3, $(-2)^4$ **05** ④

01 (1) $(+5)\times(+3)\times(-3)=-(5\times3\times3)=-45$
(2) $(-3)\times(-7)\times(+2)=+(3\times7\times2)=+42$
(3) $\left(-\frac{4}{5}\right)\times\left(-\frac{2}{3}\right)\times\left(-\frac{3}{4}\right)=-\left(\frac{4}{5}\times\frac{2}{3}\times\frac{3}{4}\right)=-\frac{2}{5}$

02 $(-0.7)\times\left(-\frac{6}{5}\right)\times(-0.6)\times\left(-\frac{5}{7}\right)$
$=\left(-\frac{7}{10}\right)\times\left(-\frac{6}{5}\right)\times\left(-\frac{6}{10}\right)\times\left(-\frac{5}{7}\right)$
$=+\left(\frac{7}{10}\times\frac{6}{5}\times\frac{6}{10}\times\frac{5}{7}\right)$
$=+\frac{9}{25}$
따라서 $a=25$, $b=9$이므로 $a+b=25+9=34$

03 ① $-\left(-\frac{1}{2}\right)^3=-\left(-\frac{1}{2^3}\right)=+\frac{1}{2^3}$ ⇨ 양수

② $(-1)^{35}=-1^{35}$ ⇨ 음수

③ $(-2)^8=2^8$ ⇨ 양수

④ $\left(-\frac{4}{3}\right)^2=\frac{4^2}{3^2}$ ⇨ 양수

⑤ $-\frac{2^3}{5}$ ⇨ 음수

따라서 음수는 ②, ⑤이다.

04 $(-2)^2=(-2)\times(-2)=+4$

$-(-2)^2=-(-2)\times(-2)=-4$

$-2^3=-(2\times2\times2)=-8$

$(-2)^4=(-2)\times(-2)\times(-2)\times(-2)=+16$

따라서 가장 작은 수는 -2^3이고, 가장 큰 수는 $(-2)^4$이다.

05 $(-1)^{2032}\div(-1)^{3003}\times(-1)^{10101}=(+1)\div(-1)\times(-1)$

$=+1$

14강 유리수의 나눗셈 50~51쪽

01 (1) $+2$ (2) $+4$ (3) $+5$ (4) $+2$ (5) $+2$ (6) $+8$ (7) $+8$ (8) $+4$

02 (1) -9 (2) -6 (3) -21 (4) -9 (5) -3

03 (1) $-\frac{1}{2}$ (2) $\frac{1}{4}$ (3) -9 (4) $-\frac{7}{6}$

04 (1) $-\frac{1}{7}$ (2) 6 (3) $-\frac{3}{4}$ (4) $-\frac{2}{3}$ (5) -1 (6) $\frac{12}{5}$

05 (1) $-\frac{1}{8}$ (2) $-\frac{5}{2}$ (3) $+\frac{3}{10}$ (4) $+\frac{1}{17}$ (5) $+\frac{1}{6}$ (6) $-\frac{1}{40}$ (7) -3

06 (1) $+\frac{4}{35}$ (2) $+21$ (3) $-\frac{9}{2}$ (4) $-\frac{5}{12}$ (5) $+\frac{7}{6}$

07 (1) $+\frac{1}{2}$ (2) $-\frac{17}{9}$ (3) $-\frac{1}{4}$ (4) $+\frac{1}{20}$ (5) $-\frac{10}{7}$

01 (1) $(+12)\div(+6)=+(12\div6)=+2$

(2) $(-36)\div(-9)=+(36\div9)=+4$

(3) $(-25)\div(-5)=+(25\div5)=+5$

(4) $(-8)\div(-4)=+(8\div4)=+2$

(5) $(+24)\div(+12)=+(24\div12)=+2$

(6) $(+88)\div(+11)=+(88\div11)=+8$

(7) $(-96)\div(-12)=+(96\div12)=+8$

(8) $(+100)\div(+25)=+(100\div25)=+4$

02 (1) $(+27)\div(-3)=-(27\div3)=-9$

(2) $(-54)\div(+9)=-(54\div9)=-6$

(3) $(+63)\div(-3)=-(63\div3)=-21$

(4) $(-81)\div(+9)=-(81\div9)=-9$

(5) $(-63)\div(+21)=-(63\div21)=-3$

03 (1) $(-2)\times\left(\boxed{-\frac{1}{2}}\right)=1$

(2) $4\times\left(\boxed{\frac{1}{4}}\right)=1$

(3) $\left(-\frac{1}{9}\right)\times(\boxed{-9})=1$

(4) $\left(-\frac{6}{7}\right)\times\left(\boxed{-\frac{7}{6}}\right)=1$

04 (1) $-7=-\frac{7}{1}$ ⇨ 역수: $-\frac{1}{7}$

(2) $\frac{1}{6}$ ⇨ 역수: 6

(3) $-\frac{4}{3}$ ⇨ 역수: $-\frac{3}{4}$

(4) $-1.5=-\frac{3}{2}$ ⇨ 역수: $-\frac{2}{3}$

(5) -1 ⇨ 역수: -1

(6) $\frac{5}{12}$ ⇨ 역수: $\frac{12}{5}$

05 (1) $\left(+\frac{3}{4}\right)\div(-6)=\left(+\frac{3}{4}\right)\times\left(-\frac{1}{6}\right)=-\left(\frac{3}{4}\times\frac{1}{6}\right)=-\frac{1}{8}$

(2) $(-8)\div\left(+\frac{16}{5}\right)=(-8)\times\left(+\frac{5}{16}\right)$

$=-\left(8\times\frac{5}{16}\right)=-\frac{5}{2}$

(3) $\left(+2.25\right)\div\left(+\frac{15}{2}\right)=\left(+\frac{9}{4}\right)\div\left(+\frac{15}{2}\right)$

$=\left(+\frac{9}{4}\right)\times\left(+\frac{2}{15}\right)=+\frac{3}{10}$

(4) $(-0.6)\div(-10.2)=\left(-\frac{3}{5}\right)\div\left(-\frac{51}{5}\right)$

$=\left(-\frac{3}{5}\right)\times\left(-\frac{5}{51}\right)$

$=+\left(\frac{3}{5}\times\frac{5}{51}\right)=+\frac{1}{17}$

(5) $\left(-\frac{5}{9}\right)\div\left(-\frac{10}{3}\right)=\left(-\frac{5}{9}\right)\times\left(-\frac{3}{10}\right)$

$=+\left(\frac{5}{9}\times\frac{3}{10}\right)=+\frac{1}{6}$

(6) $\left(+\frac{1}{5}\right)\div(-8)=\left(+\frac{1}{5}\right)\times\left(-\frac{1}{8}\right)$

$=-\left(\frac{1}{5}\times\frac{1}{8}\right)=-\frac{1}{40}$

(7) $\left(+\frac{4}{7}\right)\div\left(-\frac{4}{21}\right)=\left(+\frac{4}{7}\right)\times\left(-\frac{21}{4}\right)$

$=-\left(\frac{4}{7}\times\frac{21}{4}\right)=-3$

06 (1) $\left(+\frac{3}{7}\right)\div(-6)\div\left(-\frac{5}{8}\right)=\left(+\frac{3}{7}\right)\times\left(-\frac{1}{6}\right)\times\left(-\frac{8}{5}\right)$

$=+\left(\frac{3}{7}\times\frac{1}{6}\times\frac{8}{5}\right)=+\frac{4}{35}$

(2) $(-50)\div\left(+\frac{25}{7}\right)\div\left(-\frac{2}{3}\right)=(-50)\times\left(+\frac{7}{25}\right)\times\left(-\frac{3}{2}\right)$

$=+\left(50\times\frac{7}{25}\times\frac{3}{2}\right)=+21$

(3) $(+2)\div\left(-\frac{10}{3}\right)\div\left(+\frac{2}{15}\right)=(+2)\times\left(-\frac{3}{10}\right)\times\left(+\frac{15}{2}\right)$
$=-\left(2\times\frac{3}{10}\times\frac{15}{2}\right)=-\frac{9}{2}$

(4) $\left(-\frac{3}{4}\right)\div\left(-\frac{6}{11}\right)\div\left(-\frac{33}{10}\right)=\left(-\frac{3}{4}\right)\times\left(-\frac{11}{6}\right)\times\left(-\frac{10}{33}\right)$
$=-\left(\frac{3}{4}\times\frac{11}{6}\times\frac{10}{33}\right)=-\frac{5}{12}$

(5) $\left(-\frac{4}{5}\right)\div\left(-\frac{8}{15}\right)\div\left(+\frac{9}{7}\right)=\left(-\frac{4}{5}\right)\times\left(-\frac{15}{8}\right)\times\left(+\frac{7}{9}\right)$
$=+\left(\frac{4}{5}\times\frac{15}{8}\times\frac{7}{9}\right)=+\frac{7}{6}$

07 (1) $a=-\frac{3}{2}$, $b=2$

⇨ $a+b=-\frac{3}{2}+2=-\frac{3}{2}+\frac{4}{2}=+\frac{1}{2}$

(2) $a=-2$, $b=-\frac{1}{9}$

⇨ $a-b=-2-\left(-\frac{1}{9}\right)=-2+\left(+\frac{1}{9}\right)$
$=-\frac{18}{9}+\frac{1}{9}=-\frac{17}{9}$

(3) $a=\frac{1}{6}$, $b=-\frac{3}{2}$

⇨ $a\times b=\frac{1}{6}\times\left(-\frac{3}{2}\right)=-\frac{1}{4}$

(4) $a=-\frac{1}{4}$, $b=-5$

⇨ $a\div b=\left(-\frac{1}{4}\right)\div(-5)=\left(-\frac{1}{4}\right)\times\left(-\frac{1}{5}\right)$
$=+\left(\frac{1}{4}\times\frac{1}{5}\right)=+\frac{1}{20}$

(5) $a=-\frac{1}{7}$, $b=\frac{9}{7}$

⇨ $a-b=-\frac{1}{7}-\frac{9}{7}=-\frac{10}{7}$

힘수 만점 52쪽

01 ②, ⑤ **02** -10 **03** ④ **04** $+\frac{4}{15}$
05 (1) $-\frac{10}{7}$ (2) $+\frac{2}{15}$

01 ① $\left(-\frac{3}{4}\right)\div3=\left(-\frac{3}{4}\right)\times\frac{1}{3}=-\left(\frac{3}{4}\times\frac{1}{3}\right)=-\frac{1}{4}$

② $\left(-\frac{1}{4}\right)\div(-4)=\left(-\frac{1}{4}\right)\times\left(-\frac{1}{4}\right)=+\frac{1}{16}$

③ 0을 0이 아닌 수로 나누면 그 몫은 항상 0이다.

④ $(-3)\div\frac{1}{6}=(-3)\times6=-18$

⑤ $\left(-\frac{3}{5}\right)\div\frac{5}{3}=\left(-\frac{3}{5}\right)\times\frac{3}{5}=-\frac{9}{25}$

02 $A=(-5)\div(-7)=+(5\div7)=+\frac{5}{7}$

$B=\left(-\frac{1}{2}\right)\times\frac{1}{7}=-\frac{1}{14}$

⇨ $A\div B=\left(+\frac{5}{7}\right)\div\left(-\frac{1}{14}\right)=\left(+\frac{5}{7}\right)\times(-14)$
$=-\left(\frac{5}{7}\times14\right)=-10$

03 ③ $0.5=\frac{1}{2}$의 역수는 2

④ 1의 역수는 1

04 $a=-\frac{1}{9}$, $-2.4=-\frac{12}{5}$이므로 $b=-\frac{5}{12}$

$a\div b=\left(-\frac{1}{9}\right)\div\left(-\frac{5}{12}\right)=\left(-\frac{1}{9}\right)\times\left(-\frac{12}{5}\right)$
$=+\left(\frac{1}{9}\times\frac{12}{5}\right)$
$=+\frac{4}{15}$

05 (1) $\frac{12}{7}\div\left(-\frac{6}{5}\right)=\frac{12}{7}\times\left(-\frac{5}{6}\right)=-\left(\frac{12}{7}\times\frac{5}{6}\right)=-\frac{10}{7}$

(2) $(-2.6)\div\left(-\frac{39}{2}\right)=\left(-\frac{13}{5}\right)\div\left(-\frac{39}{2}\right)$
$=\left(-\frac{13}{5}\right)\times\left(-\frac{2}{39}\right)$
$=+\left(\frac{13}{5}\times\frac{2}{39}\right)$
$=+\frac{2}{15}$

15강+ 정수와 유리수의 혼합 계산 53~55쪽

01 (1) $\frac{1}{2}$, $+10$ (2) $\frac{8}{3}$, $+2$ (3) -2, $-\frac{1}{4}$

02 (1) -10 (2) $+16$ (3) $+2$ (4) -15

03 (1) $-\frac{36}{25}$ (2) $-\frac{5}{2}$ (3) $-\frac{3}{8}$

04 (1) $\frac{1}{3}$, $-\frac{1}{5}$, -3, 2 (2) 3, 3, -15, -27

05 (1) 100, 1200 (2) 10, -90

06 (1) 1751 (2) -15 (3) 540 (4) -10 (5) 31

07 (1) -600 (2) 50 (3) -30 (4) 1400 (5) -13

08 (1) -5 (2) -33 (3) 22 (4) -15 (5) 4 (6) 16
(7) 2 (8) -2 (9) $\frac{3}{10}$ (10) 1

09 (1) $-\frac{3}{2}$ (2) 0 (3) -6 (4) 8 (5) -50 (6) -11 (7) 1
(8) $\frac{4}{5}$ (9) -1 (10) $\frac{1}{2}$ (11) -1 (12) 19 (13) -10

10 (1) ㉤, ㉢, ㉡, ㉠ (2) ㉡, ㉢, ㉣, ㉤
(3) ㉣, ㉢, ㉤, ㉡, ㉠ (4) ㉡, ㉣, ㉢, ㉤, ㉥, ㉠

11 (1) -11 (2) 5 (3) $\frac{1}{3}$ (4) -5 (5) 6

01 (1) $(-5)\div2\times(-4)=(-5)\times\frac{1}{2}\times(-4)$

$=+\left(5\times\frac{1}{2}\times4\right)=+10$

(2) $(-3)\times\left(-\frac{1}{4}\right)\div\frac{3}{8}=(-3)\times\left(-\frac{1}{4}\right)\times\frac{8}{3}$

$=+\left(3\times\frac{1}{4}\times\frac{8}{3}\right)=+2$

(3) $\left(-\frac{3}{4}\right)\div\left(-\frac{1}{2}\right)\div(-6)=\left(-\frac{3}{4}\right)\times(-2)\times\left(-\frac{1}{6}\right)$

$=-\left(\frac{3}{4}\times2\times\frac{1}{6}\right)=-\frac{1}{4}$

02 (1) $25\div(-5)\times2=25\times\left(-\frac{1}{5}\right)\times2$

$=-10$

(2) $8\times(-10)\div(-5)=8\times(-10)\times\left(-\frac{1}{5}\right)$

$=+16$

(3) $24\div(-3)\times4\div(-16)$

$=24\times\left(-\frac{1}{3}\right)\times4\times\left(-\frac{1}{16}\right)$

$=+2$

(4) $40\div(-8)\times3=40\times\left(-\frac{1}{8}\right)\times3$

$=-15$

03 (1) $(-2)^2\times(-3^2)\div(-5)^2=4\times(-9)\div25$

$=4\times(-9)\times\frac{1}{25}$

$=-\frac{36}{25}$

(2) $\left(-\frac{1}{2}\right)^3\div(-0.5)^2\times5=\left(-\frac{1}{2}\right)^3\div\left(-\frac{1}{2}\right)^2\times5$

$=-\frac{1}{8}\div\frac{1}{4}\times5$

$=-\frac{1}{8}\times4\times5$

$=-\frac{5}{2}$

(3) $\left(-\frac{3}{4}\right)\times\left(-\frac{2}{3}\right)^2\div\frac{8}{9}=\left(-\frac{3}{4}\right)\times\frac{4}{9}\div\frac{8}{9}$

$=\left(-\frac{3}{4}\right)\times\frac{4}{9}\times\frac{9}{8}$

$=-\frac{3}{8}$

06 (1) $17\times(100+3)=17\times100+17\times3$

$=1700+51=1751$

(2) $20\times\left(\frac{1}{2}-\frac{5}{4}\right)=20\times\frac{1}{2}-20\times\frac{5}{4}$

$=10-25=-15$

(3) $(50-5)\times12=50\times12-5\times12$

$=600-60=540$

(4) $\left\{2+\left(-\frac{9}{7}\right)\right\}\times(-14)=2\times(-14)+\left(-\frac{9}{7}\right)\times(-14)$

$=-28+(+18)=-10$

(5) $\left\{\left(-\frac{1}{9}\right)+\left(-\frac{3}{4}\right)\right\}\times(-36)$

$=\left(-\frac{1}{9}\right)\times(-36)+\left(-\frac{3}{4}\right)\times(-36)$

$=4+27=31$

07 (1) $(-6)\times96+(-6)\times4=(-6)\times(96+4)$

$=(-6)\times100=-600$

(2) $5\times9.8+5\times0.2=5\times(9.8+0.2)$

$=5\times10=50$

(3) $(-3)\times45-(-3)\times35=(-3)\times(45-35)$

$=(-3)\times10=-30$

(4) $14\times73+14\times27=14\times(73+27)$

$=14\times100=1400$

(5) $(-13)\times\frac{1}{3}+(-13)\times\frac{2}{3}=(-13)\times\left(\frac{1}{3}+\frac{2}{3}\right)$

$=(-13)\times1=-13$

08 (1) $3+(-4)\times2=3+(-8)=-5$

(2) $(-3)+5\times(-6)=(-3)+(-30)=-33$

(3) $19-12\div(-4)=19-(-3)=22$

(4) $(-5)\times4-30\div(-6)=(-20)-(-5)=-15$

(5) $(-8-6)\div7-(-3)\times2=(-14)\div7-(-6)$

$=-2-(-6)=+4$

(6) $3\times|-5|-6\div(1-7)=3\times5-6\div(-6)$

$=3\times5-6\times\left(-\frac{1}{6}\right)$

$=15+1=16$

(7) $(-8)+\frac{5}{9}\times18=-8+10=2$

(8) $(-5+7)\times\left(-\frac{3}{4}\right)-\frac{1}{2}=2\times\left(-\frac{3}{4}\right)-\frac{1}{2}$

$=\left(-\frac{3}{2}\right)-\frac{1}{2}=-2$

(9) $\left(-\frac{6}{5}\right)\div(-12)+0.2=\left(-\frac{6}{5}\right)\times\left(-\frac{1}{12}\right)+0.2$

$=\frac{1}{10}+\frac{2}{10}=\frac{3}{10}$

(10) $\left(-\frac{10}{3}\right)\div\frac{2}{3}\times\left(-\frac{1}{10}\right)+\frac{1}{2}$

$=\left(-\frac{10}{3}\right)\times\frac{3}{2}\times\left(-\frac{1}{10}\right)+\frac{1}{2}=\frac{1}{2}+\frac{1}{2}=1$

09 (1) $(-3)-(-3)^2\div(-6)=(-3)-9\div(-6)$

$=(-3)-9\times\left(-\frac{1}{6}\right)$

$=(-3)+\frac{3}{2}$

$=\left(-\frac{6}{2}\right)+\frac{3}{2}=-\frac{3}{2}$

(2) $(-2)^2-16\div 2^2=4-16\div 4=4-4=0$

(3) $(-2^3)-(-4)^2\div(-8)=(-8)-16\div(-8)$
$=(-8)-(-2)=-6$

(4) $6-(1-3^2)\div 2^2=6-(-8)\div 4$
$=6-(-2)=8$

(5) $(-35)\div 7\times(-2^2)\times(-3)+10$
$=(-35)\div 7\times(-4)\times(-3)+10$
$=(-5)\times 12+10=-60+10=-50$

(6) $4-(-5)\times(3-6)=4-(-5)\times(-3)$
$=4-15=-11$

(7) $3\times(1-2^2)\div(-3)^2+2=3\times(1-4)\div 9+2$
$=3\times(-3)\div 9+2$
$=(-9)\div 9+2=(-1)+2=1$

(8) $\left(\frac{1}{2}-\frac{1}{3}\right)\times\frac{3}{5}+\frac{7}{10}=\frac{1}{6}\times\frac{3}{5}+\frac{7}{10}$
$=\frac{1}{10}+\frac{7}{10}=\frac{8}{10}=\frac{4}{5}$

(9) $4\times\left(-\frac{1}{2}\right)^2-2=4\times\frac{1}{4}-2$
$=1-2=-1$

(10) $(-3)^2\times\frac{1}{3}-\frac{5}{2}=9\times\frac{1}{3}-\frac{5}{2}$
$=3-\frac{5}{2}=\frac{1}{2}$

(11) $\frac{1}{3}\times 5\times(-1)^5+\frac{2}{3}$
$=\frac{1}{3}\times 5\times(-1)+\frac{2}{3}$
$=\frac{1}{3}\times(-5)+\frac{2}{3}$
$=-\frac{5}{3}+\frac{2}{3}$
$=-\frac{3}{3}=-1$

(12) $\frac{1}{4}\div\left(-\frac{1}{2}\right)^3-(-9)\times\frac{7}{3}=\frac{1}{4}\div\left(-\frac{1}{8}\right)-(-9)\times\frac{7}{3}$
$=\frac{1}{4}\times(-8)-(-9)\times\frac{7}{3}$
$=-2-(-21)=19$

(13) $(-2)^3\div\frac{8}{9}\times(-10)-100$
$=(-8)\div\frac{8}{9}\times(-10)-100$
$=(-8)\times\frac{9}{8}\times(-10)-100$
$=90-100=-10$

11 (1) $10-\{(-3)^2-(-6+2)\times 3\}$
$=10-\{9-(-6+2)\times 3\}$
$=10-\{9-(-4)\times 3\}$
$=10-\{9-(-12)\}$
$=10-(+21)$
$=-11$

(2) $5\div\{(-2)^3-(-3)\}+(-1)^5\times(-6)$
$=5\div\{(-8)-(-3)\}+(-1)\times(-6)$
$=5\div(-5)+(-1)\times(-6)$
$=-1+6=5$

(3) $\left(-\frac{1}{3}\right)^2\div\left\{1-\left(\frac{2}{3}-\frac{3}{2}\right)\right\}+\frac{3}{11}$
$=\frac{1}{9}\div\left\{1-\left(\frac{2}{3}-\frac{3}{2}\right)\right\}+\frac{3}{11}$
$=\frac{1}{9}\div\left\{1-\left(-\frac{5}{6}\right)\right\}+\frac{3}{11}$
$=\frac{1}{9}\div\frac{11}{6}+\frac{3}{11}$
$=\frac{1}{9}\times\frac{6}{11}+\frac{3}{11}$
$=\frac{2}{33}+\frac{3}{11}=\frac{2}{33}+\frac{9}{33}$
$=\frac{11}{33}=\frac{1}{3}$

(4) $6\times\left[\left\{\left(-\frac{1}{3}\right)^2\div\left(\frac{5}{6}-\frac{1}{6}\right)+1\right\}-2\right]$
$=6\times\left\{\left(\frac{1}{9}\div\left(\frac{5}{6}-\frac{1}{6}\right)+1\right)-2\right\}$
$=6\times\left\{\left(\frac{1}{9}\div\frac{2}{3}+1\right)-2\right\}$
$=6\times\left\{\left(\frac{1}{9}\times\frac{3}{2}+1\right)-2\right\}$
$=6\times\left\{\left(\frac{1}{6}+1\right)-2\right\}$
$=6\times\left(\frac{7}{6}-2\right)$
$=6\times\left(\frac{7}{6}-\frac{12}{6}\right)$
$=6\times\left(-\frac{5}{6}\right)=-5$

(5) $8-\left\{\left(\frac{1}{3}-\frac{3}{4}\right)\div\frac{5}{3}\right\}\times(-2)^3$
$=8-\left\{\left(\frac{1}{3}-\frac{3}{4}\right)\div\frac{5}{3}\right\}\times(-8)$
$=8-\left\{\left(-\frac{5}{12}\right)\div\frac{5}{3}\right\}\times(-8)$
$=8-\left\{\left(-\frac{5}{12}\right)\times\frac{3}{5}\right\}\times(-8)$
$=8-\left(-\frac{1}{4}\right)\times(-8)$
$=8-2=6$

힘수 만점 56쪽

01 $\frac{2}{15}$ **02** $a=100$, $b=1410$ **03** 49

04 (1) ㉠ (2) $-\frac{37}{5}$

01 $A=\frac{1}{5}\times(-12)\div(-3)^2$

$=\frac{1}{5}\times(-12)\div9$

$=\frac{1}{5}\times(-12)\times\frac{1}{9}$

$=-\left(\frac{1}{5}\times12\times\frac{1}{9}\right)$

$=-\frac{4}{15}$

$B=\left(-\frac{2}{3}\right)\div\frac{5}{6}\times\frac{5}{8}$

$=\left(-\frac{2}{3}\right)\times\frac{6}{5}\times\frac{5}{8}$

$=-\left(\frac{2}{3}\times\frac{6}{5}\times\frac{5}{8}\right)$

$=-\frac{1}{2}$

⇨ $A\times B=\left(-\frac{4}{15}\right)\times\left(-\frac{1}{2}\right)$

$=+\left(\frac{4}{15}\times\frac{1}{2}\right)$

$=\frac{2}{15}$

02 $15\times94=15\times(100-6)$

$=15\times100-15\times6$

$=1500-90$

$=1410$

⇨ $a=100,\ b=1410$

03 $a\times b=14,\ a\times c=35$이므로

$a\times(b+c)=a\times b+a\times c$

$=14+35$

$=49$

04 (2) $-\frac{2}{5}+(-1)^2\times\frac{7}{9}\div\left\{\left(\frac{1}{3}-\frac{1}{2}\right)\times\frac{2}{3}\right\}$

$=-\frac{2}{5}+1\times\frac{7}{9}\div\left\{\left(\frac{1}{3}-\frac{1}{2}\right)\times\frac{2}{3}\right\}$

$=-\frac{2}{5}+\frac{7}{9}\div\left\{\left(\frac{1}{3}-\frac{1}{2}\right)\times\frac{2}{3}\right\}$

$=-\frac{2}{5}+\frac{7}{9}\div\left\{\left(-\frac{1}{6}\right)\times\frac{2}{3}\right\}$

$=-\frac{2}{5}+\frac{7}{9}\div\left(-\frac{1}{9}\right)$

$=-\frac{2}{5}+\frac{7}{9}\times(-9)$

$=-\frac{2}{5}+(-7)$

$=-\frac{2}{5}+\left(-\frac{35}{5}\right)$

$=-\frac{37}{5}$

16강 중단원 연산 마무리 57~60쪽

01 (1) -5일 (2) $+12$ °C (3) -20점
02 (1) 2개 (2) 3개 (3) 3개
03 (1) ○ (2) × (3) ○ (4) ○ (5) ×
04 (1) -3 (2) $-\frac{1}{2}$ (3) $\frac{4}{3}$ (4) $\frac{5}{2}$ (5) 4
05 (1) × (2) × (3) ○ (4) × (5) ○
06 (1) $|+7|$, 7 (2) $\left|-\frac{2}{3}\right|$, $\frac{2}{3}$
07 (1) -8, 8 (2) -10, 10 (3) -24, 24
08 (1) $\frac{1}{2}$ (2) $\frac{53}{36}$ (3) $-\frac{1}{42}$ **09** (1) $<$ (2) $>$
10 (1) $-3\le x<3$ (2) $-5\le x\le8$
11 (1) 7개 (2) 6개 (3) 9개 **12** (1) $+\frac{17}{12}$ (2) $+\frac{5}{24}$
13 (1) $+15$ (2) $-\frac{11}{12}$ (3) -11 (4) $+6$ (5) -2.2
14 (1) $+500$ (2) -30
15 (1) $+\frac{1}{4}$ (2) $-\frac{1}{4}$ (3) $-\frac{1}{8}$ (4) $-\frac{1}{16}$
16 (1) 1 (2) -1 **17** (1) -3 (2) -3 (3) $+\frac{1}{3}$
18 (1) $-\frac{2}{3}$ (2) $-\frac{4}{5}$ (3) $-\frac{12}{5}$
19 (1) -4 (2) $+\frac{100}{3}$ **20** (1) -34 (2) -540
21 (1) 양 (2) 음 (3) 음 (4) 양
22 ② **23** $-\frac{17}{20}$ **24** -1 **25** 18

03 (2) 양의 정수는 자연수이다.
(5) 양의 유리수가 아닌 유리수는 0 또는 음의 유리수이다.

05 (1) 0의 절댓값은 0이다.
(2) 0의 절댓값은 0으로 1개이다.
(4) 음수의 절댓값은 0보다 크다.

08 (1) $\left|-\frac{7}{5}\right|-\left|-\frac{9}{10}\right|=\frac{7}{5}-\frac{9}{10}=\frac{14}{10}-\frac{9}{10}=\frac{5}{10}=\frac{1}{2}$

(2) $\left|\frac{8}{9}\right|+\left|-\frac{7}{12}\right|=\frac{8}{9}+\frac{7}{12}=\frac{32}{36}+\frac{21}{36}=\frac{53}{36}$

(3) $-\left|\frac{5}{14}\right|+\left|\frac{7}{21}\right|=-\frac{5}{14}+\frac{7}{21}=-\frac{15}{42}+\frac{14}{42}=-\frac{1}{42}$

09 (1) 양수는 절댓값이 클수록 큰 수이다.
$|+4|<\left|+\frac{14}{3}\right|$이므로 $+4<+\frac{14}{3}$
(2) 음수는 절댓값이 작을수록 큰 수이다.
$|-3|<|-3.2|$이므로 $-3>-3.2$

10 (1) x는 -3보다 크거나 같고 ($-3\le x$) / 3보다 작다. (<3)
(2) x는 -3보다 작지 않고 ($-5\le x$) / 8보다 크지 않다. (≤8)

11 (1) $\frac{16}{5}=3\frac{1}{5}$이므로 -3 이상이고 $\frac{16}{5}$보다 작은 정수는 $-3,\ -2,\ -1,\ 0,\ 1,\ 2,\ 3$의 7개이다.

(2) $\frac{5}{3}=1\frac{2}{3}$이므로 -5보다 크고 $\frac{5}{3}$ 이하인 정수는 $-4,\ -3,\ -2,\ -1,\ 0,\ 1$의 6개이다.

(3) $-\frac{16}{3}=-5\frac{1}{3}$이므로 $-\frac{16}{3}$보다 작지 않고 3보다 작거나 같은 정수는 $-5,\ -4,\ -3,\ -2,\ -1,\ 0,\ 1,\ 2,\ 3$의 9개이다.

12 (1) $\left(+\frac{1}{2}\right)+\left(-\frac{9}{4}\right)+(+4)+\left(-\frac{5}{6}\right)$

$=\left\{\left(+\frac{1}{2}\right)+(+4)\right\}+\left\{\left(-\frac{9}{4}\right)+\left(-\frac{5}{6}\right)\right\}$

$=\left\{\left(+\frac{1}{2}\right)+\left(+\frac{8}{2}\right)\right\}+\left\{\left(-\frac{27}{12}\right)+\left(-\frac{10}{12}\right)\right\}$

$=\left(+\frac{9}{2}\right)+\left(-\frac{37}{12}\right)=\left(+\frac{54}{12}\right)+\left(-\frac{37}{12}\right)=+\frac{17}{12}$

(2) $\left(-\frac{3}{4}\right)+\left(-\frac{5}{8}\right)+(+2)+\left(-\frac{5}{12}\right)$

$=\left(-\frac{3}{4}\right)+\left(-\frac{5}{8}\right)+\left(-\frac{5}{12}\right)+(+2)$

$=\left\{\left(-\frac{18}{24}\right)+\left(-\frac{15}{24}\right)+\left(-\frac{10}{24}\right)\right\}+(+2)$

$=\left(-\frac{43}{24}\right)+\left(+\frac{48}{24}\right)=+\frac{5}{24}$

13 (1) $7-(-8)=7+8=+15$

(2) $-\frac{2}{3}-\frac{1}{4}=-\frac{8}{12}-\frac{3}{12}=-\frac{11}{12}$

(3) $-9+3-5=-9-5+3$

$=-(9+5)+3$

$=-14+3=-11$

(4) $-5+|-7|-(-4)=-5+7+4=+6$

(5) $1.2-1-|-2.4|=1.2-1-2.4=0.2-2.4=-2.2$

14 (1) $(-4)\times(+5)\times(-25)$

$=(-4)\times(-25)\times(+5)$

$=\{(-4)\times(-25)\}\times(+5)$

$=100\times(+5)$

$=+500$

(2) $\left(-\frac{5}{4}\right)\times(-3)\times(-8)=\left(-\frac{5}{4}\right)\times(-8)\times(-3)$

$=\left\{\left(-\frac{5}{4}\right)\times(-8)\right\}\times(-3)$

$=(+10)\times(-3)=-30$

15 (1) $\left(-\frac{1}{2}\right)^2=\left(-\frac{1}{2}\right)\times\left(-\frac{1}{2}\right)=+\frac{1}{4}$

(2) $-\left(\frac{1}{2}\right)^2=-\left(\frac{1}{2}\times\frac{1}{2}\right)=-\frac{1}{4}$

(3) $\left(-\frac{1}{2}\right)^3=\left(-\frac{1}{2}\right)\times\left(-\frac{1}{2}\right)\times\left(-\frac{1}{2}\right)=-\frac{1}{8}$

(4) $-\left(\frac{1}{2}\right)^4=-\left(\frac{1}{2}\times\frac{1}{2}\times\frac{1}{2}\times\frac{1}{2}\right)=-\frac{1}{16}$

16 (1) $(-1)^{1004}-(-1)^{2025}-1^{5010}=1-(-1)-1=1$

(2) $-(-1)^{113}+(-1)^{3001}-1^{2030}=-(-1)+(-1)-1$

$=+1-1-1=-1$

17 (1) $(+27)\div(-9)=-\left(\frac{27}{9}\right)=-3$

(2) $\left(+\frac{2}{3}\right)\div\left(-\frac{2}{9}\right)=\left(+\frac{2}{3}\right)\times\left(-\frac{9}{2}\right)$

$=-\left(\frac{2}{3}\times\frac{9}{2}\right)=-3$

(3) $\left(-\frac{7}{8}\right)\div\left(-\frac{21}{8}\right)=\left(-\frac{7}{8}\right)\times\left(-\frac{8}{21}\right)$

$=+\left(\frac{7}{8}\times\frac{8}{21}\right)=+\frac{1}{3}$

18 (1) $1.2=\frac{12}{10}=\frac{6}{5}$이므로 1.2의 역수는 $\frac{5}{6}$이다.

⇨ $a=\frac{5}{6}$

$-\frac{4}{5}$의 역수는 $-\frac{5}{4}$이므로 $b=-\frac{5}{4}$

⇨ $a\div b=\frac{5}{6}\div\left(-\frac{5}{4}\right)=\frac{5}{6}\times\left(-\frac{4}{5}\right)=-\frac{2}{3}$

(2) $\frac{5}{6}$의 역수는 $\frac{6}{5}$이므로 $a=\frac{6}{5}$

$-1.5=-\frac{15}{10}=-\frac{3}{2}$의 역수는 $-\frac{2}{3}$이다.

⇨ $b=-\frac{2}{3}$

⇨ $a\times b=\frac{6}{5}\times\left(-\frac{2}{3}\right)=-\frac{4}{5}$

(3) $-\frac{5}{2}$의 역수는 $-\frac{2}{5}$이므로 $a=-\frac{2}{5}$

$-0.5=-\frac{5}{10}=-\frac{1}{2}$의 역수는 -2이다.

⇨ $b=-2$

⇨ $a+b=\left(-\frac{2}{5}\right)+(-2)=\left(-\frac{2}{5}\right)+\left(-\frac{10}{5}\right)=-\frac{12}{5}$

19 (1) $a=\left(+\frac{5}{6}\right)\div\left(-\frac{1}{3}\right)=\left(+\frac{5}{6}\right)\times(-3)$

$=-\left(\frac{5}{6}\times3\right)=-\frac{5}{2}$

$b=\left(-\frac{7}{12}\right)\div\left(-\frac{14}{15}\right)=\left(-\frac{7}{12}\right)\times\left(-\frac{15}{14}\right)$

$=+\left(\frac{7}{12}\times\frac{15}{14}\right)=+\frac{5}{8}$

⇨ $a\div b=\left(-\frac{5}{2}\right)\div\left(+\frac{5}{8}\right)=\left(-\frac{5}{2}\right)\times\left(+\frac{8}{5}\right)=-4$

(2) $a=\left(+\frac{5}{3}\right)\div\left(-\frac{1}{6}\right)=\left(+\frac{5}{3}\right)\times(-6)$

$=-\left(\frac{5}{3}\times6\right)=-10$

$b=\left(-\frac{4}{15}\right)\div\left(+\frac{8}{9}\right)=\left(-\frac{4}{15}\right)\times\left(+\frac{9}{8}\right)$

$=-\left(\frac{4}{15}\times\frac{9}{8}\right)=-\frac{3}{10}$

⇨ $a\div b=(-10)\div\left(-\frac{3}{10}\right)=(-10)\times\left(-\frac{10}{3}\right)$

$=+\left(10\times\frac{10}{3}\right)=+\frac{100}{3}$

20 (1) $1.84\times(-3.4)+8.16\times(-3.4)$
$=(1.84+8.16)\times(-3.4)$
$=10\times(-3.4)$
$=-34$
(2) $(-5.4)\times52.8+(-5.4)\times47.2$
$=(-5.4)\times(52.8+47.2)$
$=(-5.4)\times100$
$=-540$

21 (1) $-$(음수)$=$(양수)이므로 $-b>0$
(2) (양수)$\times$(음수)$=$(음수)이므로 $a\times b<0$
(3) (양수)$\div$(음수)$=$(음수)이므로 $a\div b<0$
(4) (양수)$-$(음수)$=$(양수)이므로 $a-b>0$

22 $|a|=3$이므로 $a=-3$ 또는 $a=3$
$|b|=2$이므로 $b=-2$ 또는 $b=2$
(i) $a=-3$, $b=-2$일 때, $a+b=(-3)+(-2)=-5$
(ii) $a=-3$, $b=2$일 때, $a+b=(-3)+2=-1$
(iii) $a=3$, $b=-2$일 때, $a+b=3+(-2)=1$
(iv) $a=3$, $b=2$일 때, $a+b=3+2=5$
따라서 $a+b$의 값이 될 수 없는 것은 ② -2이다.

23 어떤 수를 □라 하자. □에서 $-\frac{7}{8}$을 빼면 $\frac{9}{10}$이므로
□는 $\frac{9}{10}$보다 $-\frac{7}{8}$만큼 큰 수이다.
⇨ $□=\frac{9}{10}+\left(-\frac{7}{8}\right)$
$=\frac{36}{40}+\left(-\frac{35}{40}\right)=\frac{1}{40}$
따라서 바르게 계산하면
$\frac{1}{40}+\left(-\frac{7}{8}\right)=\frac{1}{40}+\left(-\frac{35}{40}\right)$
$=-\frac{34}{40}=-\frac{17}{20}$

24 $-5+\left[\left\{\left(-\frac{2}{3}-1\right)\div\left(-\frac{1}{2}\right)^2\right\}\times3\right]+24$
$=-5+\left[\left\{\left(-\frac{2}{3}-1\right)\div\frac{1}{4}\right\}\times3\right]+24$
$=-5+\left[\left\{\left(-\frac{5}{3}\right)\div\frac{1}{4}\right\}\times3\right]+24$
$=-5+\left[\left\{\left(-\frac{5}{3}\right)\times4\right\}\times3\right]+24$
$=-5+\left\{\left(-\frac{20}{3}\right)\times3\right\}+24$
$=-5+(-20)+24$
$=-1$

25 $a\times b=54$이므로
$a\times(b-c)=a\times b-a\times c=54-a\times c=36$
⇨ $a\times c=18$

Ⅱ 문자와 식

힘수 점검 63쪽

1. (1) $□+3$ (2) $□-8$ (3) $□\times7$ (4) $□\times5+4$
(5) $□\times4-10$ (6) $□\times2-7$

2. (1) $\frac{5}{14}$ (2) $\frac{4}{27}$ (3) $\frac{1}{4}$ (4) $\frac{2}{3}$ (5) 8

3. (1) 3 (2) $\frac{2}{3}$ (3) $\frac{25}{24}$ (4) 36 (5) $\frac{25}{8}$ (6) $\frac{1}{2}$

4. (1) 7 (2) 4 (3) 7 (4) 13 (5) 96 (6) 9.5

17강 문자의 사용 64~66쪽

01 (1) a, 2 (2) x, 4 (3) 10000, 700 (4) a, b (5) $\frac{x}{5}$
(6) 100, 10

02 (1) $\{(x+y)\times2\}$ cm (2) $(60\times t)$ km
(3) $(70\div x)$ kg

03 (1) $7x$ (2) $-4a$ (3) $0.1abx$ (4) x^2y^3

04 (1) $7(x+y)$ (2) $-(a-b)$ (3) $6a(x+y)$
(4) $a^2(x+y)$ (5) $-5x(y-2)$ (6) $\frac{3}{4}x^3y$

05 (1) $3x+5y$ (2) a^2-2b (3) $8a-2b$
(4) $-3a^2b-ab$ (5) $5000-ab^2$ (6) $-x^2+0.1y^2$

06 (1) $\frac{a}{b}$ (2) $-\frac{3}{a}$ (3) $-\frac{4}{x}$ (4) $5a$ (5) $-2a$

07 (1) $\frac{x}{x+y}$ (2) $\frac{a+b}{c}$ (3) $-(x-y)$ (4) $\frac{x+y}{a}$
(5) $-\frac{c}{a+b}$

08 (1) $\frac{xz}{y}$ (2) $-\frac{a}{b}$ (3) $\frac{3}{a(b+c)}$ (4) xyz (5) $\frac{a-b}{xyz}$

09 (1) $\frac{ac}{b}$ (2) $\frac{2x}{y}$ (3) $-\frac{a+b}{c}$
(4) $-\frac{1}{3}$ (5) $-\frac{2c}{a+b}$ (6) $-\frac{a-b}{4}$ (7) $\frac{ac}{b}$
(8) $\frac{a}{bc}$ (9) $\frac{ab}{c}$ (10) $\frac{a}{bc}$ (11) abc
(12) $\frac{8a}{b^2}$ (13) $x+\frac{y}{9}$ (14) $a-\frac{b+c}{3}$ (15) $a^2-\frac{ab}{c}$
(16) $a^3-\frac{ab}{c}$ (17) $\frac{4}{x}-\frac{y}{7}$ (18) $\frac{4x^2}{y}-4$

02 (1) (직사각형의 둘레의 길이)
$=\{$(가로의 길이)$+$(세로의 길이)$\}\times2$
$=\{(x+y)\times2\}$ cm
(2) (거리)$=$(속력)$\times$(시간)$=(60\times t)$ km
(3) $(70\div x)$ kg

08 (1) $x\div y\div\frac{1}{z}=x\times\frac{1}{y}\times z=\frac{xz}{y}$

(2) $a\div b\div(-1)=a\times\frac{1}{b}\times(-1)=-\frac{a}{b}$

(3) $3\div a\div(b+c)=3\times\frac{1}{a}\times\frac{1}{b+c}=\frac{3}{a(b+c)}$

(4) $x\div\frac{1}{y}\div\frac{1}{z}=x\times y\times z=xyz$

(5) $(a-b)\div x\div y\div z=(a-b)\times\frac{1}{x}\times\frac{1}{y}\times\frac{1}{z}=\frac{a-b}{xyz}$

09 (1) $a\div b\times c=a\times\frac{1}{b}\times c=\frac{ac}{b}$

(2) $x\div y\times 2=x\times\frac{1}{y}\times 2=\frac{2x}{y}$

(3) $(-1)\times(a+b)\div c=(-1)\times(a+b)\times\frac{1}{c}=-\frac{a+b}{c}$

(4) $a\times\left(-\frac{1}{3}\right)\div a=a\times\left(-\frac{1}{3}\right)\times\frac{1}{a}=-\frac{1}{3}$

(5) $(-2)\div(a+b)\times c=-\frac{2c}{a+b}$

(6) $(-1)\times(a-b)\div 4=(-1)\times(a-b)\times\frac{1}{4}=-\frac{a-b}{4}$

(7) $a\div(b\div c)=a\div\frac{b}{c}=a\times\frac{c}{b}=\frac{ac}{b}$

(8) $a\div(b\times c)=a\times\frac{1}{bc}=\frac{a}{bc}$

(9) $(a\times b)\div c=ab\times\frac{1}{c}=\frac{ab}{c}$

(10) $(a\div b)\div c=\frac{a}{b}\div c=\frac{a}{b}\times\frac{1}{c}=\frac{a}{bc}$

(11) $a\div\left(\frac{1}{b}\times\frac{1}{c}\right)=a\div\frac{1}{bc}=a\times bc=abc$

(12) $a\times 8\div(b\times b)=8a\div b^2=\frac{8a}{b^2}$

(13) $x+y\div 9=x+\frac{y}{9}$

(14) $a-(b+c)\div 3=a-\frac{b+c}{3}$

(15) $a\times a-a\times b\div c=a^2-a\times b\times\frac{1}{c}=a^2-\frac{ab}{c}$

(16) $a\times a\times a-a\times b\div c=a^3-a\times b\times\frac{1}{c}=a^3-\frac{ab}{c}$

(17) $4\div x-y\div 7=4\times\frac{1}{x}-y\times\frac{1}{7}=\frac{4}{x}-\frac{y}{7}$

(18) $x\div\frac{y}{4}\times x-4=x\times\frac{4}{y}\times x-4=\frac{4x^2}{y}-4$

힘수 만점 67쪽

01 ㉠, ㉣ **02** ⑤ **03** ⑤ **04** ①
05 $\frac{(a+b)h}{2}$ cm^2

01 ㉠ $a\times\frac{40}{100}=a\times 0.4$

㉡ $(10000-a\times 4)$원

㉢ (걸린 시간)$=\frac{(\text{거리})}{(\text{속력})}$이므로 $\frac{50}{x}$시간

㉣ $\left(\frac{1}{2}\times a\times h\right)\text{cm}^2$

㉤ $(a\div 5)\text{cm}$

02 ① $0.1\times x\times y=0.1xy$

② $(7+x)\times y=(7+x)y$

③ $(-2)\times x\times x-y\times 5=-2x^2-5y$

④ $x\times x\times x\times x=x^4$

03 ① $(x-y)\div 4=(x-y)\times\frac{1}{4}=\frac{x-y}{4}$

② $x\div(a+b)=x\times\frac{1}{a+b}=\frac{x}{a+b}$

③ $(-4)\times a\times a\div b=(-4)\times a^2\times\frac{1}{b}=-\frac{4a^2}{b}$

④ $x\div y-b\div\frac{1}{2}\times c=x\times\frac{1}{y}-b\times 2\times c=\frac{x}{y}-2bc$

⑤ $a\div b\times c=\frac{a}{b}\times c=\frac{ac}{b}$

04 $a\div(b\times c)=a\times\frac{1}{bc}=\frac{a}{bc}$

① $a\div b\div c=a\times\frac{1}{b}\times\frac{1}{c}=\frac{a}{bc}$

② $a\div b\times c=a\times\frac{1}{b}\times c=\frac{ac}{b}$

③ $a\times b\div c=a\times b\times\frac{1}{c}=\frac{ab}{c}$

④ $a\div(b\div c)=a\div\frac{b}{c}=a\times\frac{c}{b}=\frac{ac}{b}$

⑤ $a\times(b\div c)=a\times\frac{b}{c}=\frac{ab}{c}$

따라서 결과가 같은 식은 ①이다.

05 $(a+b)\times h\div 2=(a+b)h\times\frac{1}{2}=\frac{(a+b)h}{2}$ (cm^2)

18강+ 식의 값 68~69쪽

01 (1) 7 (2) 2 (3) 38 (4) 0 (5) 2 (6) -1

02 (1) -9 (2) 5 (3) -6 (4) 17 (5) -4 (6) 2

03 (1) 50 (2) -21 (3) -2 (4) $-\frac{3}{4}$ (5) -3 (6) 0 (7) 50 (8) 36

04 (1) 18 (2) -42 (3) -2 (4) 7 (5) -7 (6) $-\frac{5}{3}$

05 (1) -18 (2) 9 (3) $-\frac{5}{13}$ (4) $-\frac{10}{3}$ (5) $-\frac{11}{15}$ (6) 5 (7) -9

06 (1) 1 (2) 4 (3) -1 (4) $-\frac{1}{2}$ (5) 14 (6) -24

07 (1) 7 (2) 3 (3) 18 (4) $-\frac{23}{16}$ (5) -2

01 (1) $8-x=8-1=7$

(2) $\dfrac{10}{x+4}=\dfrac{10}{1+4}=\dfrac{10}{5}=2$

(3) $40-2x=40-2\times1=40-2=38$

(4) $x^2-x=1^2-1=0$

(5) $-x^2+\dfrac{3}{x}=-1^2+\dfrac{3}{1}=-1+3=2$

(6) $(-x)^3=(-1)^3=-1$

02 (1) $7x+5=7\times(-2)+5=-14+5=-9$

(2) $-x+3=-(-2)+3=2+3=5$

(3) $\dfrac{7}{-2}-\dfrac{5}{2}=-\dfrac{7}{2}-\dfrac{5}{2}=-\dfrac{12}{2}=-6$

(4) $25+4x=25+4\times(-2)=25-8=17$

(5) $-\{-2\times(-2)\}=-4$

(6) $2x^2-6=2\times(-2)^2-6=8-6=2$

03 (1) $2x^2=2\times5^2=50$

(2) $-x^2+4x=-(-3)^2+4\times(-3)=-9-12=-21$

(3) $\dfrac{21}{a}-5=\dfrac{21}{7}-5=3-5=-2$

(4) $\dfrac{3}{4}a-1=\dfrac{3}{4}\times\dfrac{1}{3}-1=\dfrac{1}{4}-1=-\dfrac{3}{4}$

(5) $8k+1=8\times\left(-\dfrac{1}{2}\right)+1=-4+1=-3$

(6) $\dfrac{p+4}{2}=\dfrac{(-4)+4}{2}=0$

(7) $40-2y=40-2\times(-5)=40+10=50$

(8) $100-y^2=100-8^2=100-64=36$

04 (1) $4x-3y=4\times3-3\times(-2)=12+6=18$

(2) $7xy=7\times3\times(-2)=-42$

(3) $-2x+y+6=-2\times3+(-2)+6=-6-2+6=-2$

(4) $x^2+y=3^2+(-2)=9-2=7$

(5) $-5x+(-y)^3=-5\times3+\{-(-2)\}^3=-15+8=-7$

(6) $\dfrac{1}{x}+\dfrac{4}{y}=\dfrac{1}{3}+\dfrac{4}{-2}=\dfrac{1}{3}-2=-\dfrac{5}{3}$

05 (1) $-6x+y-5=-6\times2+(-1)-5$

$=-12-1-5=-18$

(2) $3-\dfrac{y}{x}=3-\dfrac{6}{-1}=3+6=9$

(3) $\dfrac{b}{4a-5}=\dfrac{5}{4\times(-2)-5}=\dfrac{5}{-8-5}=-\dfrac{5}{13}$

(4) $-m+\dfrac{1}{n}=-3+\dfrac{1}{-3}=-\dfrac{10}{3}$

(5) $\dfrac{y}{x}-\dfrac{1}{x}-\dfrac{1}{y}=\dfrac{3}{-5}-\dfrac{1}{-5}-\dfrac{1}{3}=-\dfrac{2}{5}-\dfrac{1}{3}=-\dfrac{11}{15}$

(6) $x^2-2xy+2y^2=(-3)^2-2\times(-3)\times(-1)+2\times(-1)^2$

$=9-6+2=5$

(7) $x^{311}-2y=(-1)^{311}-2\times4=-1-8=-9$

06 (1) $4x+2y=4\times\dfrac{1}{2}+2\times\left(-\dfrac{1}{2}\right)=2-1=1$

(2) $\dfrac{1}{x}-\dfrac{1}{y}=1\div\dfrac{1}{2}-1\div\left(-\dfrac{1}{2}\right)$

$=1\times2-1\times(-2)=2+2=4$

(3) $6x-\dfrac{1}{y^2}=6\times\dfrac{1}{2}-1\div\left(-\dfrac{1}{2}\right)^2$

$=3-1\div\dfrac{1}{4}=3-1\times4=-1$

(4) $x+\dfrac{x}{y}=\dfrac{1}{2}+\dfrac{1}{2}\div\left(-\dfrac{1}{2}\right)$

$=\dfrac{1}{2}+\dfrac{1}{2}\times(-2)=\dfrac{1}{2}-1=-\dfrac{1}{2}$

(5) $\dfrac{3}{x}-\dfrac{4}{y}=3\div\dfrac{1}{2}-4\div\left(-\dfrac{1}{2}\right)$

$=3\times2-4\times(-2)=6+8=14$

(6) $-\dfrac{7}{x}+\dfrac{5}{y}=-7\div\dfrac{1}{2}+5\div\left(-\dfrac{1}{2}\right)$

$=-7\times2+5\times(-2)=-14-10=-24$

07 (1) $\dfrac{1}{a}+\dfrac{1}{b}=1\div\left(\dfrac{1}{3}\right)+1\div\left(\dfrac{1}{4}\right)=1\times3+1\times4$

$=3+4=7$

(2) $\dfrac{4}{a}+\dfrac{1}{b}=4\div\dfrac{1}{2}+1\div\left(-\dfrac{1}{5}\right)$

$=4\times2+1\times(-5)=8-5=3$

(3) $-\dfrac{2}{a}+\dfrac{4}{b}=-2\div\left(-\dfrac{1}{3}\right)+4\div\dfrac{1}{3}$

$=-2\times(-3)+4\times3=6+12=18$

(4) $2ab-\dfrac{a}{b}=2\times\dfrac{3}{4}\times\left(-\dfrac{4}{3}\right)-\dfrac{3}{4}\div\left(-\dfrac{4}{3}\right)$

$=-2-\dfrac{3}{4}\times\left(-\dfrac{3}{4}\right)=-2+\dfrac{9}{16}=-\dfrac{23}{16}$

(5) $\dfrac{3}{a}-\dfrac{2}{b}+\dfrac{1}{c}=3\div\dfrac{1}{2}-2\div\dfrac{2}{3}+1\div\left(-\dfrac{1}{5}\right)$

$=3\times2-2\times\dfrac{3}{2}+1\times(-5)$

$=6-3-5=-2$

힘수 만점 70쪽

01 ⑤ **02** ④ **03** 29 **04** 17 **05** $-5°C$

01 ① $-3x=-3\times(-3)=9$

② $-4x-3=-4\times(-3)-3=12-3=9$

③ $(-x)^2=\{-(-3)\}^2=3^2=9$

④ $2x^2-9=2\times(-3)^2-9=18-9=9$

⑤ $\dfrac{1}{3}x^3=\dfrac{1}{3}\times(-3)^3=\dfrac{1}{3}\times(-27)=-9$

따라서 식의 값이 나머지 넷과 다른 하나는 ⑤이다.

02 ① $-a=-\frac{1}{2}$

② $\frac{1}{a}=2$

③ $-\frac{1}{a}=-2$

④ $\frac{1}{a^2}=1\div a^2=1\div\frac{1}{4}=1\times4=4$

⑤ $-a^2=-\left(\frac{1}{2}\right)^2=-\frac{1}{4}$

따라서 가장 큰 것은 ④이다.

03 $5x^2-3y=5\times2^2-3\times(-3)=20+9=29$

04 $x^{101}-2y^3+z=(-1)^{101}-2\times(-2)^3+2$
$=-1+16+2=17$

05 $25-6x$에 $x=5$를 대입하면

$25-6\times5=25-30=-5$

따라서 지면으로부터 높이가 5 km인 곳의 기온은 -5 °C이다.

19강+ 다항식 71~72쪽

01 (1) x, $2y$, 3 (2) 3 (3) 1, 2
02 (1) $3x$, $-4y$, -5 (2) -5 (3) 3, -4
03 (1) $4x$, $-3y$, 7 (2) 7 (3) 4 (4) -3
04 (1) $-7x^2$, $2y$, -4 (2) -4 (3) -7 (4) 2
05 (1) $-5x$, $\frac{y}{2}$, -5 (2) -5 (3) -5 (4) $\frac{1}{2}$
06 (1) x, $-5y$ (2) 0 (3) 1 (4) -5
07 (1) ○ (2) ○ (3) ○ (4) ○ (5) × (6) × (7) ○ (8) ○ (9) × (10) × (11) × (12) ○ (13) × (14) ○ (15) ×
08 (1) 다 (2) 단 (3) 단 (4) 다 (5) 단 (6) 다 (7) 다 (8) 다 (9) 단 (10) 다 (11) 단 (12) 다

07 (4) $7x+3$에서 항은 $7x$, 3으로 모두 2개이다.

(5) x^2-2x-5의 항은 x^2, $-2x$, -5이다.

(6) $x-\frac{1}{2}y+3$에서 x의 계수는 1이다.

(9) $-4y^2$에서 상수항은 0이다.

(10) x^3에서 x^3의 계수는 1이다.

(11) $-3x+3y+7$에서 x의 계수는 -3, y의 계수는 3으로 서로 다르다.

(12) $-x$의 계수는 -1이다.

(13) $4x-5y-1$에서 상수항은 -1이다.

(15) $2x-\frac{1}{2}y-1$에서 x의 계수와 y의 계수의 곱은

$2\times\left(-\frac{1}{2}\right)=-1$이다.

08 단항식은 다항식 중 한 개의 항으로만 이루어진 식이다.

힘수 만점 73쪽

01 해설 참조 02 2 03 ③ 04 ㄴ, ㄷ 05 3개

01

다항식	항	상수항	x의 계수	y의 계수
$3x-4y-5$	$3x$, $-4y$, -5	-5	3	-4

02 x의 계수는 $\frac{1}{3}$이므로 $a=\frac{1}{3}$, y의 계수는 -6이므로 $b=-6$, 상수항은 -1이므로 $c=-1$

⇨ $abc=\frac{1}{3}\times(-6)\times(-1)=2$

03 ① x^2+2x는 단항식이 아닌 다항식이다.

② x^2+3x-2에서 상수항은 -2이다.

③ 모든 단항식은 다항식이므로 $-5x$는 다항식이다.

④ $2x^2+2x-4$에서 x의 계수는 2이다.

⑤ $-4x^2+4x$에서 x^2의 계수와 x의 계수의 합은 $(-4)+4=0$이다.

04 ㄴ. x^2의 계수는 1이다.

ㄷ. 항은 x^2, $-4x$, 1의 3개이다.

05 단항식: x, $-\frac{1}{10}x^2$, -5 ⇨ 3개

20강+ 일차식과 수의 곱셈과 나눗셈 74~76쪽

01 (1) 1, ○ (2) 2 (3) 3 (4) 1, ○ (5) 0 (6) 1, ○
02 (1) × (2) ○ (3) × (4) × (5) × (6) × (7) ○ (8) ○
03 (1) ○ (2) × (3) ○ (4) × (5) × (6) ○
04 (1) $10x$ (2) $8y$ (3) $16x$ (4) $-17a$ (5) $-\frac{1}{3}a$ (6) $-\frac{2}{3}x$ (7) $-4a$ (8) $-\frac{1}{25}a$
05 (1) $4x$ (2) $-2a$ (3) $-5x$ (4) $16x$ (5) $-5x$ (6) $-\frac{1}{3}y$ (7) $3x$ (8) $5x$ (9) $-64a$ (10) $\frac{1}{2}x$ (11) $-\frac{6}{5}x$ (12) $\frac{1}{20}x$
06 (1) $4x+2$ (2) $-12x-4$ (3) $2x-3$ (4) $5x-2$ (5) $6x-3$ (6) $-8x+\frac{8}{3}$ (7) $8x+10$
07 (1) $x+5$ (2) $3x-3$ (3) $6x-8$ (4) $4x-10$ (5) $6x-15$ (6) $2x+1$
08 (1) $2x+1$ (2) $2x-5$ (3) $-2x-4$ (4) $-2x-4$ (5) $3x+1$ (6) $-3x+4$

02 (1) 다항식의 차수가 3이므로 일차식이 아니다.

(2) 다항식의 차수가 1이므로 일차식이다.

(3) 분모에 문자가 포함된 식이므로 다항식이 아니다. 따라서 일차식이 아니다.

(4) 다항식의 차수가 2이므로 일차식이 아니다.
(5) 다항식의 차수가 0이므로 일차식이 아니다.
(6) 다항식의 차수가 2이므로 일차식이 아니다.
(7) 다항식의 차수가 1이므로 일차식이다.
(8) 다항식의 차수가 1이므로 일차식이다.

03 (2) x^2에서 x^2의 차수는 2이다.
(4) $-\frac{2}{3}a^2$의 차수와 $-\frac{1}{2}a^2$은 차수는 2로 같다.
(5) x^2+x-x^3의 차수는 3이다.

04 (1) $2x\times5=2\times5\times x=10x$
(2) $4\times2y=4\times2\times y=8y$
(3) $(-4)\times(-4x)=(-4)\times(-4)\times x=16x$
(4) $17\times(-a)=17\times(-1)\times a=-17a$
(5) $(-2a)\times\frac{1}{6}=(-2)\times\frac{1}{6}\times a=-\frac{1}{3}a$
(6) $\left(-\frac{3}{4}x\right)\times\frac{8}{9}=\left(-\frac{3}{4}\right)\times\frac{8}{9}\times x=-\frac{2}{3}x$
(7) $0.5a\times(-8)=0.5\times(-8)\times a=-4a$
(8) $-0.1a\times\frac{2}{5}=(-0.1)\times\frac{2}{5}\times a=\left(-\frac{1}{10}\right)\times\frac{2}{5}\times a$
$=-\frac{1}{25}a$

05 (1) $28x\div7=28\times x\times\frac{1}{7}=\left(28\times\frac{1}{7}\right)\times x=4x$
(2) $8a\div(-4)=8\times a\times\left(-\frac{1}{4}\right)=8\times\left(-\frac{1}{4}\right)\times a$
$=-2a$
(3) $(-30x)\div6=(-30)\times x\times\frac{1}{6}$
$=(-30)\times\frac{1}{6}\times x=-5x$
(4) $8x\div\frac{1}{2}=8\times x\times2=8\times2\times x=16x$
(5) $4x\div\left(-\frac{4}{5}\right)=4\times x\times\left(-\frac{5}{4}\right)$
$=4\times\left(-\frac{5}{4}\right)\times x=-5x$
(6) $\frac{2}{3}y\div(-2)=\frac{2}{3}\times y\times\left(-\frac{1}{2}\right)$
$=\frac{2}{3}\times\left(-\frac{1}{2}\right)\times y=-\frac{1}{3}y$
(7) $\frac{4}{5}x\div\frac{4}{15}=\frac{4}{5}\times x\times\frac{15}{4}=\frac{4}{5}\times\frac{15}{4}\times x=3x$
(8) $(-35x)\div(-7)=(-35)\times x\times\left(-\frac{1}{7}\right)$
$=(-35)\times\left(-\frac{1}{7}\right)\times x=5x$
(9) $(-8a)\div\frac{1}{8}=(-8)\times a\times8=(-8)\times8\times a=-64a$
(10) $\left(-\frac{1}{10}x\right)\div\left(-\frac{1}{5}\right)=\left(-\frac{1}{10}\right)\times x\times(-5)$
$=\left(-\frac{1}{10}\right)\times(-5)\times x=\frac{1}{2}x$
(11) $\left(-\frac{3}{4}x\right)\div\frac{5}{8}=\left(-\frac{3}{4}x\right)\times\frac{8}{5}=\left(-\frac{3}{4}\right)\times\frac{8}{5}\times x$
$=-\frac{6}{5}x$
(12) $0.3x\div6=\frac{3}{10}x\times\frac{1}{6}=\frac{3}{10}\times\frac{1}{6}\times x=\frac{1}{20}x$

06 (1) $2(2x+1)=2\times2x+2\times1=4x+2$
(2) $-4(3x+1)=(-4)\times3x+(-4)\times1=-12x-4$
(3) $-(-2x+3)=(-1)\times(-2x)+(-1)\times3=2x-3$
(4) $\frac{1}{7}(35x-14)=\frac{1}{7}\times35x+\frac{1}{7}\times(-14)=5x-2$
(5) $(8x-4)\times\frac{3}{4}=8x\times\frac{3}{4}-4\times\frac{3}{4}=6x-3$
(6) $(18x-6)\times\left(-\frac{4}{9}\right)=18x\times\left(-\frac{4}{9}\right)-6\times\left(-\frac{4}{9}\right)$
$=-8x+\frac{8}{3}$
(7) $(-4x-5)\times(-2)=(-4x)\times(-2)-5\times(-2)$
$=8x+10$

07 (1) $\frac{x+5}{2}\times2=x+5$
(2) $\frac{x-1}{2}\times6=(x-1)\times3=3x-3$
(3) $20\times\frac{3x-4}{10}=2(3x-4)=6x-8$
(4) $(-14)\times\frac{-2x+5}{7}=-2(-2x+5)=4x-10$
(5) $\frac{5-2x}{5}\times(-15)=(5-2x)\times(-3)=6x-15$
(6) $\frac{2}{5}\times\frac{10x+5}{2}=\frac{1}{5}(10x+5)=2x+1$

08 (1) $(10x+5)\div5=(10x+5)\times\frac{1}{5}$
$=10x\times\frac{1}{5}+5\times\frac{1}{5}=2x+1$
(2) $(8x-20)\div4=(8x-20)\times\frac{1}{4}$
$=8x\times\frac{1}{4}-20\times\frac{1}{4}=2x-5$
(3) $(12x+24)\div(-6)=(12x+24)\times\left(-\frac{1}{6}\right)$
$=12x\times\left(-\frac{1}{6}\right)+24\times\left(-\frac{1}{6}\right)$
$=-2x-4$
(4) $(-20x-40)\div10=(-20x-40)\times\frac{1}{10}$
$=(-20x)\times\frac{1}{10}-40\times\frac{1}{10}$
$=-2x-4$

(5) $(-9x-3)\div(-3)=(-9x-3)\times\left(-\frac{1}{3}\right)$

$=(-9x)\times\left(-\frac{1}{3}\right)-3\times\left(-\frac{1}{3}\right)$

$=3x+1$

(6) $\left(\frac{1}{2}x-\frac{2}{3}\right)\div\left(-\frac{1}{6}\right)=\left(\frac{1}{2}x-\frac{2}{3}\right)\times(-6)$

$=\frac{1}{2}x\times(-6)-\frac{2}{3}\times(-6)$

$=-3x+4$

힘수 만점 77쪽

01 ②, ⑤ **02** 3

03 (1) $-15x$ (2) $-15x$ (3) $-\frac{1}{10}x$ (4) $10x$

04 (1) $3x+18$ (2) $8x-12$ (3) $4x-6$ (4) $2x-30$

05 -2

01 ① 다항식의 차수가 2이므로 일차식이 아니다.
③, ④ 분모에 문자가 있으므로 다항식이 아니다.
따라서 일차식이 아니다.
따라서 일차식은 ②, ⑤이다.

02 $a-3=0$이어야 하므로 $a=3$

03 (1) $(-5)\times3x=-15x$

(2) $(-24)\times\frac{5}{8}x=-15x$

(3) $\left(-\frac{4}{5}x\right)\div8=\left(-\frac{4}{5}x\right)\times\frac{1}{8}=-\frac{1}{10}x$

(4) $(-6x)\div\left(-\frac{3}{5}\right)=(-6x)\times\left(-\frac{5}{3}\right)=10x$

04 (1) $(x+6)\times3=x\times3+6\times3=3x+18$

(2) $(-4x+6)\times(-2)=-4x\times(-2)+6\times(-2)$

$=8x-12$

(3) $(-8x+12)\div(-2)=(-8x+12)\times\left(-\frac{1}{2}\right)$

$=-8x\times\left(-\frac{1}{2}\right)+12\times\left(-\frac{1}{2}\right)$

$=4x-6$

(4) $\left(\frac{x}{6}-\frac{5}{2}\right)\div\frac{1}{12}=\left(\frac{x}{6}-\frac{5}{2}\right)\times12$

$=\frac{x}{6}\times12-\frac{5}{2}\times12$

$=2x-30$

05 $(24x-12)\div(-6)=(24x-12)\times\left(-\frac{1}{6}\right)$

$=24x\times\left(-\frac{1}{6}\right)-12\times\left(-\frac{1}{6}\right)$

$=-4x+2$

따라서 $a=-4$, $b=2$이므로 $a+b=-4+2=-2$

21강 일차식의 덧셈과 뺄셈 78~80쪽

01 (1) x, x / 1, 1 / '맞다'에 ○표
(2) a, a / 3, 2 / '아니다'에 ○표
(3) a, a / 1, 1 / '맞다'에 ○표

02 (1) ○ (2) × (3) × (4) ○ (5) × (6) ○

03 (1) $2x$와 $3x$ (2) 1과 -5 (3) $-5a$와 $4a$, $-2b$와 $-b$
(4) $\frac{3}{4}a$와 $\frac{1}{3}a$, -7과 9

04 (1) $14x$ (2) $7x$ (3) $7x$ (4) a (5) $\frac{5}{2}y$ (6) $-\frac{1}{2}b$

05 (1) $a-6$ (2) $8x+5y$ (3) $6x+4$

06 (1) $2x$, 3, $8x$, 12, $8x$, 12, 12, 10
(2) $4x$, -5, $-8x$, 10, $-8x$, 10, -14, 7

07 (1) $3x+3$ (2) $10a-5$ (3) $-x+2$ (4) $-6a-5$
(5) $14x-22$ (6) $-20x+12$

08 (1) $-3x$ (2) $3a-13$ (3) $x+12$ (4) $2x-5$
(5) $-2a+3$ (6) $7x-23$

09 (1) x, 6, 7, 18, 21, -17, 21
(2) 1, 4, 4, 4, 4, 8, 4

10 (1) $x+6$ (2) $-5x+8$ (3) $-6x-1$ (4) $7x-5$
(5) $10x-2$ (6) $5a-5$

11 (1) 30, 4, 9, 48, 9, 24 (2) 2, 2, 8, 1, 1, 1

12 (1) $\frac{5}{6}x-\frac{11}{6}$ (2) $\frac{1}{12}x+\frac{1}{4}$ (3) $-\frac{11}{15}x-1$
(4) $\frac{7}{6}x-\frac{4}{3}$ (5) $\frac{3}{14}x-\frac{2}{7}$ (6) $\frac{5}{3}x+\frac{3}{4}$

04 (1) $9x+5x=(9+5)x=14x$

(2) $10x-3x=(10-3)x=7x$

(3) $-5x+12x=(-5+12)x=7x$

(4) $0.5a+0.7a-0.2a=(0.5+0.7-0.2)a=a$

(5) $3y-\frac{3}{2}y+y=\left(3-\frac{3}{2}+1\right)y=\frac{5}{2}y$

(6) $-4b+7b-\frac{7}{2}b=\left(-4+7-\frac{7}{2}\right)b=-\frac{1}{2}b$

05 (1) $4a-6-3a=4a-3a-6$

$=a-6$

(2) $10x+y-2x+4y=10x-2x+y+4y$

$=8x+5y$

(3) $2x-4+5x-x+8=2x+5x-x-4+8$

$=6x+4$

06 (1) $4(2x+3)+(4x-2)$

$=4\times2x+4\times3+4x-2$

$=8x+12+4x-2$

$=8x+4x+12-2$

$=12x+10$

(2) $-2(4x-5)-(6x+3)$
$=-2\times4x-2\times(-5)-6x-3$
$=-8x+10-6x-3$
$=-8x-6x+10-3$
$=-14x+7$

07 (1) $(x+4)+(2x-1)=x+4+2x-1$
$=x+2x+4-1=3x+3$
(2) $6a+(4a-5)=6a+4a-5=10a-5$
(3) $(6x-3)+(-7x+5)=6x-3-7x+5$
$=6x-7x-3+5=-x+2$
(4) $(-8-4a)+(-2a+3)=-8-4a-2a+3$
$=-4a-2a-8+3=-6a-5$
(5) $(10x-2)+4(x-5)=10x-2+4x-20$
$=10x+4x-2-20=14x-22$
(6) $\frac{1}{2}(-4x+6)+\frac{3}{4}(12-24x)=-2x+3+9-18x$
$=-2x-18x+3+9$
$=-20x+12$

08 (1) $(4x+5)-(7x+5)=4x+5-7x-5$
$=4x-7x+5-5=-3x$
(2) $(9a-6)-(6a+7)=9a-6-6a-7$
$=9a-6a-6-7=3a-13$
(3) $(-2x+8)-(-3x-4)=-2x+8+3x+4$
$=-2x+3x+8+4=x+12$
(4) $(x-4)-(-x+1)=x-4+x-1$
$=x+x-4-1=2x-5$
(5) $2(2a-3)-3(2a-3)=4a-6-6a+9$
$=4a-6a-6+9=-2a+3$
(6) $-(x+3)-4(5-2x)=-x-3-20+8x$
$=-x+8x-3-20=7x-23$

09 (1) $x-3\{5x-(7-x)\}$
$=x-3(5x-7+x)$
$=x-3(6x-7)$
$=x-18x+21$
$=-17x+21$
(2) $4x+[3x-\{3-(x-1)\}]$
$=4x+\{3x-(3-x+1)\}$
$=4x+\{3x-(-x+4)\}$
$=4x+(3x+x-4)$
$=4x+4x-4$
$=8x-4$

10 (1) $2x+\{7-(x+1)\}=2x+(7-x-1)$
$=2x-x+6$
$=x+6$
(2) $5x-2\{3x+2(x-2)\}=5x-2(3x+2x-4)$
$=5x-2(5x-4)$
$=5x-10x+8$
$=-5x+8$
(3) $-x-[7-\{2(x+3)-7x\}]$
$=-x-\{7-(2x+6-7x)\}$
$=-x-\{7-(-5x+6)\}$
$=-x-(7+5x-6)$
$=-x-(5x+1)$
$=-x-5x-1$
$=-6x-1$
(4) $2(5x-1)-\frac{1}{2}\{8x+2(3-x)\}$
$=10x-2-\frac{1}{2}(8x+6-2x)$
$=10x-2-\frac{1}{2}(6x+6)$
$=10x-2-3x-3$
$=10x-3x-2-3$
$=7x-5$
(5) $9x-[3x-\{3-(5-4x)\}]$
$=9x-\{3x-(3-5+4x)\}$
$=9x-\{3x-(4x-2)\}$
$=9x-(3x-4x+2)$
$=9x-(-x+2)$
$=9x+x-2=10x-2$
(6) $(7a-4)-\left\{\frac{1}{4}(8a-4)+2\right\}$
$=(7a-4)-(2a-1+2)$
$=(7a-4)-(2a+1)$
$=7a-4-2a-1$
$=7a-2a-4-1$
$=5a-5$

11 (1) $\frac{x-6}{2}+\frac{2x-9}{5}=\frac{5(x-6)+2(2x-9)}{10}$
$=\frac{5x-30+4x-18}{10}$
$=\frac{9x-48}{10}=\frac{9}{10}x-\frac{48}{10}$
$=\frac{9}{10}x-\frac{24}{5}$
(2) $\frac{x-3}{2}-\frac{x-4}{3}=\frac{3(x-3)-2(x-4)}{6}$
$=\frac{3x-9-2x+8}{6}$
$=\frac{x-1}{6}=\frac{1}{6}x-\frac{1}{6}$

12 (1) $\frac{x+2}{3}+\frac{x-5}{2}=\frac{2(x+2)+3(x-5)}{6}$

$=\frac{2x+4+3x-15}{6}$

$=\frac{2x+3x+4-15}{6}$

$=\frac{5x-11}{6}=\frac{5}{6}x-\frac{11}{6}$

(2) $\frac{3-x}{4}+\frac{2x-3}{6}=\frac{3(3-x)+2(2x-3)}{12}$

$=\frac{9-3x+4x-6}{12}$

$=\frac{-3x+4x+9-6}{12}$

$=\frac{x+3}{12}=\frac{1}{12}x+\frac{1}{4}$

(3) $\frac{3}{5}x+\frac{-4x-3}{3}=\frac{3\times3x+5(-4x-3)}{15}$

$=\frac{9x-20x-15}{15}$

$=\frac{-11x-15}{15}=-\frac{11}{15}x-1$

(4) $\frac{5x-1}{3}-\frac{x+2}{2}=\frac{2(5x-1)-3(x+2)}{6}$

$=\frac{10x-2-3x-6}{6}$

$=\frac{10x-3x-2-6}{6}$

$=\frac{7x-8}{6}=\frac{7}{6}x-\frac{4}{3}$

(5) $\frac{x-2}{2}-\frac{2x-5}{7}=\frac{7(x-2)-2(2x-5)}{14}$

$=\frac{7x-14-4x+10}{14}$

$=\frac{7x-4x-14+10}{14}$

$=\frac{3x-4}{14}=\frac{3}{14}x-\frac{2}{7}$

(6) $\frac{-x+3}{3}-\frac{1}{4}+2x=\frac{4(-x+3)-3+12\times2x}{12}$

$=\frac{-4x+12-3+24x}{12}$

$=\frac{-4x+24x+12-3}{12}$

$=\frac{20x+9}{12}=\frac{5}{3}x+\frac{3}{4}$

힘수 만점 

81쪽

01 ⑤ **02** $-5x+5$ **03** ⑤ **04** ② **05** 28

01 동류항은 ㄴ. $4y^2$, ㅇ. $-2y^2$이다.

02 $(7x-5)-2(6x-5)=7x-5-12x+10$

$=7x-12x-5+10$

$=-5x+5$

03 $4x^2+2x+5-ax^2-4x-2$

$=4x^2-ax^2+2x-4x+5-2$

$=(4-a)x^2-2x+3$

이 식이 일차식이 되려면 $4-a=0$, $a=4$

04 $2A-B=2(-4x+1)-(x-2)$

$=-8x+2-x+2$

$=-8x-x+2+2$

$=-9x+4$

05 $\frac{3}{2}(-4x-6)-\frac{5}{3}(6-9x)=-6x-9-10+15x$

$=-6x+15x-9-10$

$=9x-19$

따라서 $a=9$, $b=-19$이므로 $a-b=9-(-19)=28$

22강 중단원 연산 마무리

82~84쪽

01 (1) ○ (2) × (3) × (4) ○ (5) × (6) ○
02 (1) ○ (2) × (3) ○ (4) × (5) × (6) ○
03 (1) -3 (2) -28 (3) 20 (4) -3
04 (1) 0 (2) 5 (3) 7 (4) -14 (5) $-\frac{1}{2}$
05 (1) 8 (2) -6 (3) 1 (4) -3
06 (1) ○ (2) ○ (3) × (4) ○ (5) ×
07 (1) ○ (2) × (3) × (4) ○ (5) × (6) ×
08 (1) $3x+9$ (2) $6x-9$
09 (1) $4x$와 $7x$ (2) $5x^2$과 x^2, $\frac{2}{3}x$와 $-4x$
(3) $2x$와 $5x$, $-3y$와 $2y$, -7과 4
10 (1) $-3x$ (2) $\frac{5}{6}x$ (3) $2x$ (4) $9x-12$ (5) $-2x$
11 (1) -3 (2) 4 (3) -5 **12** (1) $6x+4$ (2) $4x-8$
13 (1) $2x-2$ (2) $5x$ (3) $-\frac{19}{10}x+\frac{6}{5}$ (4) $-\frac{2}{21}x-\frac{4}{7}$
14 (1) $-x+12$ (2) $-19x+18$
15 30°C **16** 10 **17** $3x+15$

01 (1) $a\div b\div c=a\times\frac{1}{b}\times\frac{1}{c}=\frac{a}{bc}$

(2) $a\div(b\times c)=a\times\frac{1}{bc}=\frac{a}{bc}$

(3) $a\times b\div c=a\times b\times\frac{1}{c}=\frac{ab}{c}$

(4) $a\div(b\div c)=a\div\left(b\times\frac{1}{c}\right)=a\div\frac{b}{c}=a\times\frac{c}{b}=\frac{ac}{b}$

(5) $(a\div b)\div c=a\times\frac{1}{b}\times\frac{1}{c}=\frac{a}{bc}$

(6) $a\div b\times c=a\times\frac{1}{b}\times c=\frac{ac}{b}$

02 (2) 사과를 5명에게 a개씩 나누어 주고 4개 남았을 때 처음 사과는 $(5a+4)$개이다.

(4) 자동차가 시속 60 km로 a시간 동안 달린 거리는 $60a$ km 이다.

(5) 십의 자리 숫자가 a, 일의 자리 숫자가 b인 두 자리의 자연수는 $10a+b$이다.

03 (1) $a^2-4a=3^2-4\times3=9-12=-3$

(2) $-a^2+3a=-(-4)^2+3\times(-4)=-16-12=-28$

(3) $-4a+3a^2=-4\times(-2)+3\times(-2)^2=8+12=20$

(4) $6a-9a^2=6\times\left(-\frac{1}{3}\right)-9\times\left(-\frac{1}{3}\right)^2=-2-1=-3$

04 (1) $2x+y=2\times(-1)+2=-2+2=0$

(2) $x^2+2y=(-1)^2+2\times2=1+4=5$

(3) $-x+3y=-(-1)+3\times2=1+6=7$

(4) $5xy-y^2=5\times(-1)\times2-2^2=-10-4=-14$

(5) $\frac{x+y}{xy}=\frac{(-1)+2}{(-1)\times2}=-\frac{1}{2}$

05 (1) $\frac{1}{a}+\frac{1}{b}=1\div\frac{1}{3}+1\div\frac{1}{5}=1\times3+1\times5=3+5=8$

(2) $\frac{4}{a}+\frac{6}{b}=4\div\left(-\frac{1}{5}\right)+6\div\frac{3}{7}$

$=4\times(-5)+6\times\frac{7}{3}=-20+14=-6$

(3) $\frac{2}{a}+\frac{1}{b}-\frac{1}{c}=2\div\frac{1}{5}+1\div\left(-\frac{1}{7}\right)-1\div\frac{1}{2}$

$=2\times5+1\times(-7)-1\times2=10-7-2=1$

(4) $\frac{4}{a}+\frac{3}{b}-\frac{1}{c}=4\div\left(-\frac{1}{2}\right)+3\div\frac{3}{2}-1\div\left(-\frac{1}{3}\right)$

$=4\times(-2)+3\times\frac{2}{3}-1\times(-3)$

$=-8+2+3=-3$

06 (1) 단항식도 다항식이다.

(3) x^2-5x+4에서 x의 계수는 -5이다.

(5) $4x-2x^2$의 다항식의 차수는 2이다.

08 (1) $\frac{1}{2}(6x+18)=\frac{1}{2}\times6x+\frac{1}{2}\times18=3x+9$

(2) $\frac{3}{4}(8x-12)=\frac{3}{4}\times8x+\frac{3}{4}\times(-12)=6x-9$

11 (1) $3x^2-4x+1+ax^2+2x=(3+a)x^2-2x+1$

이 식이 일차식이 되려면 $3+a=0$, $a=-3$

(2) $-2ax^2+3x+8x^2+5x-7=(-2a+8)x^2+8x-7$

이 식이 일차식이 되려면 $-2a+8=0$, $a=4$

(3) $15x^2-9x+3ax^2+5x+2=(15+3a)x^2-4x+2$

이 식이 일차식이 되려면 $15+3a=0$, $a=-5$

12 (1) a가 짝수일 때, $a+1$은 홀수이므로

$(-1)^a=1$, $(-1)^{a+1}=-1$

$(-1)^a(4x+5)+(-1)^{a+1}(-2x+1)$

$=(4x+5)-(-2x+1)$

$=4x+5+2x-1=4x+2x+5-1=6x+4$

(2) a가 짝수일 때, $a-1$은 홀수이므로

$(-1)^a=1$, $(-1)^{a-1}=-1$

$(-1)^a(2x-3)+(-1)^{a-1}(5-2x)$

$=(2x-3)-(5-2x)$

$=2x-3-5+2x$

$=2x+2x-3-5=4x-8$

13 (1) $-2x-\{-(4x+5)+7\}=-2x-(-4x-5+7)$

$=-2x-(-4x+2)$

$=-2x+4x-2=2x-2$

(2) $7x-\{4x-5-(2x-3)+2\}$

$=7x-(4x-5-2x+3+2)$

$=7x-(4x-2x-5+3+2)$

$=7x-2x=5x$

(3) $\frac{3x+1}{5}-\frac{5x-2}{2}=\frac{2(3x+1)-5(5x-2)}{10}$

$=\frac{6x+2-25x+10}{10}$

$=\frac{-19x+12}{10}=-\frac{19}{10}x+\frac{6}{5}$

(4) $\frac{4x+3}{7}-\frac{3+2x}{3}=\frac{3(4x+3)-7(3+2x)}{21}$

$=\frac{12x+9-21-14x}{21}$

$=\frac{-2x-12}{21}=-\frac{2}{21}x-\frac{4}{7}$

14 (1) $-2A+3(A+B)=-2A+3A+3B=A+3B$

$=(2x-3)+3(-x+5)$

$=2x-3-3x+15$

$=2x-3x-3+15=-x+12$

(2) $-(A-2B)+5(-2A-B)$

$=-A+2B-10A-5B$

$=-11A-3B$

$=-11(2x-3)-3(-x+5)$

$=-22x+33+3x-15$

$=-19x+18$

15 $\frac{5}{9}(x-32)$에 $x=86$을 대입하면

$\frac{5}{9}\times(86-32)=\frac{5}{9}\times54=30$

따라서 화씨온도 86 °F를 섭씨온도로 나타내면 30 °C이다.

16 x의 계수가 -1, 상수항이 7인 x에 대한 일차식은 $-x+7$이다. $-x+7$에 $x=-3$을 대입하면 $-(-3)+7=3+7=10$이므로 식의 값은 10이다.

17 직사각형의 가로의 길이는 $x+5$, 세로의 길이는 6이므로
(색칠한 부분의 넓이)
$=\frac{1}{2}\times$(밑변의 길이)$\times$(높이)
$=\frac{1}{2}\times(x+5)\times6$
$=3x+15$

23강 방정식 85~86쪽

01 (1) × (2) × (3) ○ (4) ○
02 (1) $x+5=7$ (2) $4x-7=17$ (3) $2(x-2)=6$
03 (1) $5a=6500$ (2) $200\times3+500x=4100$
04 (1) ○ (2) × (3) ○ (4) ○
05 (1) ○ (2) × (3) × (4) ○
06 (1) 방 (2) 항 (3) 항 (4) 항 (5) 방 (6) 방 (7) 항
07 (1) $a=2$, $b=3$ (2) $a=4$, $b=5$ (3) $a=2$, $b=1$
(4) $a=-3$, $b=-7$
08 (1) $a=8$, $b=-4$ (2) $a=4$, $b=8$
(3) $a=5$, $b=-10$ (4) $a=2$, $b=0$
(5) $a=3$, $b=3$ (6) $a=2$, $b=3$

01 (1) 등호가 없으면 등식이 아니다.
(2) 부등호를 사용한 식은 등식이 아니다.

02 (1) 어떤 수 x에 5를 더하면 / 7과 같다.
$x+5$ / $=7$
⇨ $x+5=7$
(2) 어떤 수 x의 4배에서 7을 빼면 / 17과 같다.
$4x-7$ / $=17$
⇨ $4x-7=17$
(3) 어떤 수 x에서 2를 뺀 값의 2배는 / 6과 같다.
$2(x-2)$ / $=6$
⇨ $2(x-2)=6$

03 (1) 미술관의 학생 1명당 입장료가 a원일 때, 학생 5명의 입장료는 / 6500원이다.
$5a$ / $=6500$
⇨ $5a=6500$
(2) 200원짜리 사탕 3개와 500원짜리 초콜릿 x개를 사고 / 4100원을 지불했다.
$200\times3+500x$ / $=4100$
⇨ $200\times3+500x=4100$

04 주어진 방정식에 $x=2$를 대입하면
(1) $2+4=6$ (2) $7-2\neq9$
(3) $5\times2-8=2$ (4) $-\frac{1}{2}\times2+7=6$

05 (1) $7+5=12$ (2) $5\times(-1)-7\neq-2$
(3) $5\times0-8\neq2$ (4) $-\frac{1}{2}\times2+7=6$

06 (1) (좌변)$\neq$(우변)이므로 항등식이 아니다.
(2) $7x-3x=4x$, 즉 (좌변)$=$(우변)이므로 항등식이다.
(3) $(3x+6)\div3=x+2$, 즉 (좌변)$=$(우변)이므로 항등식이다.
(4) $7(x-4)=7x-28$, 즉 (좌변)$=$(우변)이므로 항등식이다.
(5) (좌변)$\neq$(우변)이므로 항등식이 아니다.
(6) (좌변)$\neq$(우변)이므로 항등식이 아니다.
(7) $5(x+1)-5=5x+5-5=5x$, 즉 (좌변)$=$(우변)이므로 항등식이다.

07 (4) $3=-a$ ⇨ $a=-3$
$-b=7$ ⇨ $b=-7$

08 (1) (좌변)$=4(2x-1)=8x-4$
$8x-4=ax+b$ $\therefore a=8, b=-4$
(2) (좌변)$=2(2x+4)=4x+8$
$4x+8=ax+b$ $\therefore a=4, b=8$
(3) (좌변)$=5(x-2)=5x-10$
$5x-10=ax+b$ $\therefore a=5, b=-10$
(4) (좌변)$=2(x+2)-4=2x+4-4=2x$
$2x=ax+b$ $\therefore a=2, b=0$
(5) (좌변)$=3(x+b)=3x+3b$
$3x+3b=ax+9$ $\therefore a=3, b=3$
(6) (좌변)$=2(x-b)=2x-2b$
$2x-2b=ax-6$ $\therefore a=2, b=3$

힘수 만점 87쪽

01 ㄱ, ㅁ, ㅂ **02** ⑤ **03** ⑤ **04** ①, ④ **05** 0

01 ㄴ. 등호가 없으면 등식이 아니다.
ㄷ, ㄹ. 부등호를 사용한 식은 등식이 아니다.

02 ⑤ $2(x-7)=8$

03 ①, ② 부등호를 사용한 식이므로 등식이 아니다.
③ x의 값에 관계없이 항상 거짓
④ 항등식

04 ① $7\times2-5=9$ ② $8-4\times(-3)\neq-4$
③ $\frac{11-1}{4}\neq3$ ④ $6\times3-4=14$
⑤ $3\times(-1)\neq2\times(-1)+1$

05 (우변)$=-(ax-1)+3=-ax+1+3=-ax+4$

$4x+b=-ax+4$ $\therefore a=-4, b=4$

⇨ $a+b=-4+4=0$

24강 등식의 성질 88~89쪽

01 (1) 5 (2) 7 (3) 3 (4) 9 (5) -8 (6) 4

02 (1) ○ (2) × (3) ○ (4) × (5) ○ (6) ×

03 (1) $a=b$이면 $a+2=b+2$이다.

또는 $a=b$이면 $a-2=b-2$이다.

(2) $\frac{a}{3}=\frac{b}{4}$이면 $4a=3b$이다.

(3) $8x=2$이면 $4x=1$이다.

(4) $p=q$이면 $3p+5=3q+5$이다.

또는 $p=q$이면 $2p+5=2q+5$이다.

(5) $\frac{a}{c}=\frac{b}{c}(c\neq0)$이면 $a=b$이다.

04 (1) 7 (2) 3 (3) 5 (4) 9

05 (1) ② (2) ① (3) ③ (4) ④

06 (1) $x=19$ (2) $x=-1$ (3) $x=-8$ (4) $x=12$

(5) $x=10$ (6) $x=-9$ (7) $x=2$ (8) $x=3$

(9) $x=9$ (10) $x=6$ (11) $x=-15$ (12) $x=\frac{3}{2}$

02 (4) $6x=5y$의 양변을 30으로 나누면 $\frac{x}{5}=\frac{y}{6}$

03 (1) $a=b$의 양변에 2를 더하면 $a+2=b+2$

또는 $a=b$의 양변에서 2를 빼면 $a-2=b-2$

(2) $\frac{a}{3}=\frac{b}{4}$의 양변에 12를 곱하면 $4a=3b$

(3) $8x=2$의 양변을 2로 나누면 $4x=1$

(4) $p=q$의 양변에 3을 곱하면 $3p=3q$,

$3p=3q$의 양변에 5를 더하면 $3p+5=3q+5$

(5) $\frac{a}{c}=\frac{b}{c}(c\neq0)$의 양변에 c를 곱하면 $a=b$

04 (1) $5x-7=1$의 양변에 7을 더하면 $5x=8$이다.

(2) $-6x+3=5$의 양변에서 3을 빼면 $-6x=2$이다.

(3) $\frac{1}{5}x=-2$의 양변에 5를 곱하면 $x=-10$이다.

(4) $9x=81$의 양변을 9로 나누면 $x=9$이다.

05 (1) $x+5=8$의 양변에서 5를 뺀다. (②)

(2) $-5+x=10$의 양변에 5를 더한다. (①)

(3) $\frac{1}{8}x=3$의 양변에 8을 곱한다. (③)

(4) $8x=56$의 양변을 8로 나눈다. (④)

06 (1) $x-7=12$, $x-7+7=12+7$ ⇨ $x=19$

(2) $4-x=5$, $4-x-4=5-4$, $-x=1$

$(-x)\times(-1)=1\times(-1)$ ⇨ $x=-1$

(3) $x+5=-3$, $x+5-5=-3-5$ ⇨ $x=-8$

(4) $\frac{2}{3}x=8$, $\frac{2}{3}x\times\frac{3}{2}=8\times\frac{3}{2}$ ⇨ $x=12$

(5) $\frac{1}{5}x=2$, $\frac{1}{5}x\times5=2\times5$ ⇨ $x=10$

(6) $-4x=36$, $\frac{4x}{-4}=\frac{36}{-4}$ ⇨ $x=-9$

(7) $4x-6=2$, $4x-6+6=2+6$,

$4x=8$, $\frac{4x}{4}=\frac{8}{4}$ ⇨ $x=2$

(8) $5x+3=18$, $5x+3-3=18-3$,

$5x=15$, $\frac{5x}{5}=\frac{15}{5}$ ⇨ $x=3$

(9) $\frac{x}{3}-2=1$, $\frac{x}{3}-2+2=1+2$,

$\frac{x}{3}=3$, $\frac{x}{3}\times3=3\times3$

⇨ $x=9$

(10) $\frac{1}{2}x+4=7$, $\frac{1}{2}x+4-4=7-4$, $\frac{1}{2}x=3$

$\frac{1}{2}x\times2=3\times2$ ⇨ $x=6$

(11) $-\frac{5}{3}x=25$, $-\frac{5}{3}x\times3=25\times3$, $-5x=75$,

$\frac{-5x}{-5}=\frac{75}{-5}$ ⇨ $x=-15$

(12) $7x-10=\frac{1}{2}$, $7x-10+10=\frac{1}{2}+10$, $7x=\frac{21}{2}$

$\frac{7x}{7}=\frac{21}{2}\times\frac{1}{7}$ ⇨ $x=\frac{3}{2}$

힘수 만점 90쪽

01 (1) 7 (2) 12 (3) 5 (4) -9 **02** ④, ⑤ **03** ⑤

04 ㄱ, ㄹ

02 ① $5x=y$의 양변을 5로 나누면 $x=\frac{y}{5}$

② $5x=y$의 양변에 6을 더하면 $5x+6=y+6$

③ $5x=y$의 양변에 -1을 곱하면 $-5x=-y$

$-5x=-y$의 양변에서 3을 빼면 $-5x-3=-y-3$

④ $5x=y$의 양변에 2를 곱하면 $10x=2y$

$10x=2y$의 양변에 2를 더하면 $10x+2=2y+2$

⑤ $5x=y$의 양변을 25로 나누면 $\frac{x}{5}=\frac{y}{25}$

03 ⑤ $\frac{x+2}{3}=1$의 양변에 3을 곱하면 $x+2=3$

$x+2=3$의 양변에서 2를 빼면 $x=1$

04 $4x-9=3$ ⟶ ㈎ 양변에 9를 더한다.
$4x=12$ ⟶ ㈏ 양변을 4로 나눈다.
$x=3$

따라서 ㈎에서 이용한 등식의 성질은 ㄱ이고, ㈏에서 이용한 등식의 성질은 ㄹ이다.

25강+ 일차방정식과 그 풀이 91~93쪽

01 (1) + (2) − (3) − (4) +, −

02 (1) ○ (2) × (3) ○ (4) ×

03 (1) $8x=3+4$ (2) $4x-x=-9$ (3) $-x=6-10$
(4) $x+x=6$ (5) $5x-4x=-3+7$ (6) $9x+2x=4-6$

04 (1) $5x=5$ (2) $x=10$ (3) $2x=-8$ (4) $4x=-16$
(5) $2x=-4$ (6) $7x=7$

05 (1) 1, ○ (2) x^2, × (3) 4, ○ (4) 5, ×
(5) 3, × (6) x, ○

06 (1) ○ (2) ○ (3) × (4) ○ (5) ×

07 (1) $a\neq0$ (2) $a\neq1$ (3) $a\neq-1$ (4) $a\neq7$

08 (1) $x=2$ (2) $x=2$ (3) $x=-1$ (4) $x=-5$
(5) $x=9$ (6) $x=\frac{1}{2}$ (7) $x=-\frac{7}{6}$

09 (1) $x=-4$ (2) $x=8$ (3) $x=5$ (4) $x=-1$
(5) $x=3$ (6) $x=-2$ (7) $x=-3$ (8) $x=10$
(9) $x=-7$ (10) $x=4$ (11) $x=9$ (12) $x=-\frac{1}{2}$

02 (2) $8x=-x+27$ ⇨ $8x+x=27$
(4) $9x=5x+2$ ⇨ $9x-5x=2$

04 (1) $5x+2=7$, $5x=7-2$, $5x=5$
(2) $4x-6=3x+4$, $4x-3x=4+6$, $x=10$
(3) $6x+8=4x$, $6x-4x=-8$, $2x=-8$
(4) $22-x=-5x+6$, $-x+5x=6-22$, $4x=-16$
(5) $x=-x-4$, $x+x=-4$, $2x=-4$
(6) $4x-5=-3x+2$, $4x+3x=2+5$, $7x=7$

05 (1) $7x-4+5=0$, 즉 $7x+1=0$이므로 일차방정식이다.
(2) x^2이 있으므로 일차방정식이 아니다.
(3) $2x+4=0$이므로 일차방정식이다.
(4) 등식이 아니므로 일차방정식이 아니다.
(5) $6x=6x-3$, $6x-6x+3=0$, 즉 $3=0$이므로 일차방정식이 아니다.
(6) $8x-7x=0$, 즉 $x=0$이므로 일차방정식이다.

06 (2) $x^2-5-x^2+x-1=0$, 즉 $x-6=0$이므로 일차방정식이다.
(3) $-2x+6=-6-2x$, $-2x+6+6+2x=0$, 즉 $12=0$이므로 일차방정식이 아니다.
(4) $\frac{x}{5}-3-2=0$, 즉 $\frac{x}{5}-5=0$이므로 일차방정식이다.
(5) $-4x+8=8-4x$, $-4x+8-8+4x=0$, 즉 $0=0$이므로 일차방정식이 아니다.

07 (2) $x+2=ax+2$
⇨ $x+2-ax-2=0$
⇨ $(1-a)x=0$
$1-a\neq0$이므로 $a\neq1$
(3) $-ax+7=x+5$
⇨ $-ax+7-x-5=0$
⇨ $(-a-1)x+2=0$
$-a-1\neq0$이므로 $a\neq-1$
(4) $7x-4=ax-2$
⇨ $7x-4-ax+2=0$
⇨ $(7-a)x-2=0$
$7-a\neq0$이므로 $a\neq7$

08 (1) $x+9=11$ $\therefore x=2$
(2) $2x+4=8$에서 $2x=4$ $\therefore x=2$
(3) $3x=5x+2$에서 $-2x=2$ $\therefore x=-1$
(4) $4x+14=-6$에서 $4x=-20$ $\therefore x=-5$
(5) $-2x+10=-8$에서 $-2x=-18$ $\therefore x=9$
(6) $15-8x=11$에서 $-8x=-4$ $\therefore x=\frac{1}{2}$
(7) $6x+5=-2$에서 $6x=-7$ $\therefore x=-\frac{7}{6}$

09 (1) $x=12+4x$에서 $-3x=12$ $\therefore x=-4$
(2) $-4x=-6x+16$에서 $2x=16$ $\therefore x=8$
(3) $30-4x=2x$에서 $-6x=-30$ $\therefore x=5$
(4) $16x+23=-4x+3$에서 $20x=-20$ $\therefore x=-1$
(5) $3x-1=11-x$에서 $4x=12$ $\therefore x=3$
(6) $9x-2=5x-10$에서 $4x=-8$ $\therefore x=-2$
(7) $7+3x=5x+13$에서 $-2x=6$ $\therefore x=-3$
(8) $6+2x=-4+3x$에서 $-x=-10$ $\therefore x=10$
(9) $15-6x=43-2x$에서 $-4x=28$ $\therefore x=-7$
(10) $-4x+30-x=5x-10$에서 $-10x=-40$ $\therefore x=4$
(11) $7x-54=-30+4x+3$에서 $3x=27$ $\therefore x=9$
(12) $36+6x=18-6x+12$에서 $12x=-6$ $\therefore x=-\frac{1}{2}$

힘수 만점 94쪽

01 ⑤ **02** ② **03** 5, 2, 3, 6, 2
04 (1) $x=-2$ (2) $x=1$ (3) $x=-1$ (4) $x=2$ **05** 8

01 ① $7x+5=6$에서 $7x+5-6=0$ $\therefore 7x-1=0$
② $5x-1=x+5$에서 $5x-1-x-5=0$ $\therefore 4x-6=0$
③ $x-10=10-x$에서 $x-10-10+x=0$
$\therefore 2x-20=0$
④ $\frac{2}{3}x^2-1=\frac{2}{3}x^2+x$에서 $\frac{2}{3}x^2-1-\frac{2}{3}x^2-x=0$
$\therefore -x-1=0$
⑤ $-4x+5=6-4x$에서 $-4x+5-6+4x=0$
$\therefore -1=0$
따라서 일차방정식이 아닌 것은 ⑤이다.

02 우변의 모든 항을 좌변으로 이항하여 정리하면
$(4-a)x+8=0$
이 식이 (일차식)$=0$이려면 (x의 계수)$\neq 0$이어야 한다.
$\therefore a\neq 4$

03 $8x-2=5x+4$, $8x-5x=4+2$, $3x=6$ $\therefore x=2$

04 (1) $6x+9=-3$, $6x=-12$ $\therefore x=-2$
(2) $x-5=-3x-1$, $x+3x=-1+5$, $4x=4$
$\therefore x=1$
(3) $-7x-2=-2x+3$, $-7x+2x=3+2$, $-5x=5$
$\therefore x=-1$
(4) $3x-8=-3x+4$, $3x+3x=4+8$, $6x=12$
$\therefore x=2$

05 일차방정식 $5x+8=4-2a$에 $x=-4$를 대입하면
$5\times(-4)+8=4-2a$, $-12=4-2a$, $2a=4+12$,
$2a=16$ $\therefore a=8$

26강 복잡한 일차방정식의 풀이 95~96쪽

01 (1) $x=4$ (2) $x=-1$ (3) $x=3$ (4) $x=-3$
(5) $x=12$ (6) $x=4$ (7) $x=2$
02 (1) $x=-2$ (2) $x=-2$ (3) $x=2$
(4) $x=-10$ (5) $x=4$ (6) $x=-31$ (7) $x=1$
03 (1) $x=-2$ (2) $x=-4$ (3) $x=30$
(4) $x=-2$ (5) $x=5$ (6) $x=2$
04 (1) $x=-9$ (2) $x=-5$ (3) $x=1$ (4) $x=-6$
(5) $x=-8$ (6) $x=-5$ (7) $x=2$ (8) $x=10$

01 (1) $5(x-2)=x+6$에서 $5x-10=x+6$,
$5x-x=6+10$, $4x=16$
$\therefore x=4$
(2) $4(2-x)=2x+14$에서 $8-4x=2x+14$,
$-4x-2x=14-8$, $-6x=6$
$\therefore x=-1$
(3) $-5x=2(x-8)-5$에서 $-5x=2x-16-5$,
$-5x-2x=-16-5$, $-7x=-21$
$\therefore x=3$
(4) $14-6(x+2)=-4x+8$에서 $14-6x-12=-4x+8$,
$-6x+4x=8-14+12$, $-2x=6$
$\therefore x=-3$
(5) $3(x+2)-6=4(x-3)$에서 $3x+6-6=4x-12$,
$3x-4x=-12$, $-x=-12$
$\therefore x=12$
(6) $2(x+8)=-4(x-10)$에서 $2x+16=-4x+40$,
$2x+4x=40-16$, $6x=24$
$\therefore x=4$
(7) $2-3(2x-1)=-4x+1$에서 $2-6x+3=-4x+1$,
$-6x+4x=1-2-3$, $-2x=-4$
$\therefore x=2$

02 (1) $0.5x+0.6=0.2x$의 양변에 10을 곱하면
$5x+6=2x$, $3x=-6$ $\therefore x=-2$
(2) $1.4x+1.5=-1.3$의 양변에 10을 곱하면
$14x+15=-13$, $14x=-28$
$\therefore x=-2$
(3) $0.4x-0.2=-0.7x+2$의 양변에 10을 곱하면
$4x-2=-7x+20$, $11x=22$ $\therefore x=2$
(4) $0.21x+2.4=0.09x+1.2$의 양변에 100을 곱하면
$21x+240=9x+120$, $12x=-120$ $\therefore x=-10$
(5) $0.1(x-2)=0.03x+0.08$의 양변에 100을 곱하면
$10(x-2)=3x+8$, $10x-20=3x+8$, $7x=28$
$\therefore x=4$
(6) $0.5(7-x)=0.2(2-3x)$의 양변에 10을 곱하면
$5(7-x)=2(2-3x)$, $35-5x=4-6x$
$\therefore x=-31$
(7) $0.3x=-0.02(4-x)+0.36$의 양변에 100을 곱하면
$30x=-2(4-x)+36$, $30x=-8+2x+36$,
$28x=28$ $\therefore x=1$

03 (1) $\frac{1}{2}x-\frac{2}{3}=\frac{5}{6}x$의 양변에 6을 곱하면 $3x-4=5x$
$-2x=4$ $\therefore x=-2$
(2) $\frac{3}{4}x-\frac{1}{2}=\frac{7}{8}x$의 양변에 8을 곱하면 $6x-4=7x$
$-x=4$ $\therefore x=-4$

(3) $\frac{3}{2}x+4=\frac{5}{3}x-1$의 양변에 6을 곱하면

$9x+24=10x-6$, $-x=-30$ $\therefore x=30$

(4) $\frac{2}{9}+\frac{5}{6}x=\frac{5}{9}x-\frac{1}{3}$의 양변에 18을 곱하면

$4+15x=10x-6$, $5x=-10$ $\therefore x=-2$

(5) $\frac{1}{10}(x-7)=\frac{1}{5}-\frac{2}{25}x$의 양변에 50을 곱하면

$5(x-7)=10-4x$, $5x-35=10-4x$, $9x=45$

$\therefore x=5$

(6) $\frac{x-15}{6}=\frac{x-4}{4}-\frac{5}{3}$의 양변에 12를 곱하면

$2(x-15)=3(x-4)-20$, $2x-30=3x-12-20$

$-x=-2$ $\therefore x=2$

04 (1) $(x+1):(x-3)=2:3$, $3(x+1)=2(x-3)$,

$3x+3=2x-6$ $\therefore x=-9$

(2) $(x-7):4=(2x+1):3$, $3(x-7)=4(2x+1)$,

$3x-21=8x+4$, $-5x=25$ $\therefore x=-5$

(3) $(4x+2):(5x-2)=2:1$, $4x+2=2(5x-2)$

$4x+2=10x-4$, $-6x=-6$ $\therefore x=1$

(4) $7:(2x-2)=5:(3x+8)$, $7(3x+8)=5(2x-2)$,

$21x+56=10x-10$, $11x=-66$ $\therefore x=-6$

(5) $9:4=(x-1):(x+4)$, $9(x+4)=4(x-1)$,

$9x+36=4x-4$, $5x=-40$ $\therefore x=-8$

(6) $(2x+2):2=2(x-1):3$, $3(2x+2)=4(x-1)$,

$6x+6=4x-4$, $2x=-10$ $\therefore x=-5$

(7) $8:(2x-4)=5:(2-x)$, $8(2-x)=5(2x-4)$,

$16-8x=10x-20$, $-18x=-36$ $\therefore x=2$

(8) $7:(2x+1)=2:(x-4)$, $7(x-4)=2(2x+1)$,

$7x-28=4x+2$, $3x=30$ $\therefore x=10$

힘수 만점 97쪽

01 (1) $x=-4$ (2) $x=2$ (3) $x=7$
02 (1) $x=-6$ (2) $x=-2$
03 -8 **04** $x=3$ **05** $x=-3$

01 (1) $3(x+1)-4x=7$, $3x+3-4x=7$, $-x=4$

$\therefore x=-4$

(2) $0.46-0.2x=0.06(x-1)$의 양변에 100을 곱하면

$46-20x=6(x-1)$, $46-20x=6x-6$, $-26x=-52$

$\therefore x=2$

(3) $\frac{x}{2}+\frac{3-x}{3}=\frac{1}{6}(2x-1)$의 양변에 6을 곱하면

$3x+2(3-x)=2x-1$, $3x+6-2x=2x-1$, $-x=-7$

$\therefore x=7$

02 (1) $4(x-4)=5(x-2)$, $4x-16=5x-10$, $-x=6$

$\therefore x=-6$

(2) $2(3x-9)=3\times5x$, $6x-18=15x$, $-9x=18$

$\therefore x=-2$

03 $x=-4$를 $4(x+5)=-4-a$에 대입하면

$4\times(-4+5)=-4-a$, $4=-4-a$

$\therefore a=-4-4=-8$

04 $\frac{7}{10}x-2.6=0.4(-0.5x+0.25)$의 양변에 10을 곱하면

$7x-26=4(-0.5x+0.25)$, $7x-26=-2x+1$, $9x=27$

$\therefore x=3$

05 $4(3x-1)=-28$에서 $12x-4=-28$, $12x=-24$

$\therefore x=-2$

따라서 $a=-2$이므로 $1.2x-0.5=0.7x+a$의 a에 -2를 대입하면 $1.2x-0.5=0.7x-2$

이 식의 양변에 10을 곱하면

$12x-5=7x-20$, $5x=-15$ $\therefore x=-3$

27강 일차방정식의 활용(1) 98~99쪽

01 (1) $x+15=2x-7$ (2) $x=22$ (3) 22 **02** 21
03 (1) $x+(x+1)=125$ (2) $x=62$ (3) 62, 63
04 18, 20
05 (1) $10x+3=(30+x)+27$ (2) $x=6$ (3) 36
06 72
07 (1) $46+x=2(12+x)$ (2) $x=22$ (3) 22년 후
08 3년 후
09 (1) $2\{(x+4)+x\}=40$ (2) $x=8$ (3) 8 cm
10 8 cm
11 (1) $\frac{1}{2}\times\{x+(x+2)\}\times6=36$ (2) $x=5$ (3) 5 cm
12 10 cm

01 (1) 어떤 수는 x이므로 $x+15=2x-7$

(2) $x+15=2x-7$에서 $-x=-22$ $\therefore x=22$

(3) 따라서 어떤 수는 22이다.

02 어떤 수를 x라 하면

$5(x-3)=4x+6$, $5x-15=4x+6$ $\therefore x=21$

03 (1) 연속하는 두 자연수는 x, $x+1$이므로

$x+(x+1)=125$

(2) $x+(x+1)=125$에서 $2x+1=125$, $2x=124$

$\therefore x=62$

(3) 두 자연수는 62, 63이다.

04 연속하는 두 짝수를 x, $x+2$라 하면

$x+(x+2)=38$, $2x+2=38$, $2x=36$

$\therefore x=18$

따라서 두 짝수는 18, 20이다.

05 (1) 처음 수의 일의 자리의 숫자가 x이므로 처음 자연수는 $30+x$이고, 십의 자리의 숫자와 일의 자리의 숫자를 바꾼 자연수는 $10x+3$이다.

$10x+3=(30+x)+27$

(2) $10x+3=(30+x)+27$에서 $10x+3=x+57$, $9x=54$

$\therefore x=6$

(3) 처음 수의 일의 자리의 숫자가 6이므로 처음 수는 36이다.

06 처음 수의 일의 자리의 숫자를 x라 하면

처음 자연수는 $70+x$이고, 십의 자리의 숫자와 일의 자리의 숫자를 바꾼 자연수는 $10x+7$이므로

$10x+7=(70+x)-45$, $10x+7=x+25$, $9x=18$

$\therefore x=2$

즉, 처음 수의 일의 자리의 숫자가 2이므로 처음 수는 72이다.

07 (1) x년 후의 아버지의 나이는 $(46+x)$살, 아들의 나이는 $(12+x)$살이므로 x년 후에 아버지의 나이가 아들의 나이의 2배가 된다고 하면 $46+x=2(12+x)$

(2) $46+x=2(12+x)$에서 $46+x=24+2x$, $-x=-22$

$\therefore x=22$

(3) 따라서 22년 후에 아버지의 나이가 아들의 나이의 2배가 된다.

08 x년 후에 고모의 나이가 선주의 나이의 3배가 된다고 하면 x년 후의 고모의 나이는 $(42+x)$살, 선주의 나이는 $(12+x)$살이므로 $42+x=3(12+x)$

$42+x=3(12+x)$, $42+x=36+3x$, $-2x=-6$

$\therefore x=3$

따라서 3년 후에 고모의 나이가 선주의 나이의 3배가 된다.

09 (1) 세로의 길이를 x cm라 하면 가로의 길이는 세로의 길이보다 4 cm 더 길므로 $(x+4)$cm이다.

둘레의 길이가 40 cm이므로 $2\{(x+4)+x\}=40$

(2) $2\{(x+4)+x\}=40$에서 $2(2x+4)=40$, $2x+4=20$,

$2x=16 \quad \therefore x=8$

(3) 세로의 길이는 8 cm이다.

10 세로의 길이를 x cm라 하면 가로의 길이는 $(2x-6)$cm이다.

둘레의 길이가 30 cm이므로 $2\{(2x-6)+x\}=30$,

$2(3x-6)=30$, $3x-6=15$, $3x=21 \quad \therefore x=7$

따라서 가로의 길이는 $2\times7-6=8$(cm)

11 (1) 윗변의 길이가 x cm이므로 아랫변의 길이는 $(x+2)$cm이다. 사다리꼴의 넓이가 36 cm^2이므로

$\frac{1}{2}\times\{x+(x+2)\}\times6=36$

(2) $\frac{1}{2}\times\{x+(x+2)\}\times6=36$에서 $3(2x+2)=36$,

$2x+2=12$, $2x=10 \quad \therefore x=5$

(3) 사다리꼴의 윗변의 길이는 5 cm이다.

12 윗변의 길이를 x cm라 하면 아랫변의 길이는 $(x+4)$cm이다. 사다리꼴의 넓이가 40 cm^2이므로

$\frac{1}{2}\times\{x+(x+4)\}\times5=40$, $\frac{1}{2}(2x+4)=8$, $2x+4=16$,

$2x=12 \quad \therefore x=6$

따라서 사다리꼴의 아랫변의 길이는 $6+4=10$(cm)

힘수 만점 100쪽

01 14 **02** 28 **03** 연필: 12자루, 색연필: 8자루
04 6년 후 **05** 7

01 연속하는 두 짝수를 x, $x+2$라 하면

$x+(x+2)=30$, $2x+2=30$, $2x=28 \quad \therefore x=14$

따라서 두 짝수는 14, 16이므로 작은 수는 14이다.

02 처음 수의 일의 자리의 숫자를 x라 하면

처음 자연수는 $20+x$이고, 십의 자리의 숫자와 일의 자리의 숫자를 바꾼 자연수는 $10x+2$이므로

$10x+2=(20+x)+54$, $10x+2=x+74$, $9x=72$

$\therefore x=8$

즉, 처음 수의 일의 자리의 숫자가 8이므로 처음 수는 28이다.

03 연필을 x자루 샀다고 하면 색연필은 $(20-x)$자루 샀으므로

$200x+300(20-x)=4800$,

$200x+6000-300x=4800$, $-100x=-1200 \quad \therefore x=12$

따라서 연필은 12자루, 색연필은 $20-12=8$(자루) 샀다.

04 x년 후에 아버지의 나이가 아들의 나이의 3배가 된다고 하면 x년 후의 아버지의 나이는 $(48+x)$살, 아들의 나이는 $(12+x)$살이므로 $48+x=3(12+x)$

$48+x=36+3x$, $-2x=-12$

$\therefore x=6$

따라서 6년 후에 아버지의 나이가 아들의 나이의 3배가 된다.

05 변형된 직사각형의 가로의 길이는 $12+6=18$(cm),

세로의 길이는 $(12-x)$cm이므로

$18\times(12-x)=90$, $12-x=5$, $-x=-7$

$\therefore x=7$

28강 일차방정식의 활용(2) 101~102쪽

01 (1) x km, $\frac{x}{3}$시간 (2) $\frac{x}{2}+\frac{x}{3}=5$ (3) $x=6$
(4) 12 km
02 2 km
03 (1) $\frac{x}{5}-\frac{x}{12}=\frac{28}{60}$ (2) $x=4$ (3) 4 km
04 15 km
05 (1) $80x+100x=900$ (2) $x=5$ (3) 5분 후
06 10분 후
07 (1) 8, $\frac{8}{100}\times(200+x)$
(2) $\frac{10}{100}\times200=\frac{8}{100}\times(200+x)$
(3) $x=50$ (4) 50 g
08 200 g
09 (1) $4x+7=5x-3$ (2) $x=10$ (3) 10명 (4) 47개
10 97개

01 (3) $\frac{x}{2}+\frac{x}{3}=5$의 양변에 6을 곱하면
$3x+2x=30$, $5x=30$ $\quad\therefore x=6$
(4) (등산한 총 거리)=(올라간 거리)+(내려온 거리)
$=6+6=12$(km)

02 집에서 도서관까지의 거리를 x km라 하고 방정식을 세우면
$\frac{x}{6}+\frac{x}{4}=\frac{50}{60}$에서 $2x+3x=10$, $5x=10$
$\therefore x=2$
따라서 집에서 도서관까지의 거리는 2 km이다.

03 (1)

	걸어갈 때	자전거를 타고 갈 때
거리	x km	x km
속력	시속 5 km	시속 12 km
시간	$\frac{x}{5}$시간	$\frac{x}{12}$시간

⇨ $\frac{x}{5}-\frac{x}{12}=\frac{28}{60}$
(2) $\frac{x}{5}-\frac{x}{12}=\frac{28}{60}$에서 $12x-5x=28$, $7x=28$
$\therefore x=4$

04 현우네 집에서 할머니 댁까지의 거리를 x km라 하면

	자동차를 타고 갈 때	자전거를 타고 갈 때
거리	x km	x km
속력	시속 60 km	시속 15 km
시간	$\frac{x}{60}$시간	$\frac{x}{15}$시간

$\frac{x}{15}-\frac{x}{60}=\frac{45}{60}$, $4x-x=45$, $3x=45$ $\quad\therefore x=15$
따라서 현우네 집에서 할머니 댁까지의 거리는 15 km이다.

05 (1) 수영이가 걸어간 거리는 $80x$ m, 지민이가 걸어간 거리는 $100x$ m이므로 $80x+100x=900$
(2) $80x+100x=900$에서 $180x=900$ $\quad\therefore x=5$

06 두 사람이 출발한 지 x분 후에 처음으로 만난다고 하면
(승희가 걸어간 거리)+(민우가 걸어간 거리)=2100
이므로 $90x+120x=2100$, $210x=2100$ $\quad\therefore x=10$
따라서 10분 후에 처음으로 만난다.

07 (3) $\frac{10}{100}\times200=\frac{8}{100}\times(200+x)$에서 $2000=8(200+x)$,
$2000=1600+8x$, $8x=400$ $\quad\therefore x=50$

08 섞어야 하는 8 %의 소금물의 양을 x g이라 하면
(5 %의 소금물의 소금의 양)+(8 %의 소금물의 소금의 양)
=(6 %의 소금물의 소금의 양)이므로
$\frac{5}{100}\times400+\frac{8}{100}\times x=\frac{6}{100}\times(x+400)$,
$2000+8x=6(x+400)$, $2000+8x=6x+2400$,
$2x=400$ $\quad\therefore x=200$
따라서 8 %의 소금물을 200 g 섞어야 한다.

09 (1) 학생 수는 x명이므로 귤의 개수는
4개씩 나누어 주면 7개가 남으므로 $4x+7$,
5개씩 나누어 주면 3개가 모자라므로 $5x-3$
귤의 개수는 같으므로 $4x+7=5x-3$
(2) $4x+7=5x-3$에서 $-x=-10$ $\quad\therefore x=10$
(3) 학생의 수는 10명이다.
(4) 귤의 수는 $4\times10+7=47$(개)

10 학생 수를 x명이라 하면 초콜릿의 개수는
8개씩 나누어 주면 7개가 부족하므로 $8x-7$,
7개씩 나누어 주면 6개가 남으므로 $7x+6$
초콜릿의 개수는 같으므로 $8x-7=7x+6$ $\quad\therefore x=13$
따라서 학생의 수는 13명이고, 초콜릿의 개수는
$8\times13-7=97$(개)이다.

힘수 만점 103쪽

01 ③ **02** 1 km **03** 30분 후 **04** 200 g **05** 38자루

01

	분속 120 m로 갈 때	분속 100 m로 갈 때
거리	x m	$(3000-x)$m
시간	$\frac{x}{120}$분	$\left(\frac{3000-x}{100}\right)$분

(분속 120 m로 갈 때 걸린 시간)+(분속 100 m로 갈 때 걸린 시간)=(26분)이므로
$\frac{x}{120}+\frac{3000-x}{100}=26$

02 집에서 마트까지의 거리를 x km라고 하면

	갈 때	올 때
속력	시속 3 km	시속 4 km
거리	x km	x km
시간	$\frac{x}{3}$시간	$\frac{x}{4}$시간

(갈 때 걸린 시간)+(올 때 걸린 시간)=(35분)이므로

$\frac{x}{3}+\frac{x}{4}=\frac{35}{60}$, $4x+3x=7$, $7x=7$ $\therefore x=1$

따라서 집에서 마트까지의 거리는 1 km이다.

03 두 사람이 출발한 지 x분 후에 서로 만난다고 하면

	예진	정희
속력	분속 40 m	분속 30 m
시간	x분	x분
거리	$40x$ m	$30x$ m

(예진이가 걸은 거리)+(정희가 걸은 거리)=(2100 m)이므로

$40x+30x=2100$, $70x=2100$

$\therefore x=30$

따라서 두 사람은 출발한 지 30분 후에 만난다.

04 증발시켜야 하는 물의 양을 x g이라 하면

소금의 양은 변하지 않으므로

$\frac{15}{100}\times400=\frac{30}{100}\times(400-x)$,

$6000=30(400-x)$, $6000=12000-30x$,

$30x=6000$ $\therefore x=200$

따라서 증발시켜야 하는 물의 양은 200 g이다.

05 학생 수를 x명이라 하면 연필의 개수는

5자루씩 나누어 주면 3자루가 남으므로 $5x+3$,

6자루씩 나누어 주면 4자루가 모자라므로 $6x-4$

연필의 개수는 같으므로 $5x+3=6x-4$ $\therefore x=7$

따라서 학생의 수는 7명이고,

연필의 개수는 $5\times7+3=38$(자루)이다.

29강 중단원 연산 마무리

104~106쪽

01 (1) $7000-5x=500$ (2) $x+7=2x-6$ (3) $4a=36$ (4) $\frac{x}{5}=2$

02 (1) × (2) × (3) ○ (4) × (5) ○

03 (1) × (2) ○ (3) ○ (4) ×

04 (1) ○ (2) ○ (3) × (4) ×

05 (1) $7x=8-3$ (2) $5x=7+5$ (3) $4x-x=6$ (4) $x+2x=6-5$ (5) $-6x-5x=-3-8$

06 (1) $x=-5$ (2) $x=2$ (3) $x=20$

07 (1) $x=-10$ (2) $x=2$ (3) $x=11$ (4) $x=-4$

08 (1) 6 (2) 7 (3) -10 (4) 0.9

09 (1) 4 (2) 14 (3) 5

10 (1) 2 (2) -9 (3) 2 (4) $-\frac{9}{25}$

11 4 **12** 14, 16, 18 **13** 8개 **14** 5년 후 **15** 40 g

16 학생 수: 5명, 사탕 수: 27개 **17** 20 **18** -3

19 9 cm **20** 4 km

03 (1) $5x-2x=3x$, 즉 (좌변)≠(우변)이므로 항등식이 아니다.

(2) $x+2x=3x$, 즉 (좌변)=(우변)이므로 항등식이다.

(3) $2(2x-4)=4x-8$, 즉 (좌변)=(우변)이므로 항등식이다.

(4) $5(x-1)=5x-5$, 즉 (좌변)≠(우변)이므로 항등식이 아니다.

04 (1) $a=b$의 양변을 -4로 나누면 $\frac{a}{-4}=\frac{b}{-4}$

(2) $-7a=-7b$의 양변을 -7로 나누면 $a=b$

(3) $\frac{a}{5}=\frac{b}{2}$의 양변에 10을 곱하면 $2a=5b$

(4) $ac=bc$의 양변을 0이 아닌 c로 나누면 $a=b$이므로 $c\neq0$인 조건이 있어야 한다.

06 (1) $7+x=-2x-8$, $x+2x=-8-7$, $3x=-15$

$\therefore x=-5$

(2) $4(x+2)=5x+6$, $4x+8=5x+6$, $-x=-2$

$\therefore x=2$

(3) $0.48x-9=0.6$의 양변에 100을 곱하면

$48x-900=60$, $48x=960$ $\therefore x=20$

07 (1) $\frac{1}{5}x-\frac{1}{2}=\frac{1}{4}x$의 양변에 20을 곱하면

$4x-10=5x$, $-x=10$ $\therefore x=-10$

(2) $\frac{x+1}{3}=\frac{3x-1}{5}$의 양변에 15를 곱하면

$5(x+1)=3(3x-1)$, $5x+5=9x-3$,

$-4x=-8$ $\therefore x=2$

(3) $\frac{2x-1}{3}-\frac{x+1}{2}=1$의 양변에 6을 곱하면

$2(2x-1)-3(x+1)=6$, $4x-2-3x-3=6$

$\therefore x=11$

(4) $x-\frac{5x-4}{6}=-1-\frac{x}{4}$의 양변에 12를 곱하면

$12x-2(5x-4)=-12-3x$,

$12x-10x+8=-12-3x$, $5x=-20$

$\therefore x=-4$

08 (1) $x=-2$를 $x+4=2x+a$에 대입하면
$(-2)+4=2\times(-2)+a$, $2=-4+a$
$\therefore a=6$
(2) $x=-2$를 $-4(2x+a)=2x-8$에 대입하면
$-4\times\{2\times(-2)+a\}=2\times(-2)-8$,
$-4\times(-4+a)=-4-8$,
$16-4a=-12$, $-4a=-28$ $\quad\therefore a=7$
(3) $x=-2$를 $2(x-3)-4(x+2)=a$에 대입하면
$2(-2-3)-4(-2+2)=a$ $\quad\therefore a=-10$
(4) $0.4x+1.5=0.1x+a$의 양변에 10을 곱하면
$4x+15=x+10a$
$x=-2$를 $4x+15=x+10a$에 대입하면
$4\times(-2)+15=-2+10a$, $-8+15=-2+10a$
$\therefore a=0.9$

09 (1) $2x-6=7x+9$에서 $-5x=15$ $\quad\therefore x=-3$
$ax+2=x-7$에 $x=-3$을 대입하면
$a\times(-3)+2=(-3)-7$, $-3a=-12$ $\quad\therefore a=4$
(2) $-8x-15=1$에서 $-8x=16$ $\quad\therefore x=-2$
$2-6x=a$에 $x=-2$를 대입하면
$2-6\times(-2)=a$ $\quad\therefore a=14$
(3) $-9x-19-x=-6x-15$에서
$-10x+6x=-15+19$ $\quad\therefore x=-1$
$7x-8=ax-10$에 $x=-1$을 대입하면
$7\times(-1)-8=a\times(-1)-10$, $-7-8=-a-10$
$\therefore a=5$

10 (1) $3:1=(x+1):(x-1)$, $3(x-1)=x+1$,
$3x-3=x+1$ $\quad\therefore x=2$
(2) $(3x-5):(x-3)=8:3$, $3(3x-5)=8(x-3)$,
$9x-15=8x-24$ $\quad\therefore x=-9$
(3) $(x+1):3=(x+2):4$, $4(x+1)=3(x+2)$,
$4x+4=3x+6$ $\quad\therefore x=2$
(4) $(3-x):4=3(2x+1):1$, $3-x=12(2x+1)$,
$3-x=24x+12$ $\quad\therefore x=-\frac{9}{25}$

11 어떤 수를 x라 하면
$x+10=3x+2$, $-2x=-8$
$\therefore x=4$

12 연속하는 세 짝수를 $x-2$, x, $x+2$라 하면
$(x-2)+x+(x+2)=48$, $3x=48$
$\therefore x=16$
따라서 세 짝수는 14, 16, 18이다.

13 현주가 2점짜리 문제를 x개 맞혔다고 하면
3점짜리 문제는 $(15-x)$개 맞힌 것이므로
$2x+3(15-x)=37$, $2x+45-3x=37$, $-x=-8$
$\therefore x=8$

14 x년 후에 어머니의 나이가 주형이의 나이의 3배가 된다고 하면 x년 후의 어머니의 나이는 $(49+x)$살, 주형이의 나이는 $(13+x)$살이므로 $49+x=3(13+x)$
$49+x=39+3x$, $-2x=-10$ $\quad\therefore x=5$
따라서 5년 후에 어머니의 나이가 주형이의 나이의 3배가 된다.

15 증발시켜야 하는 물의 양을 x g이라 하면 소금의 양은 변하지 않으므로 $\frac{12}{100}\times200=\frac{15}{100}\times(200-x)$,
$2400=15(200-x)$, $2400=3000-15x$,
$15x=600$ $\quad\therefore x=40$
따라서 증발시켜야 하는 물의 양은 40 g이다.

16 학생 수를 x명이라 하면 사탕의 개수는
5개씩 나누어 주면 2개가 남으므로 $5x+2$,
6개씩 나누어 주면 3개가 부족하므로 $6x-3$
사탕의 개수는 같으므로 $5x+2=6x-3$ $\quad\therefore x=5$
따라서 학생 수는 5명이고,
사탕의 개수는 $5\times5+2=27$(개)이다.

17 (우변)$=ax+10a$
$2x+b=ax+10a$ $\quad\therefore a=2$, $b=10a=10\times2=20$

18 보기의 규칙은 이웃한 두 네모칸의 식을 더한 것이 아래의 네모칸의 식이 되는 것이므로 둘째 줄 왼쪽 빈칸에 들어갈 식은
$7+4(x+2)=7+4x+8=4x+15$,
오른쪽 빈칸에 들어갈 식은
$4(x+2)-2(x+5)=4x+8-2x-10=2x-2$
이때 $4x+15+2x-2=-5$이므로
$6x+13=-5$, $6x=-18$ $\quad\therefore x=-3$

19 윗변의 길이를 x cm라 하면 아랫변의 길이는 $(x+5)$cm이다. 사다리꼴의 넓이가 39 cm^2이므로
$\frac{1}{2}\times\{x+(x+5)\}\times6=39$, $3(2x+5)=39$, $2x+5=13$,
$2x=8$ $\quad\therefore x=4$
따라서 사다리꼴의 아랫변의 길이는 $4+5=9$(cm)

20 올라갈 때 걸은 거리를 x km라 하면 내려올 때 걸은 거리는 $(x+2)$km이다.
(올라갈 때 걸린 시간)+(내려올 때 걸린 시간)=(4시간)이므로
$\frac{x}{2}+\frac{x+2}{3}=4$, $3x+2(x+2)=24$, $5x=20$ $\quad\therefore x=4$
따라서 석현이가 올라갈 때 걸은 거리는 4 km이다.

Ⅲ 좌표평면과 그래프

힘수 점검 

109쪽

1. (1) 가로: 시각, 세로: 온도 (2) 11 °C (3) 예 15 °C

2. (1) 2일 (2) 14 °C (3) 3일과 4일

3. (1) 6 (2) 2개 (3) 2배

4. (1) 10, 15, 20 (2) □×5=△ (또는 △÷5=□)

30강+ 순서쌍과 좌표

110~112쪽

01 (1) A(-3), B(1), C(3)

(2) A(-1), B$\left(\frac{3}{2}\right)$, C(4)

(3) A(-4), B$\left(-\frac{5}{2}\right)$, C$\left(\frac{1}{3}\right)$

(4) A$\left(-\frac{7}{2}\right)$, B$\left(-\frac{1}{2}\right)$, C$\left(\frac{8}{3}\right)$

02 해설 참조

03 (1) B$(-4, -2)$, C$(2, 5)$, D$(4, -4)$

(2) A$(-3, 1)$, B$(3, 4)$, C$(-5, -2)$, D$(5, -3)$

(3) A$(1, 5)$, B$(3, 0)$, C$(1, -3)$, D$(-4, -4)$

(4) A$(3, 0)$, B$(2, -1)$, C$(-5, -3)$, D$(-3, 3)$

(5) A$(5, 5)$, B$(2, -3)$, C$(-3, -2)$, D$(0, 3)$

04 해설 참조

05 (1) $(5, 3)$ (2) $(-4, 1)$ (3) $(2, -7)$

(4) $(-5, 5)$ (5) $(-3, -3)$ (6) $(0, 0)$

(7) $(8, 0)$ (8) $(0, -2)$ (9) $(-6, 0)$

(10) $(0, 9)$

02 (1)

(2)

(3)

(4)

(5)

(6)

04 (1)

(2)

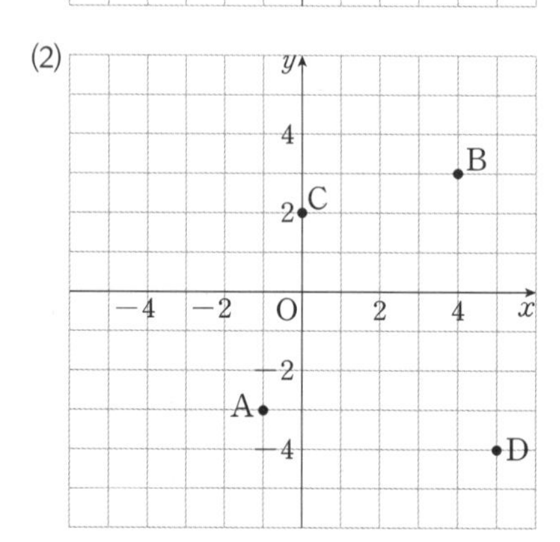

(3)

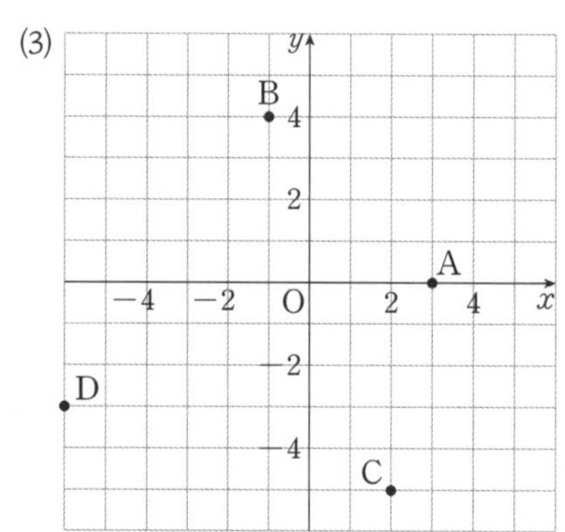

힘수 만점 

113쪽

01 A(-3), B(2), C$\left(\frac{11}{2}\right)$ **02** 해설 참조

03 -2 **04** 해설 참조

05 (1) O$(0, 0)$ (2) A$(3, -1)$ (3) B$(2, 0)$ (4) C$(0, -4)$

02 $-\frac{9}{2}=-4\frac{1}{2}$이므로 점 C는 -4에서 $\frac{1}{2}$만큼 왼쪽으로 간 점이다.

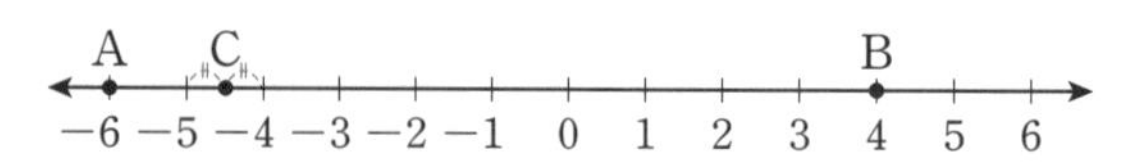

03 두 순서쌍 $(3a, 6)$, $(-12, 3b)$가 서로 같으므로

$3a=-12$, $6=3b$

$3a=-12$에서 $a=-4$, $6=3b$에서 $b=2$

$\therefore a+b=-4+2=-2$

04

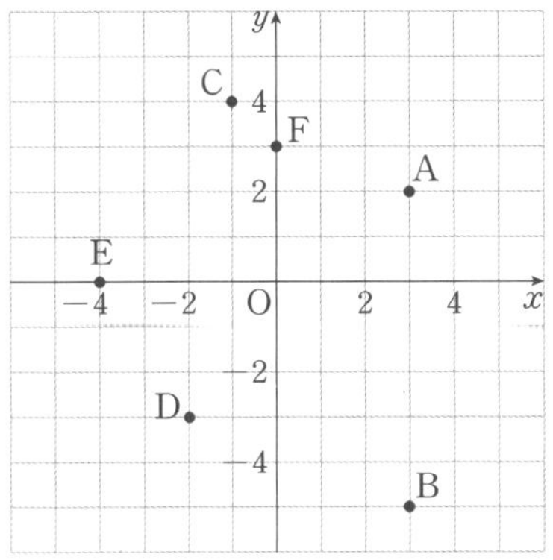

31강+ 사분면 114~116쪽

01 (1) 점 A, 점 E (2) 점 B, 점 C (3) 점 F (4) 점 G, 점 H

02 (1) 제1사분면 (2) 제2사분면 (3) 제4사분면 (4) 제3사분면 (5) 제2사분면 (6) 제4사분면

03 (1) ㄱ, ㄹ (2) ㄴ (3) ㄷ, ㅅ (4) ㅁ, ㅈ (5) ㅂ, ㅇ, ㅊ

04 (1) 제1사분면 (2) 제4사분면 (3) 제2사분면 (4) 제1사분면 (5) 제4사분면 (6) 제3사분면

05 (1) 제2사분면 (2) 제4사분면 (3) 제1사분면 (4) 제3사분면 (5) 제3사분면 (6) 제2사분면

06 (1) 제2사분면 (2) 제1사분면 (3) 제4사분면 (4) 제2사분면 (5) 제2사분면 (6) 제4사분면

07 (1) 제2사분면 (2) 제1사분면 (3) 제3사분면 (4) 제1사분면 (5) 제1사분면 (6) 제2사분면

08 (1) $A(1, -3)$ (2) $B(-1, 3)$ (3) $C(-1, -3)$

09 (1) $A(-2, -5)$ (2) $B(2, 5)$ (3) $C(2, -5)$

10 (1) $(-2, 3)$ (2) $(-1, -6)$ (3) $(4, -5)$ (4) $(8, -7)$ (5) $(-3, 5)$

11 (1) $a=-3$, $b=-2$ (2) $a=4$, $b=-3$ (3) $a=2$, $b=-1$ (4) $a=4$, $b=5$ (5) $a=-4$, $b=6$ (6) $a=1$, $b=1$

04 (2) $a>0$, $-b<0$이므로 점 $(a, -b)$는 제4사분면 위에 있다.
(3) $-a<0$, $b>0$이므로 점 $(-a, b)$는 제2사분면 위에 있다.
(4) $b>0$, $a>0$이므로 점 (b, a)는 제1사분면 위에 있다.
(5) $2a>0$, $-2b<0$이므로 점 $(2a, -2b)$는 제4사분면 위에 있다.
(6) $-a<0$, $-b<0$이므로 점 $(-a, -b)$는 제3사분면 위에 있다.

05 (2) $-a>0$, $-b<0$이므로 점 $(-a, -b)$는 제4사분면 위에 있다.
(3) $-2a>0$, $3b>0$이므로 점 $(-2a, 3b)$는 제1사분면 위에 있다.
(4) $-b<0$, $a<0$이므로 점 $(-b, a)$는 제3사분면 위에 있다.
(5) $a<0$, $-b<0$이므로 점 $(a, -b)$는 제3사분면 위에 있다.
(6) $ab<0$, $b>0$이므로 점 (ab, b)는 제2사분면 위에 있다.

06 (1) $a<0$, $b<0$이므로 $a<0$, $-b>0$
따라서 점 $(a, -b)$는 제2사분면 위에 있다.
(2) $a<0$, $b<0$이므로 $-a>0$, $-b>0$
따라서 점 $(-a, -b)$는 제1사분면 위에 있다.
(3) $a<0$, $b<0$이므로 $-b>0$, $a<0$
따라서 점 $(-b, a)$는 제4사분면 위에 있다.
(4) $a<0$, $b<0$이므로 $a<0$, $ab>0$
따라서 점 (a, ab)는 제2사분면 위에 있다.
(5) $a<0$, $b<0$이므로 $3a<0$, $-3b>0$
따라서 점 $(3a, -3b)$는 제2사분면 위에 있다.
(6) $a<0$, $b<0$이므로 $-a>0$, $-ab<0$
따라서 점 $(-a, -ab)$는 제4사분면 위에 있다.

07 (1) $a>0$, $b<0$이므로 $-a<0$, $-b>0$
따라서 점 $(-a, -b)$는 제2사분면 위에 있다.
(2) $a>0$, $b<0$이므로 $5a>0$, $-4b>0$
따라서 점 $(5a, -4b)$는 제1사분면 위에 있다.
(3) $a>0$, $b<0$이므로 $-a<0$, $ab<0$
따라서 점 $(-a, ab)$는 제3사분면 위에 있다.
(4) $a>0$, $b<0$이므로 $3a>0$, $-2b>0$
따라서 점 $(3a, -2b)$는 제1사분면 위에 있다.
(5) $a>0$, $b<0$이므로 $-b>0$, $a>0$
따라서 점 $(-b, a)$는 제1사분면 위에 있다.
(6) $a>0$, $b<0$이므로 $-a<0$, $-b>0$
따라서 점 $(-a, -b)$는 제2사분면 위에 있다.

11 (1) 점 $(a, 2)$와 x축에 대하여 대칭인 점의 좌표는 $(a, -2)$이므로 $a=-3$, $b=-2$이다.
(2) 점 $(3, a)$와 y축에 대하여 대칭인 점의 좌표는 $(-3, a)$이므로 $a=4$, $b=-3$이다.
(3) 점 $(1, a)$와 원점에 대하여 대칭인 점의 좌표는 $(-1, -a)$이므로 $-2=-a$에서 $a=2$, $b=-1$이다.
(4) 점 $(5, -a)$와 x축에 대하여 대칭인 점의 좌표는 $(5, a)$이므로 $a=4$, $b=5$이다.
(5) 점 $(2a, 6)$과 y축에 대하여 대칭인 점의 좌표는 $(-2a, 6)$이므로 $8=-2a$에서 $a=-4$, $b=6$이다.
(6) 점 $(3, a)$와 원점에 대하여 대칭인 점의 좌표는 $(-3, -a)$이므로 $-1=-a$에서 $a=1$, $-3b=-3$에서 $b=1$이다.

힘수 만점 117쪽

01 (1) ㄴ, ㅂ (2) ㅁ, ㅅ
02 (1) A$(-2, 5)$, 제2사분면
(2) B$(7, -1)$, 제4사분면
(3) C$(0, -1)$, 어느 사분면에도 속하지 않는다.
03 (1) 제3사분면 (2) 제1사분면 (3) 제2사분면
(4) 제3사분면
04 ④
05 그래프는 해설 참조
(1) A$(-2, -3)$ (2) B$(2, 3)$ (3) C$(2, -3)$

01 ㄱ. 제4사분면 위의 점 ㄷ. y축 위의 점
ㄹ. 제1사분면 위의 점 ㅇ. x축 위의 점

02 (3) y축 위에 있으므로 x좌표는 0이다.
즉, x좌표가 0, y좌표가 -1이므로 점 C의 좌표는
C$(0, -1)$
이때 점 C$(0, -1)$은 y축 위의 점이므로 어느 사분면에도 속하지 않는다.

03 점 P(a, b)가 제4사분면 위의 점이므로 $a>0$, $b<0$
(1) A$(-a, b)$의 좌표의 부호는 $(-, -)$ ⇨ 제3사분면
(2) B$(a, -b)$의 좌표의 부호는 $(+, +)$ ⇨ 제1사분면
(3) C$(-a, -b)$의 좌표의 부호는 $(-, +)$ ⇨ 제2사분면
(4) D$(b, -a)$의 좌표의 부호는 $(-, -)$ ⇨ 제3사분면

04 $a<0$, $b>0$이므로 $a<0$, $ab<0$
따라서 점 (a, ab)는 제3사분면 위의 점이므로 같은 사분면 위에 있는 점은 ④이다.

05

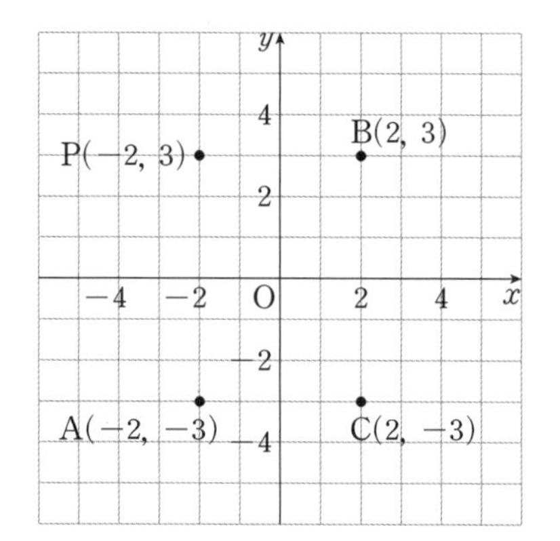

점 P$(-2, 3)$에 대하여
(1) y좌표의 부호만 바뀐다. ∴ A$(-2, -3)$
(2) x좌표의 부호만 바뀐다. ∴ B$(2, 3)$
(3) x좌표, y좌표의 부호가 모두 바뀐다.
∴ C$(2, -3)$

32강 그래프 118~119쪽

01 (1) 1, 2, 3, 4, 5, 6
(2) $(3, 1)$, $(4, 2)$, $(5, 3)$, $(6, 4)$, $(7, 5)$, $(8, 6)$
(3) 해설 참조
02 (1) ㄱ (2) ㄹ
03 (1) 40 °C (2) 60 °C (3) 2분 후 (4) 4분 후
04 (1) 8 °C (2) 2 km (3) 낮아진다에 ○표
05 (1) 40분 (2) 20분 (3) 80분
06 (1) ㄴ (2) ㄱ (3) ㄷ

01 (3)

03 (1) x의 값이 3일 때 y의 값이 40이므로 물을 가열하기 시작한 지 3분 후의 물의 온도는 40 °C이다.
(2) x의 값이 5일 때 y의 값이 60이므로 물을 가열하기 시작한 지 5분 후의 물의 온도는 60 °C이다.
(3) y의 값이 30일 때 x의 값이 2이므로 물의 온도가 30 °C가 되는 것은 물을 가열하기 시작한 지 2분 후이다.
(4) y의 값이 50일 때 x의 값이 4이므로 물의 온도가 50 °C가 되는 것은 물을 가열하기 시작한 지 4분 후이다.

04 (1) x의 값이 1일 때 y의 값은 8이므로 지표로부터의 높이가 1 km일 때, 기온은 8 °C이다.
(2) y의 값이 4일 때 x의 값은 2이므로 기온이 4 °C일 때, 지표로부터의 높이는 2 km이다.
(3) 지표로부터 높이가 올라갈수록 기온은 일정하게 낮아진다.

05 (1) 2 km$=$2000 m이고, x의 값이 0에서 40까지 증가할 때, y의 값은 0에서 2000까지 증가하므로 집에서 서점까지 가는 데 걸린 시간은 40분이다.
(2) x의 값이 40에서 60까지 증가할 때 y의 값은 2000으로 일정하므로 서점에 머문 시간은 $60-40=20$(분)이다.
(3) x의 값이 60에서 80까지 증가할 때, y의 값은 2000에서 0까지 감소하므로 서점을 출발하여 집에 도착할 때까지 걸린 시간은 $80-60=20$(분)이다.
따라서 전체 걸린 시간은 $40+20+20=80$(분)이다.

06 (1) 위로 갈수록 폭이 넓어지는 모양의 그릇은 시간이 지남에 따라 물의 높이는 점점 느리게 증가한다.
(2) 폭이 일정한 그릇은 시간이 지남에 따라 물의 높이도 일정하게 증가한다.

(3) 위로 갈수록 폭이 좁아지는 모양의 그릇은 시간이 지남에 따라 물의 높이는 점점 빠르게 증가한다.

함수 만점 120쪽

01 ⑤ 02 ㄷ 03 12 km

02 자전거를 타고 갈 때는 거리가 증가하므로 그래프 모양은 오른쪽 위로 향하고 거리가 증가한다. 공원에서 쉴 때는 거리가 변하지 않는다.
걸어갈 때는 거리가 증가하므로 그래프 모양은 오른쪽 위로 향하고 거리가 자전거를 타고 갈 때보다 느리게 증가한다.
따라서 알맞은 그래프는 ㄷ이다.

03 도현이는 자전거를 타고 출발한 후 10분 동안 6 km, 15분에서 20분 사이에 3 km, 25분에서 30분 사이에 3 km를 이동하였다. 따라서 출발점으로 다시 돌아올 때까지 이동한 거리는 $6+3+3=12$(km)이다.

33강 중단원 연산 마무리 121~123쪽

01 (1) 수직선은 해설 참조, 5 (2) 수직선은 해설 참조, 3
02 (1) O(0, 0) (2) A(1, −2) (3) B(0, 3)
03 (1) × (2) ○ (3) × (4) ○ (5) × 04 해설 참조
05 (1) ○ (2) × (3) ○ (4) × (5) ×
06 (1) A(5, −2), 제4사분면 (2) B(−7, −4), 제3사분면 (3) C(1, 0), 어느 사분면에도 속하지 않는다.
07 (1) 제3사분면 (2) 제1사분면 (3) 제2사분면 (4) 제4사분면
08 (1) $a=-5$, $b=7$ (2) $a=2$, $b=2$ (3) $a=8$, $b=3$
09 (1) 15 (2) 15로 일정하다. (3) 해설 참조
10 (1) ㉡ (2) ㉢ (3) ㉠ 11 ④
12 (1) 30 m (2) 2분 후, 6분 후, 10분 후, 14분 후, 18분 후, 22분 후 (3) 16분 후
13 (1) 15초 후 (2) 10초 14 $a=-3$, $b=4$
15 그래프는 해설 참조, 24 16 ㄷ

01 (1)
(2)

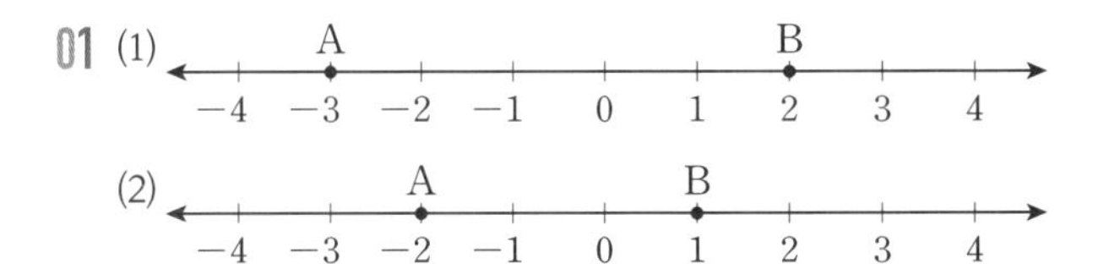

04

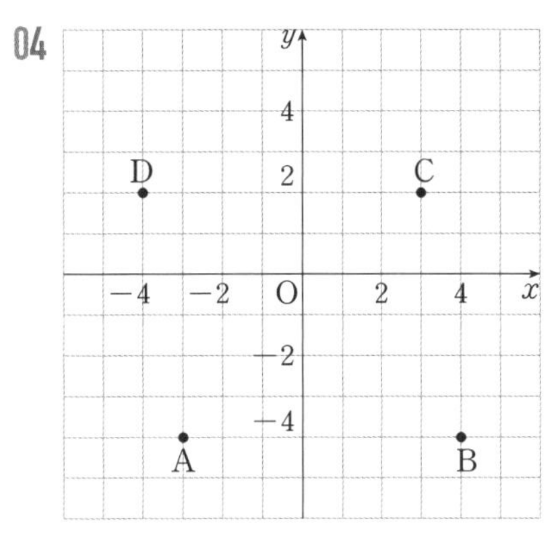

05 (3) 점 $(-3, -3)$은 제3사분면 위의 점이다.
(4) 점 $(2, -5)$는 제4사분면 위의 점이다.
(5) 점 $(1, 2)$와 점 $(2, 1)$은 서로 다른 점이다.

06 (1) $(5, -2)$이므로 제4사분면 위의 점이다.
(2) $(-7, -4)$이므로 제3사분면 위의 점이다.
(3) x축 위에 있으므로 y좌표는 0이다.
즉, x좌표가 1, y좌표가 0이므로 점 C의 좌표는 C(1, 0)이고 이 점은 어느 사분면에도 속하지 않는다.

07 점 (a, b)가 제4사분면 위의 점이므로 $a>0$, $b<0$
(1) $-a<0$, $b<0$이므로 점 $(-a, b)$는 제3사분면 위의 점이다.
(2) $-b>0$, $a>0$이므로 점 $(-b, a)$는 제1사분면 위의 점이다.
(3) $ab<0$, $a-b>0$이므로 점 $(ab, a-b)$는 제2사분면 위의 점이다.
(4) $-ab>0$, $a^2b<0$이므로 점 $(-ab, a^2b)$는 제4사분면 위의 점이다.

08 (1) 점 $(5, -7)$과 원점에 대하여 대칭인 점의 좌표는 $(-5, 7)$이므로 $a=-5$, $b=7$이다.
(2) 점 $(-4, a)$와 원점에 대하여 대칭인 점의 좌표는 $(4, -a)$이므로 $4=2b$에서 $b=2$, $-a=-2$에서 $a=2$이다.
(3) 점 $(3, a)$와 원점에 대하여 대칭인 점의 좌표는 $(-3, -a)$이므로 $-3=-b$에서 $b=3$, $-a=-8$에서 $a=8$이다.

09 (3) x의 값이 0에서 5까지 증가할 때 y의 값은 0에서 15까지 증가하고, x의 값이 5에서 10까지 증가할 때 y의 값은 15로 일정하다.

12 (2) y좌표가 15인 점의 좌표는 (2, 15), (6, 15), (10, 15), (14, 15), (18, 15), (22, 15)이므로 탑승한 관람차의 지면으로부터의 높이가 15 m일 때는 탑승하고 2분, 6분, 10분, 14분, 18분, 22분 후이다.
(3) 관람차가 처음 위치로 돌아오는 것은 8분, 16분, 24분 후이므로 탑승한 관람차가 2바퀴를 돌아 처음 위치에 돌아오는 것은 탑승하고 16분 후이다.

14 $2a=-6$이므로 $a=-3$, $5=b+1$이므로 $b=4$

15

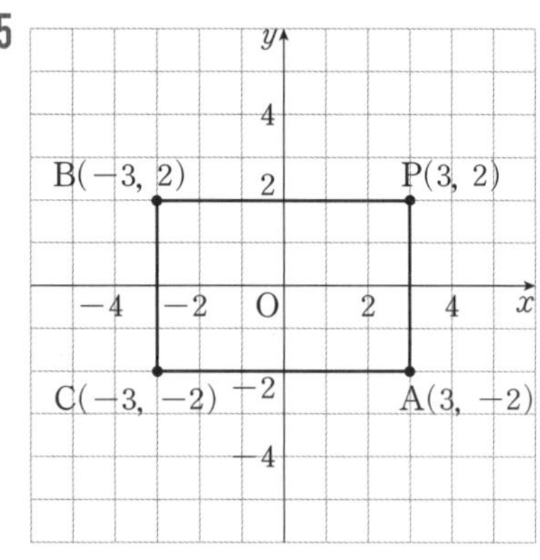

점 P(3, 2)에 대하여 x축에 대하여 대칭인 점은 y좌표의 부호만 바뀐다. $\therefore$ A(3, −2)

y축에 대하여 대칭인 점은 x좌표의 부호만 바뀐다.

$\therefore$ B(−3, 2)

원점에 대하여 대칭인 점은 x좌표, y좌표의 부호가 모두 바뀐다. $\therefore$ C(−3, −2)

이때 사각형 PBCA는 직사각형이고 가로의 길이는 6, 세로의 길이는 4이므로 넓이는 $6\times4=24$

16 원기둥 모양의 그릇에서 물을 일정하게 뺄 때, 원기둥의 밑면의 넓이가 넓을수록 물의 높이가 천천히 감소하므로 x와 y 사이의 관계를 나타내는 그래프는 먼저 y의 값이 빠르게 감소하다가 y의 값이 천천히 감소하는 ㄷ이다.

34강 정비례와 그 그래프 124~125쪽

01 (1) 6, 8 (2) 9, 12, 15 (3) −4, −6, −10

(4) $\frac{1}{2}$, 2, $\frac{5}{2}$ (5) −5, −10, −20

02 (1) ○ (2) × (3) × (4) ○ (5) × (6) ○

03 (1) $y=7x$ (2) $y=3x$ (3) $y=60x$

04 (1) $y=3x$ (2) $y=-5x$ (3) $y=-\frac{1}{2}x$

05 (1) −4, −2, 0, 2, 4, 그래프는 해설 참조

06 해설 참조

02 (3) $xy=2$에서 $y=\frac{2}{x}$ ⇨ y가 x에 정비례하지 않는다.

(4) $y=\frac{x}{5}$에서 $y=\frac{1}{5}x$ ⇨ y가 x에 정비례한다.

(6) $4y=x$에서 $y=\frac{1}{4}x$ ⇨ y가 x에 정비례한다.

03 (1) (사탕의 가격)$=7\times$(사탕 한 개의 가격) ⇨ $y=7x$

(2) (정삼각형의 둘레의 길이)$=3\times$(한 변의 길이) ⇨ $y=3x$

(3) (거리)$=$(속력)$\times$(시간) ⇨ $y=60x$

04 (1) y가 x에 정비례하므로 $y=ax(a\neq0)$로 놓는다.

$y=ax$에 $x=2$, $y=6$을 대입하면

$6=2a$ $\therefore a=3$, 즉 $y=3x$

(2) y가 x에 정비례하므로 $y=ax(a\neq0)$로 놓는다.

$y=ax$에 $x=-1$, $y=5$를 대입하면

$5=-a$ $\therefore a=-5$, 즉 $y=-5x$

(3) y가 x에 정비례하므로 $y=ax(a\neq0)$로 놓는다.

$y=ax$에 $x=4$, $y=-2$를 대입하면

$-2=4a$ $\therefore a=-\frac{1}{2}$, 즉 $y=-\frac{1}{2}x$

05

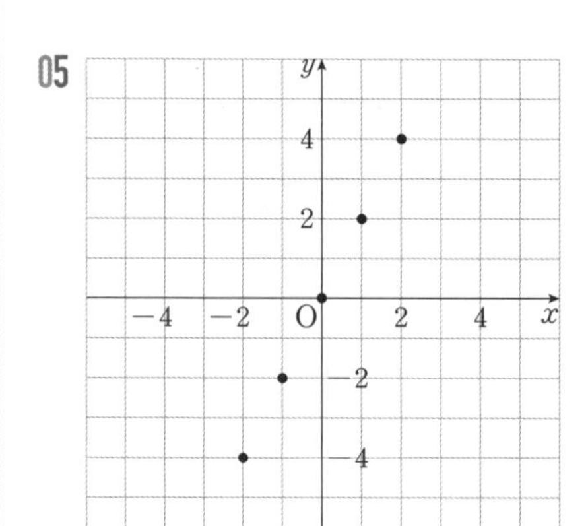

06 (1) 정비례 관계 $y=3x$의 그래프는 원점과 점 (1, 3)을 지나는 직선이다.

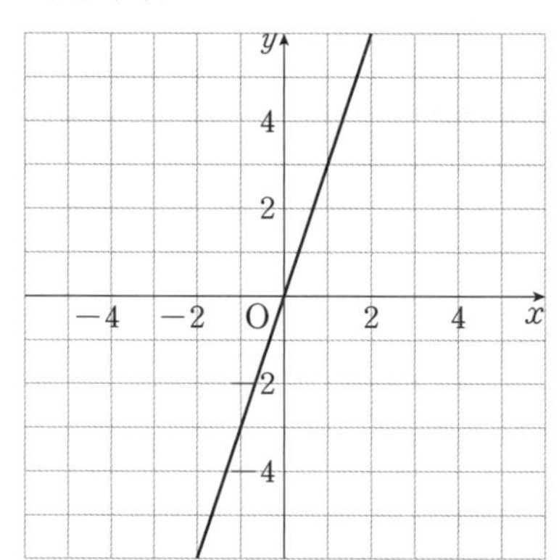

(2) 정비례 관계 $y=\frac{1}{2}x$의 그래프는 원점과 점 (2, 1)을 지나는 직선이다.

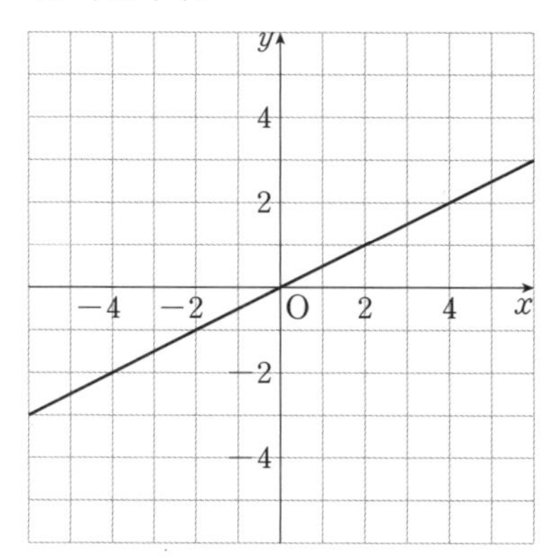

(3) 정비례 관계 $y=-4x$의 그래프는 원점과 점 (1, −4)를 지나는 직선이다.

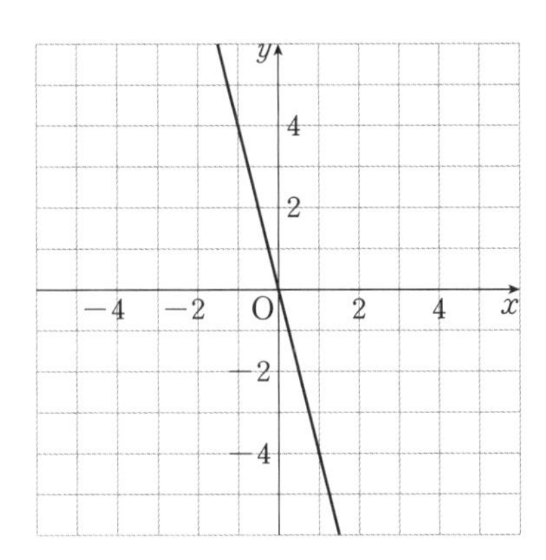

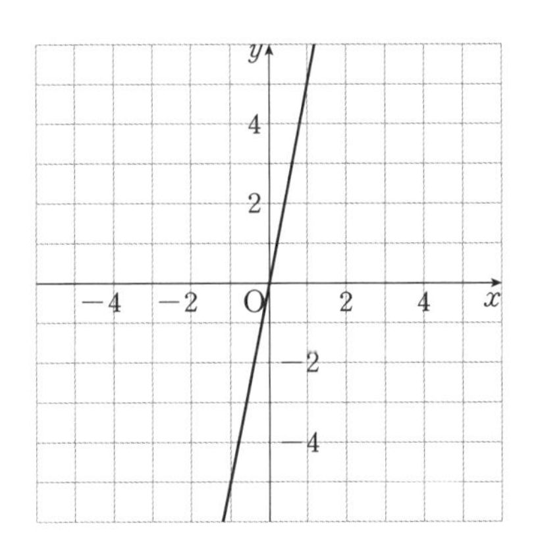

힘수 만점 126쪽

01 (1) 정비례한다. (2) $y=4x$ **02** ②, ⑤
03 (1) $y=7x$ (2) $y=5x$ **04** $y=6x$ **05** 해설 참조

01 (1) x의 값이 2배, 3배, 4배, …가 되면 y의 값도 2배, 3배, 4배, …가 되므로 x와 y는 정비례한다.
(2) y의 값은 x의 값의 4배이므로 $y=4x$이다.

02 ② $y=2x$이므로 y가 x에 정비례한다.
④ $y=\frac{3}{x}$이므로 y가 x에 정비례하지 않는다.
⑤ $y=\frac{2}{3}x$이므로 y가 x에 정비례한다.

03 (1) (직사각형의 넓이)=(가로의 길이)×(세로의 길이)이므로 $y=7x$
(2) (거리)=(속력)×(시간)이므로 $y=5x$

04 y가 x에 정비례하므로 $y=ax(a\neq0)$로 놓는다.
$y=ax$에 $x=-3$, $y=-18$을 대입하면
$-18=-3a$ $\quad\therefore a=6$, 즉 $y=6x$

05 (1) 정비례 관계 $y=-\frac{1}{2}x$의 그래프는 원점과 점 $(2, -1)$을 지나는 직선이다.

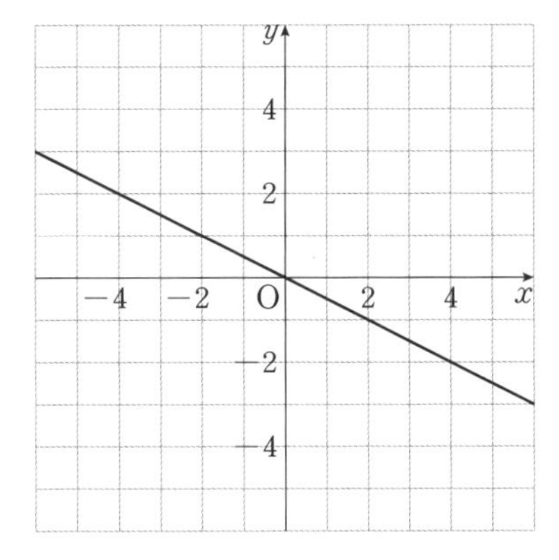

(2) 정비례 관계 $y=5x$의 그래프는 원점과 점 $(1, 5)$를 지나는 직선이다.

35강+ 정비례 관계의 그래프의 성질 127~129쪽

01 그래프는 해설 참조,
(1) 제1사분면, 제3사분면 (2) ㉢
02 (1) ㄴ, ㄹ, ㄱ, ㄷ (2) ㄴ, ㄷ (3) ㄱ, ㄹ (4) ㄴ, ㄷ
03 (1) ㄴ, ㄷ, ㄱ, ㄹ (2) ㄴ, ㄹ (3) ㄱ, ㄷ (4) ㄱ, ㄷ
04 (1) × (2) ○ (3) ○ (4) × (5) ○
05 ① ㄴ, ② ㄹ, ③ ㄷ, ④ ㄱ
06 (1) 2 (2) -3 (3) 15 (4) -4
(5) -1 (6) -5 (7) $\frac{3}{8}$ (8) 2
07 (1) 2, $y=2x$ (2) $-\frac{1}{3}$, $y=-\frac{1}{3}x$
(3) $\frac{1}{6}$, $y=\frac{1}{6}x$ (4) $-\frac{3}{2}$, $y=-\frac{3}{2}x$
08 (1) $y=-5x$ (2) $y=\frac{5}{3}x$ (3) $y=-4x$
(4) $y=-7x$ (5) $y=-4x$
09 (1) 3 (2) -16 (3) $-\frac{1}{6}$ (4) -4 (5) $-\frac{1}{3}$ (6) $-\frac{5}{3}$
(7) 2 (8) 12

01

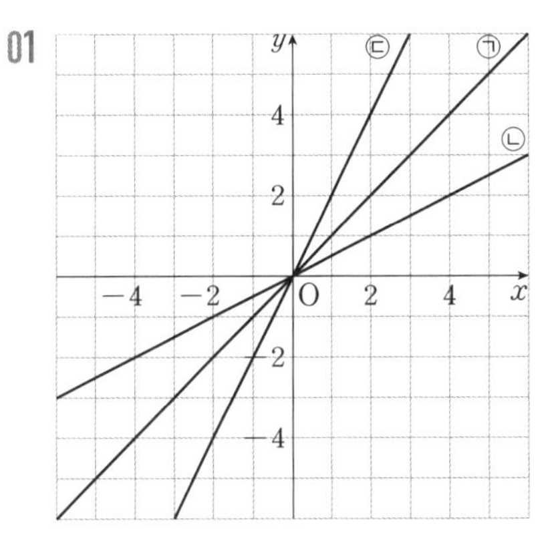

02 (1) $y=ax$의 그래프는 $|a|$가 클수록 y축에 가깝다.
ㄱ. $|-2|=2$ ㄴ. $|5|=5$ ㄷ. $\left|\frac{1}{5}\right|=\frac{1}{5}$
ㄹ. $|-4|=4$
따라서 $|a|$가 큰 순서대로 쓰면 ㄴ, ㄹ, ㄱ, ㄷ

(2) $y=ax$의 그래프는 $a>0$일 때, x의 값이 증가하면 y의 값도 증가하므로 ㄴ, ㄷ

(3) $y=ax$의 그래프는 $a<0$일 때, x의 값이 증가하면 y의 값은 감소하므로 ㄱ, ㄹ

(4) $y=ax$의 그래프는 $a>0$일 때, 제1사분면을 지나므로 ㄴ, ㄷ

03 (1) $y=ax$의 그래프는 $|a|$가 클수록 y축에 가깝다.

ㄱ. $\left|-\frac{4}{5}\right|=\frac{4}{5}$　ㄴ. $|7|=7$　ㄷ. $|-3|=3$

ㄹ. $\left|\frac{2}{3}\right|=\frac{2}{3}$

따라서 $|a|$가 큰 순서대로 쓰면 ㄴ, ㄷ, ㄱ, ㄹ

(2) $y=ax$의 그래프는 $a>0$일 때, x의 값이 증가하면 y의 값도 증가하므로 ㄴ, ㄹ

(3) $y=ax$의 그래프는 $a<0$일 때, x의 값이 증가하면 y의 값은 감소하므로 ㄱ, ㄷ

(4) $y=ax$의 그래프는 $a<0$일 때, 제2사분면을 지나므로 ㄱ, ㄷ

04 (1) 원점을 지나는 직선이다.

(2) $-\frac{5}{2}<0$이므로 제2사분면과 제4사분면을 지난다.

(3) $\left|-\frac{5}{2}\right|=\frac{5}{2}$, $\left|-\frac{3}{2}\right|=\frac{3}{2}$이므로 $\frac{5}{2}>\frac{3}{2}$

즉, $y=-\frac{5}{2}x$의 그래프가 $y=-\frac{3}{2}x$의 그래프보다 y축에 더 가깝다.

(4) $-\frac{5}{2}<0$이므로 x의 값이 증가하면 y의 값은 감소한다.

(5) $x=2$, $y=-5$를 $y=-\frac{5}{2}x$에 대입하면 $-5=-\frac{5}{2}\times2$이므로 점 $(2, -5)$를 지난다.

05 ①, ②는 제2사분면과 제4사분면을 지나므로 $y=ax$에서 $a<0$ ⇨ ㄴ, ㄹ

이때 $\left|-\frac{1}{3}\right|<|-3|$이고 ②의 그래프가 y축에 더 가까우므로 ①이 ㄴ, ②가 ㄹ

③, ④는 제1사분면과 제3사분면을 지나므로 $y=ax$에서 $a>0$ ⇨ ㄱ, ㄷ

이때 $\left|\frac{1}{3}\right|<|3|$이고 ③의 그래프가 y축에 더 가까우므로 ③이 ㄷ, ④가 ㄱ

06 (1) $x=1$, $y=2$를 $y=ax$에 대입하면 $a=2$

(2) $x=-2$, $y=6$을 $y=ax$에 대입하면 $6=-2a$

$\therefore a=-3$

(3) $x=\frac{1}{3}$, $y=5$를 $y=ax$에 대입하면 $5=\frac{1}{3}a$

$\therefore a=15$

(4) $x=-2$, $y=8$을 $y=ax$에 대입하면 $8=-2a$

$\therefore a=-4$

(5) $x=2$, $y=-2$를 $y=ax$에 대입하면 $-2=2a$

$\therefore a=-1$

(6) $x=1$, $y=-5$를 $y=ax$에 대입하면 $a=-5$

(7) $x=8$, $y=3$을 $y=ax$에 대입하면 $3=8a$

$\therefore a=\frac{3}{8}$

(8) $x=\frac{1}{4}$, $y=\frac{1}{2}$을 $y=ax$에 대입하면 $\frac{1}{2}=\frac{1}{4}a$

$\therefore a=2$

07 (1) 점 $(3, 6)$을 지나므로 $x=3$, $y=6$을 $y=ax$에 대입하면

$6=3a$　　$\therefore a=2$, 즉 $y=2x$

(2) 점 $(-6, 2)$를 지나므로 $x=-6$, $y=2$를 $y=ax$에 대입하면 $2=-6a$　　$\therefore a=-\frac{1}{3}$, 즉 $y=-\frac{1}{3}x$

(3) 점 $(6, 1)$을 지나므로 $x=6$, $y=1$을 $y=ax$에 대입하면

$1=6a$　　$\therefore a=\frac{1}{6}$, 즉 $y=\frac{1}{6}x$

(4) 점 $(-2, 3)$을 지나므로 $x=-2$, $y=3$을 $y=ax$에 대입하면 $3=-2a$　　$\therefore a=-\frac{3}{2}$, 즉 $y=-\frac{3}{2}x$

08 y는 x에 정비례하므로 그래프의 식을 $y=ax(a\neq0)$로 놓는다.

(1) $x=-2$, $y=10$을 $y=ax$에 대입하면

$10=-2a$　　$\therefore a=-5$, 즉 $y=-5x$

(2) $x=3$, $y=5$를 $y=ax$에 대입하면

$5=3a$　　$\therefore a=\frac{5}{3}$, 즉 $y=\frac{5}{3}x$

(3) $x=2$, $y=-8$을 $y=ax$에 대입하면

$-8=2a$　　$\therefore a=-4$, 즉 $y=-4x$

(4) $x=5$, $y=-35$를 $y=ax$에 대입하면

$-35=5a$　　$\therefore a=-7$, 즉 $y=-7x$

(5) $x=-3$, $y=12$를 $y=ax$에 대입하면

$12=-3a$　　$\therefore a=-4$, 즉 $y=-4x$

09 (1) 점 $(2, 2)$를 지나므로 $x=2$, $y=2$를 $y=ax$에 대입하면

$2=2a$　　$\therefore a=1$, 즉 $y=x$

$y=x$의 그래프가 점 $(b, 3)$을 지나므로 $b=3$

(2) 점 $(3, 6)$을 지나므로 $x=3$, $y=6$을 $y=ax$에 대입하면

$6=3a$　　$\therefore a=2$, 즉 $y=2x$

$y=2x$의 그래프가 점 $(-8, b)$를 지나므로

$b=2\times(-8)=-16$

(3) 점 $(-2, 6)$을 지나므로 $x=-2$, $y=6$을 $y=ax$에 대입하면 $6=-2a$　　$\therefore a=-3$, 즉 $y=-3x$

$y=-3x$의 그래프가 점 $\left(b, \frac{1}{2}\right)$을 지나므로 $\frac{1}{2}=-3b$

$\therefore b=-\frac{1}{6}$

(4) 점 $(5, -3)$을 지나므로 $x=5$, $y=-3$을 $y=ax$에 대입하면 $-3=5a$ $\quad\therefore a=-\frac{3}{5}$, 즉 $y=-\frac{3}{5}x$

$y=-\frac{3}{5}x$의 그래프가 점 $\left(b, \frac{12}{5}\right)$를 지나므로

$\frac{12}{5}=-\frac{3}{5}b$ $\quad\therefore b=-4$

(5) 원점을 지나는 직선을 나타내는 그래프의 식은 $y=ax(a\neq0)$의 꼴이다.

점 $(3, -1)$을 지나므로 $x=3$, $y=-1$을 $y=ax$에 대입하면 $-1=3a$ $\quad\therefore a=-\frac{1}{3}$, 즉 $y=-\frac{1}{3}x$

$y=-\frac{1}{3}x$의 그래프가 점 $(1, b)$를 지나므로 $b=-\frac{1}{3}$

(6) 원점을 지나는 직선을 나타내는 그래프의 식은 $y=ax(a\neq0)$의 꼴이다.

점 $(-4, 12)$를 지나므로 $x=-4$, $y=12$를 $y=ax$에 대입하면 $12=-4a$ $\quad\therefore a=-3$, 즉 $y=-3x$

$y=-3x$의 그래프가 점 $(b, 5)$를 지나므로 $5=-3b$

$\therefore b=-\frac{5}{3}$

(7) 원점을 지나는 직선을 나타내는 그래프의 식은 $y=ax(a\neq0)$의 꼴이다.

점 $(3, 9)$를 지나므로 $x=3$, $y=9$를 $y=ax$에 대입하면 $9=3a$ $\quad\therefore a=3$, 즉 $y=3x$

$y=3x$의 그래프가 점 $(-b, -6)$을 지나므로

$-6=3\times(-b)$ $\quad\therefore b=2$

(8) 원점을 지나는 직선을 나타내는 그래프의 식은 $y=ax(a\neq0)$의 꼴이다.

점 $(6, -36)$을 지나므로 $x=6$, $y=-36$을 $y=ax$에 대입하면 $-36=6a$ $\quad\therefore a=-6$, 즉 $y=-6x$

$y=-6x$의 그래프가 점 $(-2, b)$를 지나므로 $b=12$

힘수 만점 130쪽

01 ③ **02** $y=-4x$ **03** ⑤
04 $y=\frac{5}{2}x$, $k=-2$ **05** -10

01 ③ $a>0$일 때는 오른쪽 위로 향하는 직선이고, $a<0$일 때는 오른쪽 아래로 향하는 직선이다.

02 y는 x에 정비례하므로 그래프의 식을 $y=ax(a\neq0)$로 놓는다.

점 $(-5, 20)$을 지나므로 $x=-5$, $y=20$을 $y=ax$에 대입하면 $20=-5a$ $\quad\therefore a=-4$, 즉 $y=-4x$

03 $y=ax$의 그래프는 a의 절댓값이 커질수록 y축에 가까워진다.

$y=-3x$에서 $|-3|=3$

① $|-1|=1$ ② $|-2|=2$ ③ $\left|-\frac{1}{3}\right|=\frac{1}{3}$

④ $\left|-\frac{5}{3}\right|=\frac{5}{3}$ ⑤ $|-5|=5$

$5>3$이므로 $y=-3x$보다 y축에 더 가까운 것은 ⑤ $y=-5x$이다.

04 주어진 그래프가 원점을 지나는 직선이므로 $y=ax(a\neq0)$로 놓으면 그래프가 점 $(2, 5)$를 지나므로

$5=2a$ $\quad\therefore a=\frac{5}{2}$, 즉 $y=\frac{5}{2}x$

$y=\frac{5}{2}x$의 그래프가 점 $(k, -5)$를 지나므로

$-5=\frac{5}{2}k$ $\quad\therefore k=-2$

05 원점을 지나는 직선을 나타내는 그래프의 식은 $y=ax(a\neq0)$의 꼴이다.

$y=ax$의 그래프가 점 $(3, 9)$를 지나므로 $9=3a$

$\therefore a=3$, 즉 $y=3x$

$y=3x$의 그래프가 점 $(b, -30)$을 지나므로

$-30=3b$ $\quad\therefore b=-10$

36강 반비례와 그 그래프 131~132쪽

01 (1) 4, 3 (2) -2, $-\frac{8}{5}$ (3) -12, -6, $-\frac{24}{5}$
(4) 3, 2, $\frac{6}{5}$

02 (1) × (2) ○ (3) ○ (4) × (5) ○ (6) ○

03 (1) $y=\frac{1}{x}$ (2) $y=\frac{5}{x}$ (3) $y=\frac{40}{x}$

04 (1) $y=\frac{8}{x}$ (2) $y=-\frac{10}{x}$ (3) $y=-\frac{14}{x}$

05 (1) -1, -2, -4, 4, 2, 1, 그래프는 해설 참조

06 해설 참조

02 (3) $xy=-2$에서 $y=-\frac{2}{x}$ ⇨ y가 x에 반비례한다.

(4) $y=\frac{x}{3}$에서 $y=\frac{1}{3}x$ ⇨ y가 x에 정비례한다.

(5) $x=\frac{5}{y}$에서 $y=\frac{5}{x}$ ⇨ y가 x에 반비례한다.

(6) $7xy=1$에서 $y=\frac{1}{7x}$ ⇨ y가 x에 반비례한다.

03 (2) (거리)=(속력)×(시간)에서 $5=xy$이므로 $y=\frac{5}{x}$

(3) (직사각형의 넓이)=(가로의 길이)×(세로의 길이)에서

$40=xy$이므로 $y=\frac{40}{x}$

04 (1) y가 x에 반비례하므로 $y=\frac{a}{x}\,(a\neq0)$로 놓는다.

$y=\frac{a}{x}$에 $x=2$, $y=4$를 대입하면

$4=\frac{a}{2}$ $\quad\therefore a=8$, 즉 $y=\frac{8}{x}$

(2) y가 x에 반비례하므로 $y=\frac{a}{x}\,(a\neq0)$로 놓는다.

$y=\frac{a}{x}$에 $x=-2$, $y=5$를 대입하면

$5=\frac{a}{-2}$ $\quad\therefore a=-10$, 즉 $y=-\frac{10}{x}$

(3) y가 x에 반비례하므로 $y=\frac{a}{x}\,(a\neq0)$로 놓는다.

$y=\frac{a}{x}$에 $x=7$, $y=-2$를 대입하면

$-2=\frac{a}{7}$ $\quad\therefore a=-14$, 즉 $y=-\frac{14}{x}$

05

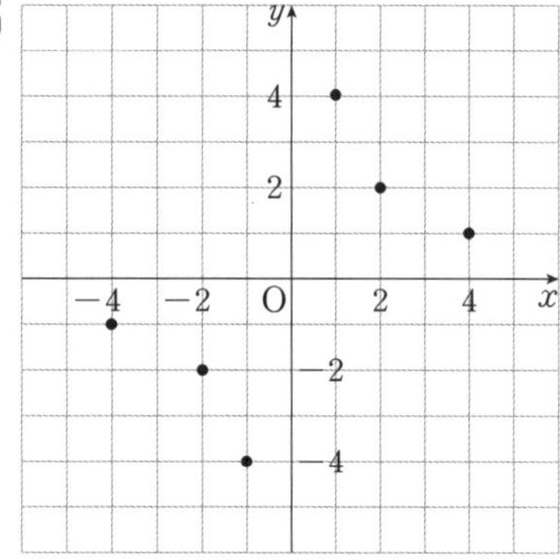

06 (1)

x	-5	-2	-1	1	2	5
y	-1	$-\frac{5}{2}$	-5	5	$\frac{5}{2}$	1

표에서 $(-5,\ -1)$, $\left(-2,\ -\frac{5}{2}\right)$, $(-1,\ -5)$를 이용하여 곡선으로 연결하고, $(1,\ 5)$, $\left(2,\ \frac{5}{2}\right)$, $(5,\ 1)$을 이용하여 곡선으로 연결한다.

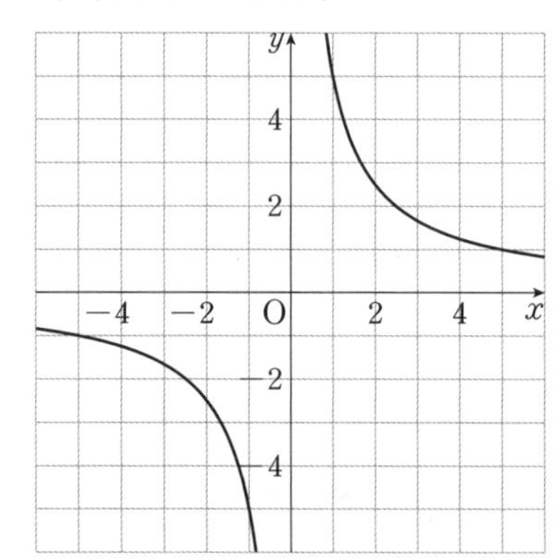

(2)

x	-6	-4	-3	-2	2	3	4	6
y	2	3	4	6	-6	-4	-3	-2

표에서 $(-6,\ 2)$, $(-4,\ 3)$, $(-3,\ 4)$, $(-2,\ 6)$을 이용하여 곡선으로 연결하고, $(2,\ -6)$, $(3,\ -4)$, $(4,\ -3)$, $(6,\ -2)$를 이용하여 곡선으로 연결한다.

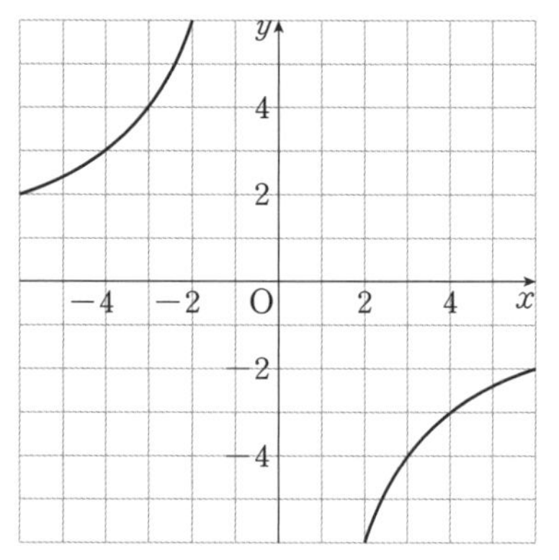

(3)

x	-8	-4	-2	-1	1	2	4	8
y	1	2	4	8	-8	-4	-2	-1

표에서 $(-8,\ 1)$, $(-4,\ 2)$, $(-2,\ 4)$, $(-1,\ 8)$을 이용하여 곡선으로 연결하고, $(1,\ -8)$, $(2,\ -4)$, $(4,\ -2)$, $(8,\ -1)$을 이용하여 곡선으로 연결한다.

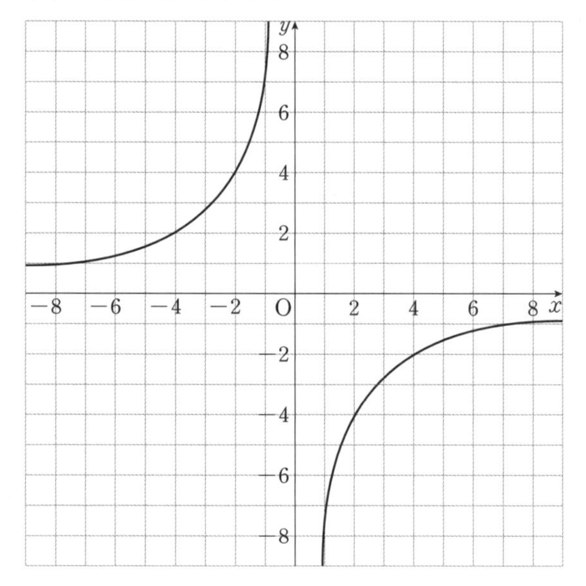

함수 만점

133쪽

01 (1) 반비례한다. (2) $y=\frac{24}{x}$

02 (1) $y=\frac{100}{x}$ (2) $y=\frac{40}{x}$

03 $y=-\frac{32}{x}$

04 해설 참조

01 (1) x의 값이 2배, 3배, 4배, …가 되면 y의 값은 $\frac{1}{2}$배, $\frac{1}{3}$배, $\frac{1}{4}$배, …가 되므로 x와 y는 반비례한다.

(2) $xy=24$이므로 $y=\frac{24}{x}$이다.

02 (1) (구슬 100개)=(상자의 수)×(한 상자에 담기는 구슬의 개수)에서 $100=xy$이므로 $y=\frac{100}{x}$

(2) (삼각형의 넓이)$=\frac{1}{2}$×(밑변의 길이)×(높이)에서 $20=\frac{1}{2}xy$이므로 $y=\frac{40}{x}$

03 y가 x에 반비례하면 $y=\frac{a}{x}(a\neq0)$로 놓는다.

$y=\frac{a}{x}$에 $x=-4$, $y=8$을 대입하면

$8=\frac{a}{-4}$ $\quad\therefore a=-32$, 즉 $y=-\frac{32}{x}$

04 (1)

x	-3	-2	-1	1	2	3
y	-1	$-\frac{3}{2}$	-3	3	$\frac{3}{2}$	1

표에서 $(-3, -1)$, $\left(-2, -\frac{3}{2}\right)$, $(-1, -3)$을 이용하여 곡선으로 연결하고, $(1, 3)$, $\left(2, \frac{3}{2}\right)$, $(3, 1)$을 이용하여 곡선으로 연결한다.

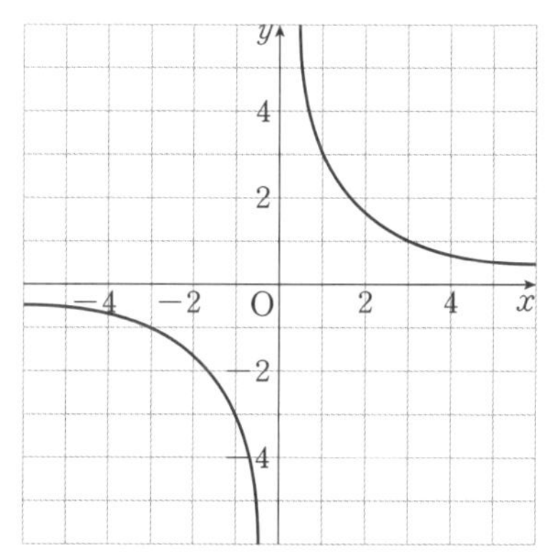

(2)

x	-5	-4	-2	2	4	5
y	2	$\frac{5}{2}$	5	-5	$-\frac{5}{2}$	-2

표에서 $(-5, 2)$, $\left(-4, \frac{5}{2}\right)$, $(-2, 5)$를 이용하여 곡선으로 연결하고, $(2, -5)$, $\left(4, -\frac{5}{2}\right)$, $(5, -2)$를 이용하여 곡선으로 연결한다.

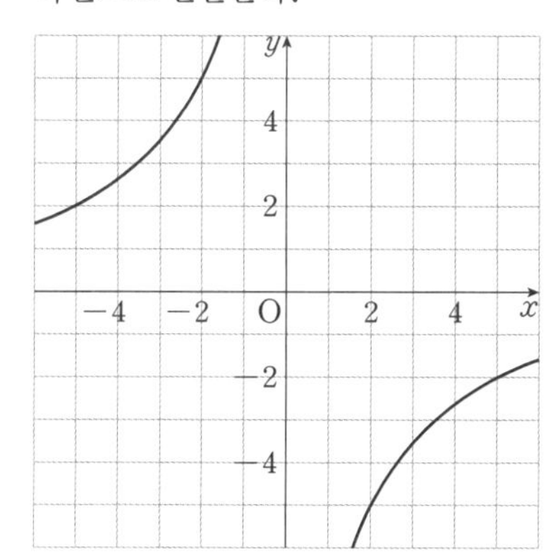

37강+ 반비례 관계의 그래프의 성질

134~136쪽

01 그래프는 해설 참조,
(1) 제1사분면, 제3사분면 (2) ㉢

02 (1) ㄴ, ㄹ (2) ㄱ, ㄷ (3) ㄱ, ㄷ

03 (1) ㄱ, ㄴ (2) ㄷ, ㄹ (3) ㄱ, ㄴ

04 (1) ○ (2) × (3) ○ (4) ○ (5) ×

05 ① ㄷ, ② ㄹ, ③ ㄴ, ④ ㄱ

06 (1) -2 (2) 12 (3) -10 (4) -6 (5) 15 (6) 21 (7) -2

07 (1) 10, $y=\frac{10}{x}$ (2) -12, $y=-\frac{12}{x}$ (3) -8, $y=-\frac{8}{x}$
(4) 6, $y=\frac{6}{x}$

08 (1) $y=-\frac{18}{x}$ (2) $y=\frac{24}{x}$ (3) $y=-\frac{15}{x}$
(4) $y=\frac{14}{x}$ (5) $y=-\frac{16}{x}$

09 (1) -2 (2) -3 (3) -2 (4) 4 (5) -10 (6) -4 (7) 20

01

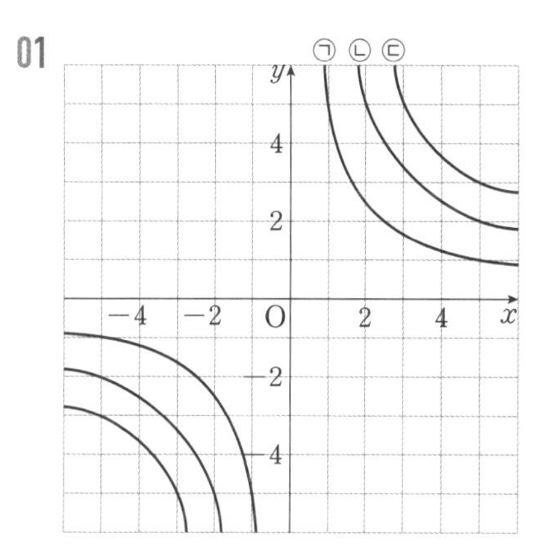

02 (1) $y=\frac{a}{x}$의 그래프는 $a<0$일 때, 각 사분면에서 x의 값이 증가하면 y의 값도 증가하므로 ㄴ, ㄹ

(2) $y=\frac{a}{x}$의 그래프는 $a>0$일 때, 각 사분면에서 x의 값이 증가하면 y의 값은 감소하므로 ㄱ, ㄷ

(3) $y=\frac{a}{x}$의 그래프는 $a>0$일 때, 제3사분면을 지나므로 ㄱ, ㄷ

03 (1) $y=\frac{a}{x}$의 그래프는 $a<0$일 때, 각 사분면에서 x의 값이 증가하면 y의 값도 증가하므로 ㄱ, ㄴ

(2) $y=\frac{a}{x}$의 그래프는 $a>0$일 때, 각 사분면에서 x의 값이 증가하면 y의 값은 감소하므로 ㄷ, ㄹ

(3) $y=\frac{a}{x}$의 그래프는 $a<0$일 때, 제4사분면을 지나므로 ㄱ, ㄴ

04 (1) 원점을 지나지 않고 원점에 대칭인 한 쌍의 곡선이다.

(2) $-16<0$이므로 제2사분면과 제4사분면을 지난다.

(3) $|-16|=16$, $|-15|=15$이므로 $16>15$

따라서 $y=-\frac{16}{x}$의 그래프가 $y=-\frac{15}{x}$의 그래프보다 원점에서 더 멀리 떨어져 있다.

(4) $-16<0$이므로 제2사분면과 제4사분면에서 x의 값이 증가하면 y의 값도 증가한다.

(5) $x=8$, $y=2$를 $y=-\frac{16}{x}$에 대입하면 $2\neq-\frac{16}{8}$이므로 점 $(8, 2)$를 지나지 않는다.

05 ①, ②는 제2사분면과 제4사분면을 지나므로 $a<0$

⇨ ㄷ, ㄹ

이때 $|-2|<|-8|$이고 ①의 그래프가 원점에서 더 멀리 떨어져 있으므로 ①이 ㄷ, ②가 ㄹ

③, ④는 제1사분면과 제3사분면을 지나므로 $a>0$

⇨ ㄱ, ㄴ

이때 $|10|>|3|$이고 ④의 그래프가 원점에서 더 멀리 떨어져 있으므로 ③이 ㄴ, ④가 ㄱ

06 (1) $x=-1$, $y=2$를 $y=\frac{a}{x}$에 대입하면 $2=\frac{a}{-1}$

$\therefore a=-2$

(2) $x=3$, $y=4$를 $y=\frac{a}{x}$에 대입하면 $4=\frac{a}{3}$

$\therefore a=12$

(3) $x=-5$, $y=2$를 $y=\frac{a}{x}$에 대입하면 $2=\frac{a}{-5}$

$\therefore a=-10$

(4) $x=1$, $y=-6$을 $y=\frac{a}{x}$에 대입하면 $a=-6$

(5) $x=10$, $y=\frac{3}{2}$을 $y=\frac{a}{x}$에 대입하면 $\frac{3}{2}=\frac{a}{10}$

$\therefore a=15$

(6) $x=-3$, $y=-7$을 $y=\frac{a}{x}$에 대입하면 $-7=\frac{a}{-3}$

$\therefore a=21$

(7) $x=3$, $y=-\frac{2}{3}$를 $y=\frac{a}{x}$에 대입하면 $-\frac{2}{3}=\frac{a}{3}$

$\therefore a=-2$

07 (1) 점 $(2, 5)$를 지나므로 $x=2$, $y=5$를 $y=\frac{a}{x}$에 대입하면

$5=\frac{a}{2}$ $\quad\therefore a=10$, 즉 $y=\frac{10}{x}$

(2) 점 $(3, -4)$를 지나므로 $x=3$, $y=-4$를 $y=\frac{a}{x}$에 대입하면 $-4=\frac{a}{3}$ $\quad\therefore a=-12$, 즉 $y=-\frac{12}{x}$

(3) 점 $(-4, 2)$를 지나므로 $x=-4$, $y=2$를 $y=\frac{a}{x}$에 대입하면 $2=\frac{a}{-4}$ $\quad\therefore a=-8$, 즉 $y=-\frac{8}{x}$

(4) 점 $(-3, -2)$를 지나므로 $x=-3$, $y=-2$를 $y=\frac{a}{x}$에 대입하면 $-2=\frac{a}{-3}$ $\quad\therefore a=6$, 즉 $y=\frac{6}{x}$

08 y는 x에 반비례하므로 그래프의 식을 $y=\frac{a}{x}(a\neq0)$로 놓는다.

(1) $x=3$, $y=-6$을 $y=\frac{a}{x}$에 대입하면

$-6=\frac{a}{3}$ $\quad\therefore a=-18$, 즉 $y=-\frac{18}{x}$

(2) $x=4$, $y=6$을 $y=\frac{a}{x}$에 대입하면

$6=\frac{a}{4}$ $\quad\therefore a=24$, 즉 $y=\frac{24}{x}$

(3) $x=-3$, $y=5$를 $y=\frac{a}{x}$에 대입하면

$5=\frac{a}{-3}$ $\quad\therefore a=-15$, 즉 $y=-\frac{15}{x}$

(4) $x=-7$, $y=-2$를 $y=\frac{a}{x}$에 대입하면

$-2=\frac{a}{-7}$ $\quad\therefore a=14$, 즉 $y=\frac{14}{x}$

(5) $x=2$, $y=-8$을 $y=\frac{a}{x}$에 대입하면

$-8=\frac{a}{2}$ $\quad\therefore a=-16$, 즉 $y=-\frac{16}{x}$

09 (1) 점 $(2, 2)$를 지나므로 $x=2$, $y=2$를 $y=\frac{a}{x}$에 대입하면

$2=\frac{a}{2}$ $\quad\therefore a=4$, 즉 $y=\frac{4}{x}$

$y=\frac{4}{x}$의 그래프가 점 $(b, -2)$를 지나므로 $-2=\frac{4}{b}$

$\therefore b=-2$

(2) 점 $(-3, 5)$를 지나므로 $x=-3$, $y=5$를 $y=\frac{a}{x}$에 대입하면 $5=\frac{a}{-3}$ $\quad\therefore a=-15$, 즉 $y=-\frac{15}{x}$

$y=-\frac{15}{x}$의 그래프가 점 $(5, b)$를 지나므로 $b=-\frac{15}{5}$

$\therefore b=-3$

(3) 점 $(-2, 5)$를 지나므로 $x=-2$, $y=5$를 $y=\frac{a}{x}$에 대입하면 $5=\frac{a}{-2}$ $\quad\therefore a=-10$, 즉 $y=-\frac{10}{x}$

$y=-\frac{10}{x}$의 그래프가 점 $(5, b)$를 지나므로

$b=-\frac{10}{5}$ $\quad\therefore b=-2$

(4) 점 $(2, -6)$을 지나므로 $x=2$, $y=-6$을 $y=\frac{a}{x}$에 대입하면 $-6=\frac{a}{2}$ $\quad\therefore a=-12$, 즉 $y=-\frac{12}{x}$

$y=-\frac{12}{x}$의 그래프가 점 $(-3, b)$를 지나므로

$b=-\frac{12}{-3}$ $\therefore b=4$

(5) 점 $(-5, 4)$를 지나므로 $x=-5$, $y=4$를 $y=\frac{a}{x}$에 대입하면 $4=\frac{a}{-5}$ $\therefore a=-20$, 즉 $y=-\frac{20}{x}$

$y=-\frac{20}{x}$의 그래프가 점 $(2, b)$를 지나므로

$b=-\frac{20}{2}$ $\therefore b=-10$

(6) 점 $(8, 3)$을 지나므로 $x=8$, $y=3$을 $y=\frac{a}{x}$에 대입하면

$3=\frac{a}{8}$ $\therefore a=24$, 즉 $y=\frac{24}{x}$

$y=\frac{24}{x}$의 그래프가 점 $(-6, b)$를 지나므로

$b=\frac{24}{-6}$ $\therefore b=-4$

(7) 점 $(8, -5)$를 지나므로 $x=8$, $y=-5$를 $y=\frac{a}{x}$에 대입하면 $-5=\frac{a}{8}$ $\therefore a=-40$, 즉 $y=-\frac{40}{x}$

$y=-\frac{40}{x}$의 그래프가 점 $(b, -2)$를 지나므로

$-2=\frac{-40}{b}$ $\therefore b=20$

함수 만점 137쪽

01 ④ **02** $y=\frac{4}{x}$ **03** ④ **04** $y=\frac{10}{x}$, $k=1$ **05** 4

01 ① 원점을 지나지 않고 원점에 대칭인 한 쌍의 매끄러운 곡선이다.

② 점 $(1, a)$를 지난다.

③ $a<0$일 때는 각 사분면에서 x의 값이 증가하면 y의 값도 증가하는 곡선이다.

⑤ $a<0$일 때, 제2사분면과 제4사분면을 지난다.

02 y는 x에 반비례하므로 그래프의 식을 $y=\frac{a}{x}(a\neq0)$로 놓는다.

점 $\left(-6, -\frac{2}{3}\right)$를 지나므로 $x=-6$, $y=-\frac{2}{3}$를 $y=\frac{a}{x}$에 대입하면 $-\frac{2}{3}=\frac{a}{-6}$ $\therefore a=4$, 즉 $y=\frac{4}{x}$

03 $y=\frac{a}{x}$의 그래프는 a의 절댓값이 커질수록 원점에서 더 멀어진다.

$y=-\frac{5}{x}$에서 $|-5|=5$

① $|-1|=1$ ② $|-2|=2$ ③ $|-3|=3$

④ $|-7|=7$ ⑤ $|-4|=4$

$7>5$이므로 $y=-\frac{5}{x}$보다 원점에서 더 먼 것은

④ $y=-\frac{7}{x}$이다.

04 주어진 그래프가 원점에 대칭인 한 쌍의 곡선이므로 $y=\frac{a}{x}$ $(a\neq0)$로 놓으면 그래프가 점 $\left(-6, -\frac{5}{3}\right)$를 지나므로

$-\frac{5}{3}=\frac{a}{-6}$ $\therefore a=10$, 즉 $y=\frac{10}{x}$

$y=\frac{10}{x}$의 그래프가 점 $(10, k)$를 지나므로 $k=\frac{10}{10}=1$

05 $y=\frac{a}{x}$의 그래프가 점 $(2, -16)$을 지나므로 $x=2$, $y=-16$을 $y=\frac{a}{x}$에 대입하면 $-16=\frac{a}{2}$

$\therefore a=-32$, 즉 $y=-\frac{32}{x}$

$y=-\frac{32}{x}$의 그래프가 점 $(b, -8)$을 지나므로

$y=-\frac{32}{x}$에 $x=b$, $y=-8$을 대입하면

$-8=-\frac{32}{b}$ $\therefore b=4$

38강+ 정비례와 반비례의 활용 138~139쪽

01 (1) 8, 12, 16, 80 (2) $y=4x$ (3) 60 L

02 (1) $y=12x$ (2) 96 km

03 (1) $y=13x$ (2) 7 L

04 (1) $y=70x$ (2) 140 km

05 (1) $y=25x$ (2) 4시간

06 (1) 8, 4, 2, 1 (2) $y=\frac{16}{x}$ (3) 4 m (4) 2 m

07 (1) $y=\frac{140}{x}$ (2) 2시간

08 (1) 400 km (2) $y=\frac{400}{x}$ (3) 시속 80 km

09 (1) $y=\frac{60}{x}$ (2) 30 cm^3

10 (1) $y=\frac{175}{x}$ (2) 7기압

01 (3) $x=15$를 $y=4x$에 대입하면 $y=4\times15=60$

즉, 15분 동안 채운 물의 양은 60 L이다.

02 (1) 1 L의 휘발유로 12 km를 갈 수 있으므로 x L의 휘발유로 $12x$ km를 갈 수 있다.

$\therefore y=12x$

(2) $x=8$을 $y=12x$에 대입하면 $y=12\times8=96$

즉, 8 L의 휘발유로 96 km를 갈 수 있다.

03 (1) 1 L의 휘발유로 13 km를 갈 수 있으므로 x L의 휘발유로 $13x$ km를 갈 수 있다.

$\therefore y=13x$

(2) $y=91$을 $y=13x$에 대입하면 $91=13x$ $\therefore =7$

즉, 7 L의 휘발유가 필요하다.

04 (1) (거리)=(속력)×(시간)이므로 $y=70x$

(2) $x=2$를 $y=70x$에 대입하면 $y=70\times2=140$

즉, 자동차가 2시간 동안 간 거리는 140 km이다.

05 (1) (거리)=(속력)×(시간)이므로 $y=25x$

(2) $y=100$을 $y=25x$에 대입하면 $100=25x$ $\therefore x=4$

즉, 자동차가 100 km를 가는 데 걸리는 시간은 4시간이다.

06 (3) $x=4$를 $y=\frac{16}{x}$에 대입하면 $y=\frac{16}{4}=4$

즉, 세로의 길이를 4 m로 하면 된다.

(4) $y=8$을 $y=\frac{16}{x}$에 대입하면 $8=\frac{16}{x}$ $\therefore x=2$

즉, 가로의 길이를 2 m로 하면 된다.

07 (1) $(\text{시간})=\frac{(\text{거리})}{(\text{속력})}$이므로 $y=\frac{140}{x}$

(2) $x=70$을 $y=\frac{140}{x}$에 대입하면 $y=\frac{140}{70}=2$

즉, 2시간이 걸린다.

08 (1) (서울에서 부산까지의 거리)$=100\times4=400$(km)

(2) $(\text{시간})=\frac{(\text{거리})}{(\text{속력})}$이므로 $y=\frac{400}{x}$

(3) $y=5$를 $y=\frac{400}{x}$에 대입하면 $5=\frac{400}{x}$ $\therefore x=80$

즉, 시속 80 km로 달렸다.

09 (1) y가 x에 반비례하므로 x와 y 사이의 관계식을 $y=\frac{a}{x}(a\neq0)$로 놓는다. 기체의 부피가 20 cm³일 때, 압력이 3기압이므로 $x=3$, $y=20$을 $y=\frac{a}{x}$에 대입하면

$20=\frac{a}{3}$ $\therefore a=60$, 즉 $y=\frac{60}{x}$

(2) $x=2$를 $y=\frac{60}{x}$에 대입하면 $y=\frac{60}{2}=30$

즉, 기체의 부피는 30 cm³이다.

10 (1) y가 x에 반비례하므로 x와 y 사이의 관계식을 $y=\frac{a}{x}(a\neq0)$로 놓으면 기체의 부피가 35 cm³일 때, 압력이 5기압이므로 $x=5$, $y=35$를 $y=\frac{a}{x}$에 대입하면

$35=\frac{a}{5}$ $\therefore a=175$, 즉 $y=\frac{175}{x}$

(2) $y=25$를 $y=\frac{175}{x}$에 대입하면 $25=\frac{175}{x}$ $\therefore x=7$

즉, 압력은 7기압이다.

힘수 만점 140쪽

01 (1) $y=8x$ (2) 9 cm **02** (1) $y=4x$ (2) 14분 후
03 (1) $y=\frac{3600}{x}$ (2) 400 g **04** 3시간 **05** 20분

01 (1) (직사각형의 넓이)=(가로의 길이)×(세로의 길이)이므로 $y=8x$

(2) $y=72$를 $y=8x$에 대입하면 $72=8x$ $\therefore x=9$

즉, 세로의 길이는 9 cm이다.

02 (1) (물통 안의 물의 양)

=(1분에 넣는 물의 양)×(물을 넣은 시간)이므로

$y=4x$

(2) $y=56$을 $y=4x$에 대입하면 $56=4x$ $\therefore x=14$

즉, 물의 양이 56 L가 되는 것은 14분 후이다.

03 (1) (소금의 양)=(소금물의 양)×$\frac{(\text{농도})}{100}$에서

$y\times\frac{x}{100}=36$이므로 $y=\frac{3600}{x}$

(2) $y=\frac{3600}{x}$에 $x=9$를 대입하면

$y=\frac{3600}{9}=400$

즉, 구하는 소금물의 양은 400 g이다.

04 $(\text{시간})=\frac{(\text{거리})}{(\text{속력})}$이므로 x와 y 사이의 관계식은 $y=\frac{210}{x}$

$y=\frac{210}{x}$에 $x=70$을 대입하면 $y=\frac{210}{70}=3$

즉, 구하는 시간은 3시간이다.

05 (1분에 넣는 물의 양)×(물을 가득 채울 때까지 걸리는 시간)=500(L)이므로

$xy=500$ $\therefore y=\frac{500}{x}$

$x=25$를 $y=\frac{500}{x}$에 대입하면 $y=\frac{500}{25}=20$, 즉 20분이 걸린다.

39강 중단원 연산 마무리 141~143쪽

01 (1) ○ (2) × (3) × (4) ○ (5) ×
02 (1) ㅁ (2) ㄱ (3) ㅂ (4) ㄷ
03 (1) 21 (2) -2 **04** (1) $y=\frac{3}{4}x$ (2) $y=-\frac{2}{3}x$
05 (1) ○ (2) ○ (3) × (4) ○ (5) ×
06 (1) ○ (2) ○ (3) × (4) × (5) × (6) ○

07 (1) ㄴ (2) ㄱ **08** (1) $y=\frac{24}{x}$ (2) $y=-\frac{14}{x}$

09 (1) × (2) × (3) × (4) ○ (5) ○

10 $y=3x$, 20분 후

11 (1) 반비례한다. (2) $y=\frac{108}{x}$ (3) 9 cm

12 (1) $y=\frac{72}{x}$ (2) 4기압 **13** $a=-3$, $k=-2$

14 5 **15** 420점 **16** 8분

01 y가 x에 정비례하는 것은 $y=ax(a\neq0)$의 꼴이다.

03 (1) $y=7x$에 $x=3$, $y=a$를 대입하면 $a=7\times3$

$\therefore a=21$

(2) $y=7x$에 $x=a$, $y=-14$를 대입하면 $-14=7a$

$\therefore a=-2$

04 (1) 그래프가 원점을 지나는 직선이므로 그래프의 식을 $y=ax(a\neq0)$로 놓는다.

이 그래프가 점 $(4, 3)$을 지나므로

$y=ax$에 $x=4$, $y=3$을 대입하면

$3=a\times4$ $\therefore a=\frac{3}{4}$, 즉 $y=\frac{3}{4}x$

(2) 그래프가 원점을 지나는 직선이므로 그래프의 식을 $y=ax(a\neq0)$로 놓는다.

이 그래프가 점 $(-3, 2)$를 지나므로

$y=ax$에 $x=-3$, $y=2$를 대입하면

$2=a\times(-3)$ $\therefore a=-\frac{2}{3}$, 즉 $y=-\frac{2}{3}x$

05 (3) 제1사분면과 제3사분면을 지난다.

(5) 원점을 지나는 직선이다.

06 (1) $xy=30$에서 $y=\frac{30}{x}$

(2) $xy=150$에서 $y=\frac{150}{x}$

(3) $50=2(x+y)$에서 $y=-x+25$

(4) $\frac{y}{x}=2$에서 $y=2x$

(5) $y=1600x$

(6) $xy=10$에서 $y=\frac{10}{x}$

07 (1) $y=-\frac{3}{x}$에서 $-3<0$이므로 그래프는 제2사분면과 제4사분면을 지나는 한 쌍의 곡선이다.

(2) $y=\frac{3}{x}$에서 $3>0$이므로 그래프는 제1사분면과 제3사분면을 지나는 한 쌍의 곡선이다.

08 (1) 그래프가 한 쌍의 매끄러운 곡선이므로 $y=\frac{a}{x}(a\neq0)$로 놓는다.

이 그래프가 점 $(3, 8)$을 지나므로 $y=\frac{a}{x}$에 $x=3$, $y=8$을 대입하면

$8=\frac{a}{3}$ $\therefore a=24$ 즉, $y=\frac{24}{x}$

(2) 그래프가 한 쌍의 매끄러운 곡선이므로 $y=\frac{a}{x}(a\neq0)$로 놓는다.

이 그래프가 $(7, -2)$를 지나므로 $y=\frac{a}{x}$에 $x=7$, $y=-2$를 대입하면

$-2=\frac{a}{7}$ $\therefore a=-14$, 즉 $y=-\frac{14}{x}$

09 (1) 좌표축과 만나지 않는다.

(2) 원점을 지나지 않는다.

(3), (4) 제2사분면과 제4사분면을 지난다.

(5) $y=-\frac{24}{x}$에 $x=8$, $y=-3$을 대입하면 $-3=-\frac{24}{8}$이므로 점 $(8, -3)$을 지난다.

10 물의 높이는 매분 3 cm씩 증가하므로 x분 후의 물의 높이는 $3\times x=3x$(cm)

$\therefore y=3x$

$y=3x$에 $y=60$을 대입하면 $60=3x$ $\therefore x=20$

따라서 물의 높이가 60 cm가 되는 것은 물을 넣기 시작한 지 20분 후이다.

11 (1) (가로의 길이)×(세로의 길이)=108로 일정하므로 세로의 길이는 가로의 길이에 반비례한다.

(2) $xy=108$에서 $y=\frac{108}{x}$

(3) $y=\frac{108}{x}$에 $x=12$를 대입하면 $y=\frac{108}{12}=9$

따라서 가로의 길이가 12 cm일 때, 세로의 길이는 9 cm이다.

12 (1) y가 x에 반비례하므로 x와 y 사이의 관계식을 $y=\frac{a}{x}(a\neq0)$로 놓는다.

기체의 부피가 24 cm^3일 때, 압력이 3기압이므로

$x=3$, $y=24$를 $y=\frac{a}{x}$에 대입하면

$24=\frac{a}{3}$ $\therefore a=72$, 즉 $y=\frac{72}{x}$

(2) $y=18$을 $y=\frac{72}{x}$에 대입하면 $18=\frac{72}{x}$ $\therefore x=4$

따라서 4기압의 압력을 가해야 한다.

13 정비례 관계 $y=ax$의 그래프가 점 $\left(\frac{2}{3},\ -2\right)$를 지나므로

$y=ax$에 $x=\frac{2}{3}$, $y=-2$를 대입하면

$-2=a\times\frac{2}{3}$　　$\therefore a=-3$, 즉 $y=-3x$

$y=-3x$에 $x=k$, $y=6$을 대입하면

$6=-3k$　　$\therefore k=-2$

14 $y=\frac{a}{x}$의 그래프가 점 $(4,\ -20)$을 지나므로 $-20=\frac{a}{4}$

$\therefore a=-80$, 즉 $y=-\frac{80}{x}$

$y=-\frac{80}{x}$의 그래프가 점 $(b,\ -16)$을 지나므로

$y=-\frac{80}{x}$에 $x=b$, $y=-16$을 대입하면

$-16=-\frac{80}{b}$　　$\therefore b=5$

15 y는 x에 정비례하므로 $y=ax(a\neq 0)$라 놓는다.

$y=ax$에 $x=6000$, $y=300$을 대입하면

$300=a\times 6000$　　$\therefore a=\frac{1}{20}$, 즉 $y=\frac{1}{20}x$

$y=\frac{1}{20}x$에 $x=8400$을 대입하면

$y=\frac{1}{20}\times 8400=420$

따라서 적립되는 포인트는 420점이다.

16 (1분에 넣는 물의 양)×(물을 가득 채울 때가지 걸리는 시간)
$=560(\mathrm{L})$이므로

$xy=560$　　$\therefore y=\frac{560}{x}$

$x=35$를 $y=\frac{560}{x}$에 대입하면 $y=\frac{560}{35}=16$, 즉 수조에 물이 가득 찰 때까지 걸리는 시간은 16분이다.

따라서 수조의 $\frac{1}{2}$만큼 물을 채울 때까지 걸리는 시간은 8분이다.

날짜		단원명	
강의 구분		강의명	
난이도	상 / 중 / 하	틀린 이유	☐ 문제를 잘못 읽음 ☐ 계산 실수 ☐ 문제를 이해 못함 ☐ 개념 이해 부족 ☐ 기타( )

틀린 문제

핵심 개념 및 Key Point

바른 풀이

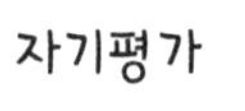

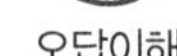

날짜		단원명	
강의 구분		강의명	
난이도	상 / 중 / 하	틀린 이유	□ 문제를 잘못 읽음 □ 계산 실수 □ 문제를 이해 못함 □ 개념 이해 부족 □ 기타( )

틀린 문제

핵심 개념 및 Key Point

바른 풀이

자기평가

완전이해 오답이해 다시하기

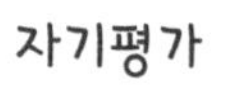

날짜	단원명
강의 구분	강의명
난이도 상 / 중 / 하	틀린 이유 □ 문제를 잘못 읽음 □ 계산 실수 □ 문제를 이해 못함 □ 개념 이해 부족 □ 기타( )

틀린 문제

핵심 개념 및 Key Point

바른 풀이

완전이해 오답이해 다시하기

날짜	단원명
강의 구분	강의명

난이도	상 / 중 / 하	틀린 이유	☐ 문제를 잘못 읽음	☐ 계산 실수	☐ 문제를 이해 못함
			☐ 개념 이해 부족	☐ 기타( )	

틀린 문제

핵심 개념 및 Key Point

바른 풀이

자기평가

완전이해

오답이해

다시하기

날짜	단원명
강의 구분	강의명
난이도 상 / 중 / 하	틀린 이유 ☐ 문제를 잘못 읽음 ☐ 계산 실수 ☐ 문제를 이해 못함 ☐ 개념 이해 부족 ☐ 기타(　　　)

틀린 문제

핵심 개념 및 Key Point

바른 풀이

날짜		단원명	
강의 구분		강의명	
난이도	상 / 중 / 하	틀린 이유	☐ 문제를 잘못 읽음 ☐ 계산 실수 ☐ 문제를 이해 못함 ☐ 개념 이해 부족 ☐ 기타( )

틀린 문제

핵심 개념 및 Key Point

바른 풀이

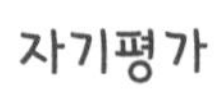

완전이해 오답이해 다시하기

푸르넷 에듀 E-learning 사이트 학습 System

On-Off 라인 통합학습

On-Off 라인 통합학습 관리 System

푸르넷 에듀 개인별 맞춤학습 + **학생** + **푸르넷 에듀 선생님** 개인별 학습지도 및 관리

- 지도교사가 학습 스케줄 작성, 동영상 학습지도, 학습관리 및 평가를 실시합니다.
- 회원은 푸르넷 에듀 사이트에서 동영상 학습 및 여러 평가 학습을 진행합니다.
- 회원의 학습 과정 및 결과는 회원관리 프로그램을 통해 지도교사가 확인 및 점검합니다.
- 이를 바탕으로 학생 개개인에 맞는 체계적인 수업을 진행합니다.

내신 만점 학습 전략

국어 · 영어

출판사별 교과서 맞춤 강의 제공
교과서의 핵심 개념 파악 및 학교 시험대비 3단계 학습 전략

- Step1: 교과서 단원별 필수 개념 다지기
- Step2: 교과서 작품 및 지문 완전 분석
- Step3: 단원별 문제풀이 학습

수학 · 사회 · 역사 · 과학

1. **단계별 내신대비 학습:** 주제별/유형별로 기본 개념부터 보충·심화 강의까지 개념별·유형별 연계 학습이 가능

- Step1: 개념 강의 (리더스/진도플러스)
- Step2: 문제풀이 강의 (내신플러스)
- Step3: 단원별 보충·심화 강의

2. **수준별 수학 학습:** 개인별 학습 능력 수준에 맞는 학습

- Step1: **입문** 쉽고 재미있는 입문 개념 학습
- Step2: **기본** 기본 개념의 핵심 개념 학습
- Step3: **심화** 고난도 문제 유형 학습
- Step4: **유형** 핵심 유형별 문제 트레이닝 학습

힘이 붙는 수학 연산 중등 1-1

정답과 해설

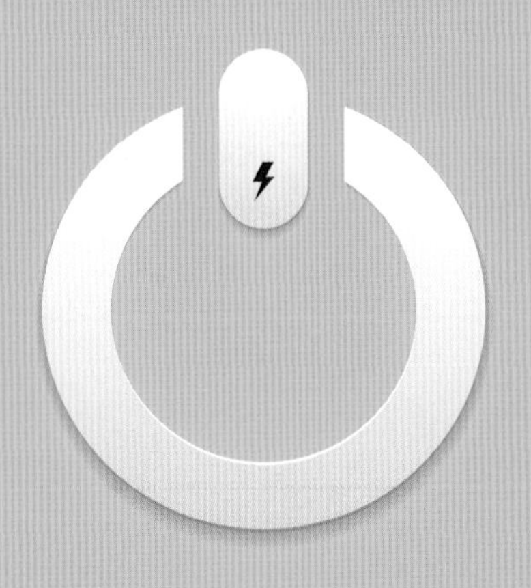

힘이 붙는 수학 연산